LA MAISON DE JANE

ROBERT KIMMEL SMITH

LA MAISON
DE JANE

Traduit de l'américain par Michel Ganstel

PIERRE BELFOND
216, boulevard Saint-Germain
75007 Paris

Ce livre a été publié sous le titre original
JANE'S HOUSE
par William Morrow & Company, New York

Si vous voulez recevoir notre catalogue
et être tenu au courant de nos publications,
envoyez vos nom et adresse, en citant ce livre,
aux Éditions Pierre Belfond
216, boulevard Saint-Germain
75007 Paris

ISBN 2.7144.1534.2

Pour Claire, pour Heidi, pour Roger

PREMIÈRE PARTIE

1

A deux rues de chez lui, il se rappela n'avoir rien sorti du congélateur pour le dîner. Il jura à haute voix, consulta la montre du tableau de bord. 6 h 20. Encore le temps de s'arrêter au supermarché avant la fermeture.

En attendant que le feu passe au vert, il chercha sa maison des yeux — une grande bâtisse fin de siècle en brique et pierre, deux étages sur rez-de-chaussée, un perron-véranda assez vaste pour y donner un bal. Entre l'érable de Norvège, sur la pelouse, et la haie de forsythias le long du trottoir, une balle jaune jaillit soudain pour rebondir sur les marches du perron. C'était Bobby, bien entendu, encore plongé dans un de ses interminables matches imaginaires où, dans sa tête de dix ans, il se voyait semant la déroute chez les plus grands du base-ball professionnel. Au moment où le feu changea, Paul donna un coup d'avertisseur. Mais Bobby ne regarda pas dans sa direction.

Il trouva une place de stationnement en face du supermarché, devant la pizzeria. A travers la vitrine douteuse, il pouvait voir Guido, armé de sa longue pelle de bois, en train de défourner une pizza et de la poser sur le comptoir avant de la découper en huit portions fumantes. Paul faillit se laisser tenter : plutôt que de faire la cuisine, pourquoi pas une pizza ? Encore une ? Non, impossible. Ils en avaient mangé l'avant-veille. Hier soir, il avait acheté un plat chinois, sans parler du poulet frit de la semaine dernière. Trop facile.

Continuité. Stabilité.

Oui, se dit-il, de la continuité. De la permanence. Il en faut aux enfants — comme à moi. Dans toute la mesure du possible, préserver les comportements établis. Des repas réguliers aux heures normales. A table, soutenir la conversation, partager les pensées des enfants, les encourager à parler de leur journée. Les coucher, les réveiller sans changer leurs habitudes. La continuité, voilà le maître mot... Facile à dire. Pas si commode à réaliser.

Il poussa le caddie le long du comptoir du rayon crèmerie tout en s'efforçant de se rappeler l'état des provisions dans le réfrigérateur, à la maison. Du lait ? Oui, sûrement, Bobby et Barbara en buvaient énormément. On était mercredi, les principaux achats s'effectuaient le samedi; mieux valait donc prendre une bouteille de jus d'orange. Il traversa ensuite sans s'arrêter l'allée du pain et des biscuits et se dirigea vers la boucherie.

— Monsieur Klein ?

Paul s'arrêta, se retourna. Une vieille dame en veste de fourrure lui souriait. Il l'avait déjà vue quelque part, une voisine probablement. Mais qui cela pouvait-il être ?

— Sylvie Fox, de Marlborough Road.

— Ah oui, bien sûr ! répondit Paul.

Qui diable était donc Sylvia Fox ?

— J'ai bien connu votre femme, à l'association des parents d'élèves. Je voudrais simplement vous présenter mes condoléances.

— Merci, madame.

— Quelle femme adorable, quelle femme charmante...

— Merci.

— Intelligente, et si douce avec cela ! Mon petit-fils l'a eue en neuvième, il nous parlait tout le temps d'elle. Un professeur admirable, pas comme ces jeunes que l'on trouve maintenant — vous savez, ces gamines qui viennent faire leur classe en jeans. Est-ce un exemple pour les élèves ? Est-ce digne du corps enseignant ?

Oh ! mon dieu, non, pas maintenant, par pitié ! Paul ne se sentait vraiment pas d'humeur à s'entendre dire que Jane avait été un bon professeur, qu'elle s'habillait toujours à la perfection, qu'elle avait représenté un élément d'apaisement

12

et de compréhension dans un établissement dont la moitié des élèves venaient, par cars spéciaux, des quartiers noirs de l'autre bout de la ville.

— Et si jeune encore ! poursuivit Mme Fox en hochant sa tête grise. Voir disparaître une jeune femme de cet âge, quelle tragédie...

— Madame...

— Elle n'avait pas même quarante ans, n'est-ce pas ?

Paul secoua la tête. Mme Fox exhala un bruyant soupir :

— Oui, une véritable tragédie.

Grand dieu, quelle imbécile ! Paul sentait la colère le saisir. Il avait une furieuse envie de planter cette vieille toupie dans les surgelés jusqu'à la transformer en glaçon. De quel droit lui parlait-elle ainsi de Jane ? Que savait-elle de Jane ? Pourquoi les gens se croient-ils toujours obligés de présenter des condoléances idiotes ? A quoi tout cela lui servait-il, à lui ? Qu'on le laisse tranquille ! Ces mots creux, cette compassion hypocrite ne voulaient strictement rien dire. Rien.

— Je suis déjà en retard, murmura Paul en se contenant avec peine.

Il s'éloigna, les mains crispées sur la poignée du caddie, les jointures blanches. Il aurait voulu pouvoir hurler, jeter le caddie de toutes ses forces contre les rayons, voir crouler les pyramides de boîtes, se ruer sur les paquets, les déchirer, tout saccager. *Veuf éploré devient fou furieux dans supermarché. Cliente ensevelie sous montagne de céréales vitaminées et pâtes alimentaires. « Je lui présentais mes condoléances et il a piqué une crise. Je ne comprends pas pourquoi », témoigne la victime.*

Tout doux, vieux frère. Du calme. Paul prit une profonde inspiration, une autre. Il contempla le long comptoir de la boucherie. Du poulet ? Un alignement scintillant d'emballages en plastique. Des pilons, des ailes, des bêtes entières. A rôtir, à frire. Combien de temps pour faire cuire un poulet ? Est-ce plus rapide entier ou en morceaux ? En morceaux, sans doute, mais combien de temps ? Il fit quelques pas. Du foie ? Pas question. Jane était seule à pouvoir leur en faire avaler — encore le dissimulait-elle sous un amoncellement d'oignons et autres garnitures. Côtelettes d'agneau. Pourquoi pas ? C'est la viande préférée de Barbara. Quand elle était petite, elle adorait les côtelettes, celles avec l'os — « en forme de P », comme elle disait. La première fois que Jane avait servi des côtes-gigot, Barbara n'avait pas voulu croire qu'il s'agissait vraiment d'agneau. « Mais, maman, elles ont un os... pas normal ! » Depuis, Barbara les appelait toujours ainsi, les « côtelettes avec l'os pas normal ». Oui, Barbara raffolait de l'agneau, il y en avait toujours un paquet dans le congélateur. Espèce d'idiot, si tu avais pensé à l'en sortir ce matin, tu ne serais pas planté devant le comptoir à te demander que choisir !

Paul passa sans s'arrêter devant le veau, le rosbif et toutes ces viandes rouges qu'il faut faire mijoter pendant des heures. Du haché ? Facile à préparer, vite cuit... Paul hésita. Les décisions sont-elles toujours aussi pénibles à prendre ? Il était conscient du temps qui passait. Haché ou pas haché ? Être ou ne pas être ?...

Encore quelques pas. De la bavette. C'était la solution ! Depuis le temps, Paul avait oublié combien ils aimaient tous la bavette comme la préparait Jane. De la sauce de soja, du jus de citron, des échalotes et le tout passé sous le gril. Le plat préféré de toute la famille. La recette, Jane l'avait trouvée dans un livre de cuisine, le gros, celui posé sur l'étagère auprès de la radio. Paul voyait encore la page, avec l'empreinte d'un pouce gras et des éclaboussures de soja.

Il prit une bavette entière, la mit dans le caddie. Fruits et légumes, maintenant. Des échalotes, quelques citrons. Un melon, aussi : il soupesa, tâta, renifla, essaya de déterminer lequel était le plus mûr. Allez savoir !... Inutile d'insister, autant payer et prendre ses risques. Il en choisit finalement un, moyen de taille et de prix.

Quand il sortit du supermarché, la nuit était tombée, les réverbères s'allumaient en créant des halos jaunâtres. Paul se sentait beaucoup mieux. Grâce à la chère vieille bavette, son dîner allait avoir du succès. Les enfants l'aideraient à la cuisine. A table, ils parleraient à cœur ouvert. Les derniers potins du lycée de Barbara. Le long trajet en métro que devait faire Bobby pour se rendre à l'école. Ce soir, ils réussiraient peut-être à rire, comme autrefois. Les bonnes habitudes. La continuité...

14

Lorsque Paul coupa le contact devant le garage, Bobby était toujours en train de lancer sa balle contre les marches. Les réverbères luisaient entre les arbres mais Bobby gardait la visière de sa casquette abaissée sur les yeux. Il remuait silencieusement les lèvres, comme s'il commentait à mesure ses coups d'éclat en finale de championnat. Paul empoigna les sacs sur la banquette arrière, souleva son porte-documents tout en regardant son fils jeter la balle d'une détente du bras gauche. Deux gauchers dans la famille, les deux enfants, alors que Jane et lui étaient résolument droitiers. Un ancêtre de Jane, sans doute. Ces choses-là sautent souvent une ou deux générations.

Bobby vint lui ouvrir la portière et s'empara du porte-documents.

— Salut ! Tu es en retard, ce soir.

— Un peu. J'ai fait des courses pour le dîner. Fin prêt pour la coupe du monde ? ajouta-t-il en serrant le bras du champion.

— Ouais... Encore quelques séances d'entraînement.

Ils traversèrent ensemble la pelouse. La façade était obscure, à l'exception de la fenêtre de Barbara.

— Tu as fini tes devoirs ?

Bobby hocha la tête.

— Il n'est pas un peu tard pour jouer dehors ? Sept heures passées...

Bobby haussa les épaules :

— Peter est là.

— Encore ?

— Je me sens tout bête quand il vient. Barbara est... bizarre avec lui, tu vois ce que je veux dire ?

— Bizarre ? Dans quel sens ?

— Elle se donne des airs, m'appelle « le petit frère », me traite comme un bébé. Et puis, ils roucoulent, tous les deux, ça me gêne, quoi.

— Tu te sens de trop, la cinquième roue du carrosse, c'est ça ?

— Ouais.

Paul ouvrit la porte extérieure puis celle du vestibule, actionna les deux interrupteurs pour allumer à la fois l'entrée et le perron.

15

Peter Block, le petit ami de Barbara, avec son jean moulé, sa chemise à carreaux et ses trois poils ridicules qui, un jour ou l'autre, finiraient par ressembler à une moustache... Paul ne reprochait rien de particulier à ce gamin, sauf qu'il devenait par trop inséparable de Barbara — et vice versa. Si Jane avait été encore de ce monde, Peter n'eût pas été tout le temps fourré ici. La vie amoureuse de Barbara était du domaine de Jane. Erreur : désormais, c'était à lui de s'en occuper, comme de tout le reste.

De la musique s'échappait de la chambre de Barbara, à l'étage, un rock assourdissant lourdement ponctué à la batterie. Paul tendit les sacs à Bobby :

— Sois gentil, pose-les dans la cuisine.

— Qu'est-ce qu'il y a pour dîner ?

— Une surprise.

— Ah ! bon. Encore du steak haché.

— Pas du tout, garnement ! répondit Paul d'un ton faussement ulcéré. De la bavette aux échalotes, avec du riz et des petits pois. Je me surpasse...

Il espéra un sourire qui ne vint pas. Bobby tourna les talons et se dirigea vers la cuisine.

Paul accrocha son pardessus dans la penderie du vestibule et s'engagea dans l'escalier. Plus il montait, plus la musique se faisait tonitruante. La porte de Barbara était fermée. Paul s'arrêta un instant, tendit l'oreille. Pourquoi ne parlaient-ils pas ? Que fabriquaient-ils donc, là-dedans ? Il frappa bruyamment, entendit des grognements étouffés. Un moment plus tard, d'une voix trop enjouée, Barbara cria : « Entrez ! »

Ils étaient assis côte à côte sur le lit. Barbara, au teint naturellement pâle, arborait des joues en feu.

— C'est mon père, annonça-t-elle.

Comme si Peter ne l'avait pas déjà vu trois cents fois depuis moins d'un an ! Ce garçon avait pratiquement pris pension chez eux.

— Bonsoir, monsieur, dit-il.

Rouge jusqu'à la racine des cheveux, il avait lui aussi l'air gêné. Ils se pelotent sans doute depuis des heures, se dit Paul qui préféra chasser ces pensées désagréables.

— Je vous apporte un salut du monde extérieur, dit-il en

16

se forçant à sourire. Si ma voix peut toutefois se faire entendre dans ce chahut...

— Papa n'aime pas le rock, commenta Barbara.

— Tu as fini tes devoirs ?

— Presque. Du français à terminer.

— Ne traîne pas. Je commence tout de suite à préparer le dîner.

Il laissa la porte ouverte derrière lui et se rendit dans sa chambre, à l'autre bout du couloir. Il était en train de dénouer sa cravate quand Barbara apparut derrière lui :

— Es-tu fâché contre moi ?

— Non.

Sa conscience devait pourtant la taquiner, elle avait la mine grave.

— Tu n'as pas l'air content.

Content ? Je rentre pour te trouver sur ton lit avec Peter, derrière une porte close, toute la maison dans le noir, ton petit frère encore en train de jouer dehors et tes devoirs pas faits... Il s'abstint cependant de le dire à haute voix.

— Est-ce que Peter peut rester dîner ?

— Non.

— Pourquoi ?

— Il a des parents, un chez-lui, tu sais.

— Cela n'a rien à voir...

— Écoute, ma chérie, il est dans la pièce à côté. Ce n'est pas le moment de parler de cela.

— Peter est mon ami ! dit-elle en élevant la voix.

Paul porta vivement un doigt à ses lèvres, de crainte que le jeune homme n'entende leur discussion.

— Chut ! Pas maintenant, d'accord ? Nous en reparlerons plus tard.

Paul vit le visage de sa fille se fermer, son expression se durcir. La douceur angélique de l'adolescence... De qui avait-elle hérité ces brusques sautes d'humeur, ce tempérament instable ? Mystère, comme le fait qu'elle fût gauchère. Jamais il n'avait fait preuve d'une telle susceptibilité, Jane encore moins. Et Barbara se comportait déjà ainsi bien avant la mort de sa mère.

— Alors, je vais lui dire que tu ne veux pas qu'il reste dîner ! s'écria-t-elle.

Elle quitta la pièce en grommelant.

Paul descendit peu après. Dans la cuisine, il retroussa ses manches, se lava les mains dans l'évier. Bobby s'était installé à la table, près de la fenêtre, et lisait un magazine sportif. Les sacs du supermarché étaient posés sur le comptoir. On entendit la porte d'entrée claquer, puis le pas de Barbara qui remontait dans sa chambre. Paul courut dans la salle à manger pour la héler :

— Barbara ! Pourrais-tu venir m'aider, s'il te plaît ?

Elle allait probablement bouder toute la soirée, mais Paul n'y pouvait rien. Il fallait quand même définir des limites, en ce qui concernait Peter. Il n'était pas question qu'elle passe le plus clair de son temps avec lui.

Paul se versa du bourbon, en avala une gorgée en se remémorant ses plaisirs simples : s'asseoir à table, boire un verre et bavarder avec Jane pendant qu'elle finissait de préparer le repas. Il lui racontait sa journée, et elle la sienne, ils plaisantaient tous deux avec les enfants pendant qu'ils attendaient. Ce soir, son brillant projet de joyeux dîner de famille semblait décidément bien compromis. Bobby s'était retiré dans son univers à lui. Les bras croisés, raide comme une statue, Barbara regardait par la fenêtre.

Le whisky lui brûla la gorge, mais cela lui fit du bien. Il en but une autre gorgée en contemplant ses enfants. On n'entendait que le ronronnement du réfrigérateur. Ils étaient tous trois en train de se désintégrer, chacun de son côté. Ce sont des liens d'amour et de tendresse, de devoir et d'obéissance qui fondent les familles heureuses en un bloc uni. La disparition de Jane leur avait fait perdre leur noyau, leur point d'ancrage. Maintenant, ils partaient tous trois à la dérive. Bobby se réfugiait dans le silence et la solitude. Barbara trouvait en son boy-friend une sorte de baume à sa douleur. Pour lui, Paul, les choses étaient plus simples, en un sens. Le remède était là, sous ses yeux : les enfants. Il fallait rester fort, jouer à la fois le rôle du père et de la mère pour mieux les réunir, recréer la cellule familiale et la refaire fonctionner. Voilà où était son devoir, sa seule responsabilité. Il ne pouvait, il ne devait pas les laisser ainsi se détruire, s'éloigner les uns des autres. La tâche était toute tracée. Mais que fait-on pour recoller les morceaux d'une famille brisée ?

18

— Allons, les enfants, au travail ! dit-il avec une gaieté forcée. Le dîner ne va pas cuire tout seul.

Il alluma le gril, commença de vider les sacs. Les enfants restèrent sans réaction.

— Barbara, tu veux bien t'occuper du riz ? Trois verres, cela devrait suffire.

Elle se retourna, lui jeta un regard indifférent.

— Allons, ma chérie, tu sais très bien préparer le riz ! Sers-toi du verre gradué, rince le riz à l'eau froide dans la grande passoire, celle qui est sous l'évier, et mets-le à cuire dans la petite casserole émaillée, tu sais...

— Oui, je sais comment il faut faire le riz.

Barbara bougea enfin, se pencha pour sortir les ustensiles.

— Bravo ! Et maintenant, Bobby, nous passons à la préparation de la bavette.

L'interpellé leva les yeux des pages de son magazine :

— Ce sera comme celle de maman ?

— Je l'espère bien ! Va me chercher la recette, veux-tu ? Le gros livre de cuisine, sur l'étagère.

Paul déballa la viande, l'étala sur la planche à découper, ôta des marbrures de graisse superflue et traça des entailles en croix avec la pointe du couteau. Il ouvrit le livre à la page de la recette et entreprit de préparer la marinade.

— Vous allez voir, un dîner fabuleux !

— Une minute ! intervint Barbara. Je me rappelle, maintenant, comment maman le faisait. Il faut mettre la viande à mariner pendant au moins deux heures.

— Quoi ?

— C'est vrai, renchérit Bobby. Je me souviens d'un mot qu'elle m'avait laissé, un soir où elle avait dû sortir après l'école, pour me dire de retourner la viande au bout d'une heure. C'est long à préparer.

— Tant pis, ce sera bon quand même. Délicieux, exquis ! Et j'en mettrai de côté pour faire un plat chinois demain soir.

— Si tu n'oublies pas, dit Barbara.

— Rassure-toi, je n'oublierai pas.

Il s'interrompit pour boire une nouvelle gorgée de whisky. Bobby se replongea dans son magazine.

— Bob, si tu mettais la table ? reprit-il. Ces napperons

sont vraiment trop sales, fourre-les donc dans la machine à laver et prends-en des propres. Dans le placard, oui, à côté du fourneau. C'est ça.

Barbara surveillait l'eau du riz, qui commençait à bouillir; elle couvrit alors la casserole, baissa la flamme et régla le minuteur.

— Combien de temps vas-tu laisser mariner la viande ? demanda-t-elle.

— Pendant la cuisson du riz, un quart d'heure. Sois gentille, ouvre une boîte de petits pois et verse-la dans une casserole.

Bobby fourrageait dans le tiroir des couverts :

— Qu'est-ce qu'il nous faut ?

— Couteaux, petites cuillers.

— Des fourchettes ?

— Aussi, à moins que tu ne préfères manger le riz dans le creux de ta main.

— Je ne te trouve pas drôle, papa.

— Dommage, je fais pourtant de mon mieux... Au fait, j'allais oublier le melon.

Il prit trois petites assiettes dans le placard, coupa le melon en trois, jeta les pépins dans la poubelle. Pendant ce temps, Bobby avait repris sa lecture. Paul posa les assiettes sur la table et plaça celle de son fils sur le magazine ouvert :

— C'est l'heure du dîner, pas de la lecture...

Il accrocha le regard de Bobby, sourit, essaya de le dérider par une boutade, enchaîna sur deux ou trois de ses plaisanteries favorites. Rien. Bobby détourna les yeux, plongea sa cuiller dans le melon et commença de manger. Paul retint un soupir :

— Où en est ton riz ? demanda-t-il à Barbara.

— Plus que cinq minutes.

Il alluma un feu doux sous les petits pois, rapprocha la bavette du gril, fit une nouvelle tentative de calembours.

Barbara lui jeta un regard supérieur, Bobby ne réagit pas. Alors, poussé par quelque démon, Paul se lança dans un enchaînement d'histoires drôles, de plaisanteries ayant déjà fait leurs preuves dans les traditions de la famille. Il se démena comme un clown, se força à des éclats de rire. Une fois de plus, ses efforts tombèrent à plat. Tout, pourtant,

20

valait mieux que ces visages de bois, ces mines lugubres...

— Suffit comme ça, papa, déclara finalement Bobby. Ce n'est vraiment pas drôle.

Cette fois, Paul explosa :

— Mais qu'est-ce que vous avez, tous les deux ? Est-ce un crime de vouloir rire ? Nous venons de pleurer sans arrêt pendant trois mois, cela nous a-t-il fait du bien ?

Le silence qui suivit fut rompu par la sonnerie du minuteur.

Paul éteignit le feu sous le riz, glissa la viande dans le gril. Sans savoir pourquoi, il sentait la colère le gagner.

— La vie continue ! reprit-il. Que cela nous plaise ou non, la terre ne cesse pas de tourner, avec ou sans nous. Simple question de bon sens... Oui, la vie continue et nous devons vivre, nous aussi.

D'un coup, sa colère tomba. Il était vidé de ses forces. Tourné vers le gril, il savait que ses enfants, derrière son dos, le fixaient en silence. Il se sentait vieux, las, usé. Si seulement Jane avait été avec lui, en ce moment, pour le prendre dans ses bras, lui masser la nuque de sa petite main ferme et tiède qui savait si bien guérir, apaiser, réparer... Non, de grâce, ne pleure pas ! Trop tard. Déjà, les larmes lui piquaient les yeux, ruisselaient sur ses joues. Il se força à ne pas tourner la tête, à contempler le gril où les échalotes brunissaient sous la lumière orangée dans le sifflement des jets de graisse fondue. Un sanglot lui noua la gorge, un autre le secoua, puis un autre tandis que les enfants, à leur tour, se mettaient à pleurer.

2

A minuit moins cinq, Paul se retrouva accroupi devant la machine à laver, en train de regarder tournoyer derrière le hublot un assortiment de T-shirts, de slips et de chaussettes. La machine, en cycle d'essorage, vibrait en faisant trembler le plancher, tressauter le séchoir, tinter verres et assiettes dans les placards. Approchez, mesdames et messieurs, vous êtes cordialement invités à la lessive de minuit ! Donnez-nous votre linge sale et passez au buffet, résultats garantis !... Paul ricana à son image, réfléchie dans la vitre du hublot, se porta un toast en buvant une gorgée de cognac. Faute de mieux, souriez, ça ne fait pas de mal.

Comment a-t-il échoué là à une heure pareille ? Eh bien, en se couchant, Bobby annonce calmement qu'il n'a plus de chaussettes propres dans son tiroir. Faux, bien entendu : Paul vérifie, en découvre une paire. Mais, en la déroulant, il s'aperçoit qu'elles n'ont plus de bout — deux de ses doigts semblent le narguer là où auraient dû se loger les orteils. Il poursuit son investigation qui lui révèle que Bobby n'a plus qu'un T-shirt et un slip en réserve. De même, Barbara et lui sont à court de sous-vêtements. « Bon, je vais faire une charge en vitesse », déclare-t-il. Entre-temps, Bobby s'est mis au lit dans son pyjama de flanelle bleu. Il s'est lavé les dents, la figure et les mains; encore humides sur les tempes, ses longs cheveux bouclent de manière adorable. Paul doit se retenir pour ne pas les enrouler autour de ses doigts. Hors de question, Bobby se trouve trop grand pour se

22

laisser dorloter et caresser, ce serait indigne de lui. Son affection, il la rationne sévèrement : un baiser le matin en partant pour l'école, un autre le soir quand son père rentre à la maison, un dernier enfin lorsqu'il le borde dans son lit, sous l'édredon bien tiré. Et pourtant, même au bout de dix ans, Paul sent son cœur battre la chamade chaque fois que son petit garçon daigne se soumettre à une embrassade.

Donc, les chaussettes n'ont plus de bout.

Assis sur le bord du lit, Paul raconte à Bobby une histoire :

— Quand j'étais petit, bon-papa Herman est rentré un soir avec un lot de douze paires de chaussettes nouées par une ficelle. Tu te rappelles où j'habitais, dans mon enfance ?

— On est passé par là, un jour, tu m'avais montré. Un quartier plutôt moche.

— Il ne l'était pas à ce moment-là, au contraire.

— En tout cas, ce n'est pas aussi bien qu'ici.

— Peut-être, mais nous n'étions pas riches. Bref, ton grand-père arrive et nous dit : « Regardez un peu la bonne affaire que j'ai faite ! J'ai acheté ça à un marchand ambulant, près du métro. Douze paires pour un dollar ! » Il était très fier de lui, tu sais, mon père aimait faire des affaires. Alors, il a pris des ciseaux, il a coupé la ficelle et étalé les chaussettes sur la table. Devine comment elles étaient, quand on les a déroulées ?

— Je ne sais pas.

— Pas de bout. Aucune de ces chaussettes n'avait de bout. A l'endroit des orteils, le tricot s'arrêtait bien proprement, c'est tout. Le plus beau, c'est l'habileté du type qui les lui avait vendues. Ses paquets de chaussettes étaient liés si adroitement qu'on ne pouvait pas les défaire sans couper la ficelle. Il était impossible de se rendre compte que les chaussettes n'avaient pas de bout.

— C'était un truand, ce type-là.

— Oui, évidemment.

— Alors, que s'est-il passé ?

— Moi, j'ai éclaté de rire mais maman n'a pas trouvé cela drôle du tout. Elle connaissait papa mieux que moi. Il est devenu tout rouge, il a enroulé les chaussettes, a refait le paquet et remis la ficelle exactement comme elle était, puis il nous a dit : « Attendez-moi pour le dîner, je vais lui rendre sa marchandise. » N'oublie pas qu'il y avait plus de un kilomètre à parcourir en montée pour retourner au métro, plus un kilomètre pour revenir. A l'époque, quand on était pauvre comme nous, un dollar valait bien cela.

— Il s'est battu avec le camelot ?

— C'est ce que maman répétait pendant que nous l'attendions : « Il va encore se lancer dans une bagarre, on va appeler la police et il va finir au poste, tout ça pour un dollar ! » Bref, une bonne demi-heure plus tard, papa est rentré. Sans dire un mot, il s'est lavé les mains et s'est assis à table. « Qu'est-il arrivé ? » lui demande maman. Papa secouait la tête en souriant. « Quel phénomène, ce type ! a-t-il dit deux ou trois fois avec une sorte d'admiration. Il a un culot, c'est inimaginable ! »

— Oui, mais se sont-ils bagarrés ?

— Attends, j'y arrive. « Il était debout sur une caisse devant son éventaire, nous raconte papa, en train de crier à tue-tête : "Chaussettes ! Chaussettes ! Un dollar la douzaine, servez-vous, messieurs-dames ! Un dollar la douzaine !" Et voilà qu'il me voit arriver, mes chaussettes à la main et l'air furieux. Il n'a pas pipé et a continué son boniment sans me quitter des yeux. Je me suis frayé un chemin dans la foule et, quand je suis arrivé près de lui, le type m'a pris les chaussettes des mains en me glissant un dollar. Je le regarde, il me fait un clin d'œil, se penche, me fait signe de me taire et me chuchote à l'oreille : "Écoute, mon pote, ne te fais pas d'idées : même en Amérique tu n'as pas une douzaine de n'importe quoi pour un dollar." »

Paul marqua une pause, attendit.

— C'est ça toute l'histoire ? dit enfin Bobby.

— Oui.

— Bon-papa n'a pas appelé la police ?

— Non.

— Il n'a pas prévenu les autres clients ?

— Non plus.

— Et pourquoi ?

Paul se pencha et planta un baiser sur le front de son fils :

— C'est exactement la question que j'ai posée à mon père. « Il avait raison, ce type, a-t-il répondu. J'avais laissé

24

ma cupidité prendre le dessus sur le bon sens. Un dollar, ce n'est pas cher payé pour une pareille leçon — et encore, j'ai récupéré mon argent ! »

— Mais les autres gens ? dit Bobby en faisant la moue. Ils se sont fait avoir sans que bon-papa les prévienne...

— « Un homme a le droit de gagner sa vie », m'a-t-il dit. Et puis, je crois que ça l'avait amusé de rencontrer un type avec assez de culot pour vendre des chaussettes sans bout.

— Il avait tort.

— Peut-être, dit Paul en haussant les épaules. Je comprends malgré tout pourquoi il n'a rien fait, parce que je suis son fils et que j'ai appris à connaître mon père — comme un jour, Bob, j'espère que tu comprendras le tien. Ce n'est pourtant pas tout à fait la fin de l'histoire. A partir de ce jour-là, chaque fois que papa tombait sur une publicité qui promettait la lune ou un politicien qui faisait de grands discours, l'un de nous n'avait qu'à dire : « Un dollar la douzaine » et nous éclations de rire.

— Ouais, un dollar la douzaine...

— Telle est la morale de l'histoire. Et maintenant, bonne nuit et dors bien.

Bobby lui donna sur la joue un gros baiser encore humide et frais, tout parfumé à la menthe et au fluor. Et ce fut, pour le cœur de Paul, le plus beau moment de la journée.

Bien entendu, il avait oublié d'ajouter de l'adoucissant. Il n'y pensait jamais. Pourquoi, mais pourquoi, demanda-t-il à la cantonade, aucun fabricant n'a-t-il encore inventé une machine qui s'arrête au moment voulu et vous rappelle qu'il est temps de mettre l'adoucissant ? Sans adoucissant, leurs sous-vêtements sortiraient rugueux et raides comme du carton. Bobby se plaindrait encore : « Mes slips me grattent. » Que répondre à cela ? « Je ne suis pas aussi intelligent que ta mère » ?

La machine stoppa enfin dans les grincements et les cliquetis. Paul transféra son contenu dans le séchoir, pressa le bouton et entendit l'engin se mettre en route. Il but une gorgée de cognac et alla s'asseoir. Devant lui, empilés sur la table de teck poli où quatre convives prenaient place à l'aise, six s'ils étaient bons amis, il trouva les factures du mois, son chéquier, les relevés bancaires, un bloc-notes et un stylo-feutre pour les calculs.

Jane avait la responsabilité de régler les factures, ils avaient pris cette décision dès les premières années de leur mariage après que Paul eut lamentablement échoué dans cette tâche.

Tout lui revenait en mémoire. Ils habitaient encore leur premier appartement, le deux-pièces en sous-sol envahi de cafards dont Jane avait si peur. Jane et sa robe de chambre en tissu-éponge bleu, assise devant son petit secrétaire, en train de brandir le chèque enfin payé qui remettait leur compte d'aplomb pour sa plus grande joie : « A partir de maintenant, et surtout quand tu voyages, paie toutes tes dépenses avec ta carte de crédit. L'*American Express* est plus douée que toi pour la comptabilité. » Bien entendu, il avait promis, juré. Et puis, après avoir couvert de baisers cet adorable visage de lutin trop sérieux, il avait empoigné sa bonne fée à bras-le-corps, transporté son fardeau de quarante-cinq kilos jusqu'au lit et c'en avait été fini, ce soir-là, des arcanes de la haute finance.

Il alluma une cigarette, tourna les yeux vers le jardin qu'illuminaient les réverbères. Le ronronnement du séchoir fut brièvement couvert par le sourd grondement du métro à deux rues de là. Un vent aigre d'octobre fit bouger les quelques feuilles de lierre jauni encore accrochées au mur du garage. Son regard tomba sur le petit potager planté par Jane en avril dernier. C'était devenu une sorte de jungle; les plants de tomates étouffaient ceux de courgettes, les feuilles d'aubergines se mêlaient inextricablement aux poivrons. « Mon jardin-ratatouille », l'appelait Jane...

Oh ! Jane ! Sa présence remplissait cette maison, cette cuisine. Partout se voyaient sa marque, son goût, sa vie. Ses plantes, dans les pots de grès alignés sur l'appui de la fenêtre. Ses paniers d'osier accrochés au mur. Le panneau perforé, près du four, couvert des ustensiles et gadgets dont elle aimait tant se servir. Et ces vieilles appliques achetées dans une vente, elle les avait rapportées toute seule, dépensant plus pour la course en taxi que pour son acquisition. Sur une

26

étagère, ses bocaux de verre assortis où elle rangeait les nouilles, le riz, les haricots, le café, le sucre, et le jeu de poids bien astiqués qu'elle utilisait pour la pâtisserie. Paul la voyait encore en train de faire son tour de la « bouteille magique » devant les enfants : le moule à tarte noirci dont elle décollait le fond en le tapant sur un bocal renversé, la quiche fumante qu'elle présentait triomphalement en s'inclinant, en remerciant son public, Barbara et Bobby, qui applaudissaient en riant...

Suffit, vieux frère ! Paie les factures. Travaille plutôt que de te vautrer dans tes souvenirs. Paul se mit à rédiger les chèques. Le gaz. L'électricité. Le plus gros pour le crédit sur la maison : « Payez à l'ordre de Citibank la somme de quatre cent soixante-quatre dollars et cinquante-six cents », sinon ils viendront te reprendre la baraque et te jeter à la rue.

Nous jeter à la rue. *Les* jeter à la rue...

En ce samedi de juillet, le soleil filtrait à travers les jalousies et vint le réveiller. Dix heures au cadran de la pendulette. Couchée sur le dos, Jane dormait encore, une main contre lui. Il se tourna pour la regarder, lui sourire. Cela ne lui ressemblait pas d'être encore endormie si tard, un samedi matin surtout, alors qu'elle devait se rendre au supermarché, puis aller en ville acheter un nouveau jean pour Bobby — c'est fou ce qu'il grandit : pas plus tard qu'hier soir, Jane avait passé ses affaires en revue, lui avait essayé des chemises aux manches trop courtes, des jeans arrivant à peine à la cheville... Pourquoi ne bouge-t-elle pas ? « Hé, debout, paresseuse ! Il est dix heures. » Un baiser sur le front. Son front est froid, trop froid. Ses lèvres sont tordues en un rictus bizarre, ces lèvres qu'il connaît si bien pour les avoir baisées des milliers de fois. Un œil à peine entrouvert, sans dévoiler la pupille sombre. Pourquoi ne respire-t-elle pas ? « Jane ? Ma chérie ! » Il la secoue doucement, elle ne réagit pas. Son corps semble si raide, au milieu du grand lit. Pourquoi ne respire-t-elle pas, à la fin, pourquoi ne remue-t-elle pas ? Elle est froide, figée, il la secoue de plus en plus fort. Rien. Pas un geste... Un baiser, un effort pour lui insuffler sa propre vie entre des lèvres qui refusent de s'entrouvrir. Sa mâchoire est trop crispée, sa bouche refuse d'accueillir mon souffle, ma vie pour Jane, ma Jane, mon amour... Alors, Paul pousse un cri, saute à bas du lit, s'élance. Mais où courir ? Le téléphone, police secours : vite, venez vite, ma femme ne respire plus. Une voix féminine lui dit de se calmer, de donner son adresse. Et Jane sur le lit, dans sa chemise de nuit bleue remontée jusqu'au haut des cuisses, une jambe anormalement tordue, pendant que Barbara et Bobby se tiennent sur le pas de la porte. Non, il ne faut pas qu'ils la voient, qu'ils la voient morte. Au milieu des larmes qui l'aveuglent, des sanglots qui le rendent muet, Paul distingue à peine leurs regards terrifiés, leurs visages livides. Il les chasse de la chambre, les poursuit dans le couloir : « Allez, allez dehors, n'importe où, votre mère est malade. » Il ne peut pas dire qu'elle est morte, bien qu'il le sache déjà. Il appelle David Berg, au bout de la rue, leur ami le pédiatre qui arrive trois minutes plus tard en pyjama et pieds nus, David qui l'arrache au corps de Jane étendu sur le grand lit et le recouvre enfin, oui, enfin, avec l'édredon tiré sur elle, sur son visage, pour cacher son pauvre petit corps.

Et puis, les deux agents, l'ambulance, les deux infirmiers qui montent l'escalier pour le rejoindre.

Et encore la civière, la couverture verte, rugueuse, sous laquelle ils la font disparaître. Pourquoi ne lui permettent-ils pas de lui dire adieu ? Pourquoi le retiennent-ils pendant qu'ils la descendent, la font sortir sur la pelouse à travers la grande porte, devant les enfants ? Les enfants, ses enfants, Barbara l'aînée, et Bobby qu'il aime tant, qui regardent la forme de leur mère sous la grosse couverture verte, qui regardent avec des yeux qu'il n'oubliera jamais. Non, ils ne le quitteront plus ces regards d'enfants en ce matin ensoleillé d'un samedi de juillet...

Le séchoir émet un bruit strident, désagréable. Paul se lève et va ouvrir le couvercle de la machine pour faire taire la sonnerie. Il tâte le linge sec et brûlant, le sort à mesure. Sur le meuble d'érable, il trie les chaussettes et les roule en boule, par paires. Il plie les T-shirts de Bobby et les petits slips de Bobby et ses grands slips à lui et les culottes de Barbara et le chemisier blanc de Barbara et une chemise de Bobby... C'est tout. Il range le linge dans le panier jaune qu'il va remonter.

Une heure moins le quart. Paul avale la dernière gorgée au fond de son verre, qu'il rince et met dans le lave-vaisselle. Il va fermer à double tour la porte d'entrée, accroche la chaîne. Il retraverse le vestibule pour éteindre les lumières et se voit, au passage, dans le grand miroir. Il a les yeux cerclés de rouge, le teint cireux, ses cheveux en broussaille auraient grand besoin d'une coupe. Pas joli, joli... Il prend le panier à linge et monte l'escalier. Les voisins ont laissé la grosse lumière allumée au-dessus de leur garage, une lueur rose éclaire le vitrail de la double fenêtre sur le palier.

Paul s'y arrête, regarde les photos accrochées au mur dans des cadres d'argent. Sam et Sylvia, les parents de Jane, devant leur Chrysler « Airflow » 1934 flambant neuve. Bobby dans son bain à deux ans. Barbara en tresses, souriante et édentée. Jane petite fille, souriante elle aussi, avec une poupée aussi grande qu'elle. Leur photo de mariage, septembre 1962. Il avait encore les cheveux bouclés, à ce moment-là. Jane, coiffée haut pour tenir son voile blanc et son diadème, dans sa robe de dentelle à la traîne gracieusement déployée, une vraie mariée de rêve, le sourire éclatant et chaleureux qu'elle avait toujours. Il se rappelle les moindres détails de leur mariage, tout ce qu'il a ressenti au long de cette chaude soirée d'automne. Émerveillé que cette petite jeune fille intelligente et joyeuse eût décidé de passer le restant de sa vie avec lui. Depuis, il s'était toujours considéré comme l'homme le plus heureux, le plus veinard au monde.

Une fois monté, il trie le linge sur son lit et dépose les affaires de Bobby sur la commode de sa chambre. Paul s'approche du lit, caresse légèrement les cheveux bruns et bouclés de son fils. Il se penche, pose un baiser sur son front et s'éloigne sur la pointe des pieds.

Il lui reste les culottes de Barbara. Il entrouvre la porte de sa chambre et s'apprête à les poser sur la commode.

— Papa ? dit-elle d'une voix pâteuse.

— C'est moi. Excuse-moi de t'avoir réveillée, chuchote-t-il.

— Je ne dormais pas. Quelle heure est-il ?

— Très tard. Rendors-toi.

— Pouvons-nous parler un peu ? Je n'ai pas sommeil. Tu veux bien ? insiste-t-elle en écartant une mèche d'un geste gracieux.

Paul s'avance. Dans la lumière sourde qui vient du couloir, il distingue Remus, l'ours en peluche, le seul qu'ait jamais possédé Barbara, installé à côté d'elle sur l'oreiller. Ce cher vieux Remus a seize ans, comme elle. Il a survécu à bien des épreuves : deux fois perdu et retrouvé, une oreille arrachée, un œil en bouton de bottine recousu vingt fois et d'innombrables et éprouvants passages dans la machine à laver. Paul sourit dans l'obscurité, s'assied sur la chaise devant le petit bureau.

— Il faut que je sois levé à 6 h 30, dit-il.

— Ce n'est pas vraiment indispensable. Je peux très bien m'occuper de Bobby quand il part pour l'école.

— Non, c'est à moi de le faire.

— Je pourrais, tu sais.

— Je sais, ma chérie. Mais cela nous donne au moins l'occasion de bavarder. Je crois que Bobby ne s'est pas encore habitué à sa nouvelle école.

— Je le crois aussi.

— Il n'a que dix ans. A son âge, pour n'importe qui, c'est long une heure de métro avec deux correspondances.

— Il le fait bien depuis deux mois...

— Il n'a pas ton caractère optimiste !

— Je sais... en fait, c'est maman qui lui manque.

— Oui.

— A moi aussi.

— Je sais, ma chérie. Nous en sommes tous au même point.

— C'est... c'est vache, dit-elle presque méchamment.

Au bout d'un instant de silence, Barbara reprend :

— Papa ?

— Oui.

— Je voudrais te parler de Peter.

— Il est bien tard, ma chérie.

— Tu ne l'aimes pas, n'est-ce pas ?

— Je n'ai jamais dit ça.

— Tu fais pourtant comme si tu ne l'aimais pas.

— T'ai-je dit une seule fois que je n'aimais pas Peter ? Ne sois pas injuste. C'est un brave garçon, il est toujours poli avec moi, il n'a pas l'air bête. Simplement... j'estime parfois que vous vous voyez beaucoup trop souvent.

— Écoute, papa... Je crois que je l'aime.

— Ah... bon ?

Il était surpris mais pas étonné. Il aurait dû s'en douter, les signes étaient flagrants. Jane s'en serait certainement rendu compte tout de suite.

— Et Peter est amoureux de moi.

— Hmm, hmm...

Malgré la pénombre, Paul pouvait distinguer l'anxiété qui marquait le visage ovale de Barbara. Elle avait hérité de son nez à lui, mais le regard interrogateur était bien celui de Jane.

— Alors, c'est tout ce que tu dis ?

— Que veux-tu que je dise, ma chérie ? Tu as seize ans. Peter a... quel âge, exactement ?

— Deux mois de moins que moi.

— Disons donc le même âge. Vous ne vous quittez pratiquement pas, vous êtes dans la même classe, vous allez aux mêmes concerts, vous portez les mêmes jeans râpés. Mettons qu'il s'agisse d'une... sympathie mutuelle.

— Ce n'est pas une simple amourette, papa ! Je suis assez grande pour être sûre de mes sentiments. J'aime Peter. Il est comme un autre moi-même. Quand nous sommes ensemble, il nous arrive de respirer à l'unisson.

Paul ne put s'empêcher de rire :

— Excuse-moi, je sais que tu ne trouves pas cela drôle...

— Tu ne me feras pas changer d'avis en me sermonnant !

— Bien sûr que non. Écoute, ma chérie, tu es jeune, très jeune et encore meurtrie, vulnérable comme nous le sommes tous les trois. Même moi, j'ai envie de pleurer vingt fois pas jour sans raison apparente. C'est vrai, Peter est un gentil garçon. Mais ne te raccroches-tu pas à lui à

31

cause de ta mère ? Crois-tu que ce n'est pas la véritable raison ?

— Si maman vivait encore, j'aimerais quand même Peter.

Il y avait comme un avertissement, une menace dans sa voix.

— Soit, je te l'accorde. Et tu es mûre pour ton âge. Mais est-ce bien de l'amour ?

Paul entreprend alors de se raconter tel qu'il était à seize ans, un peu trop gras, le nez trop long, terrifié à l'idée de se rendre ridicule aux yeux des filles dont il recherchait pourtant la compagnie. Sa première petite amie, il ne l'avait eue qu'en entrant à l'université et il avait cru, lui aussi, qu'il s'agissait vraiment d'amour. Et puis, ils avaient rompu, il en avait trouvé une autre quelque temps plus tard, puis une autre et une autre encore.

— Ce n'est qu'en rencontrant ta mère que j'ai compris ce qu'était l'amour. Je sais, tout cela pour toi c'est de l'histoire ancienne et tu l'as déjà entendu rabâcher cent fois...

— Oui, mais ça ne m'ennuie pas. Elle avait dix-neuf ans, n'est-ce pas ?

— Presque vingt. J'en avais vingt-quatre, je venais de terminer mon service militaire et je n'avais aucune intention de me marier si vite. Pourtant, au bout de trois mois, j'ai compris que c'était sérieux. Ta mère ressentait exactement la même chose. Nous sortions ensemble, nous allions dîner au restaurant et nous restions là, à nous regarder dans les yeux en nous tenant les mains, complètement gâteux... Deux idiots, quoi. Nous nous moquions éperdument de tout, à l'époque. Ce qui comptait, c'était d'être ensemble. Nous venions de passer la soirée tous les deux, nous nous embrassions pendant des heures dans la voiture avant de nous quitter et après cela nous nous téléphonions encore une heure ou deux ! C'est idiot, non ?

— Pas plus que pour Peter et moi.

Paul se lève, s'assied au bord du lit de Barbara et lui prend la main, qu'il ne lâche plus :

— Voici où je veux en venir, ma chérie. Au moment où ta mère a fait ma connaissance, elle avait déjà flirté avec deux ou trois autres garçons et été presque fiancée. Mais une fois qu'elle est tombée amoureuse, elle a compris que c'était pour de vrai. Peter est ton premier amour. Un premier amour, c'est merveilleux, exceptionnel, je le sais comme toi. Un jour, pourtant — je ne te dis pas que cela arrivera sûrement, simplement que c'est une éventualité —, un jour, donc, Peter et toi pouvez fort bien vous séparer. Et à ce moment-là, je serais navré, désolé de te voir en souffrir.

— Ne t'inquiète pas pour moi.

— Je ne m'inquiète pas, je te mets simplement en garde en te disant que cela peut arriver...

— Nous n'avons pas du tout envie de nous quitter, papa.

— Nous verrons... D'ici là, dit-il en lui serrant la main, cela me fait plaisir qu'un d'entre nous, au moins, soit heureux.

Barbara se redresse, serre son père dans ses bras et l'embrasse sur la joue avec un sourire épanoui :

— Je suis tellement soulagée...

— Soulagée ?

— Oui, j'avais peur de t'en parler. Je croyais que tu serais furieux contre moi.

— Pourquoi cela ?

— D'être tombée amoureuse de Peter.

Dans la salle de bain, debout devant le miroir, les paroles de Barbara reviennent le hanter : « Je croyais que tu serais furieux contre moi. » Est-ce là vraiment ce que ta fille pense de toi ? Pour qui, pour quoi passes-tu à ses yeux, un ogre, Barbe-Bleue ? C'est vrai, les rapports entre Peter et Barbara lui déplaisent. Pourquoi ? Parce que.. allons, dis-le : parce que tu ne sais pas comment t'y prendre. Jane aurait su, elle, bien entendu. C'était à Jane que les enfants soumettaient leurs problèmes. C'était son domaine, sa responsabilité, elle la maman-d'après-l'école, la maman-du-week-end et des autres jours, celle qui savait tout, devinait tout.

Paul regarde le somnifère, des cachets roses dans un petit flacon de verre. Ils ne sont pas censés l'empêcher de dormir et c'est cependant l'effet qu'ils lui font. Ils ne lui remontent même pas le moral. En fin de compte, rien ne vaut son remède à lui : une généreuse rasade de bourbon.

Il se glisse enfin sous l'édredon, dans le grand lit. Il règle le radio-réveil sur 6 h 20, se force à oublier qu'il est abominablement tard. Dans un gémissement étouffé, il serre l'oreiller de Jane contre sa poitrine, se tourne sur le côté. Il repense à son père, visage cadavérique sur le lit d'hôpital où il mourait d'un cancer à soixante-trois ans. L'année d'après, c'était le tour du père de Jane puis de sa mère à lui, deux ans plus tard. Il ne reste que Sylvia, la mère de Jane. Elle vit dans un petit appartement de Fort Lauderdale, en Floride, et appelle Paul une fois par semaine pour sangloter dans l'écouteur.

Allons, dors. Coupe le contact.

Tu n'as pas pu lui dire adieu. Pas pu une dernière fois serrer son corps contre le tien, plonger ton regard dans ses yeux marron si doux et lui dire combien tu l'aimais. Lui dire que tu l'avais toujours aimée, que tu l'aimais encore — que tu l'aimerais peut-être toujours. Pas peut-être. Sûrement...

Un oreiller ne remplace pas Jane. Il le serre pourtant contre lui, se remémore ce qu'il éprouvait lorsqu'elle se couchait près de lui et qu'ils s'endormaient ensemble, un bras sous le cou de Jane, l'autre posé sur la courbe de sa hanche, le parfum de ses cheveux flottant doucement à hauteur de sa poitrine.

Enfin, dans le grand lit choisi par Jane, la tête sur la taie d'oreiller achetée par elle, dans la chambre peinte du bleu qu'elle avait elle-même choisi, Paul Klein sombre dans le sommeil.

3

« ... Température huit degrés, maximum prévu pour la journée douze » émit une voix d'origine radiophonique. Paul poussa un grognement, se retourna, jeta un coup d'œil au cadran. 6 h 20.

Il trouva ses pantoufles à tâtons et se dirigea vers la salle de bain d'un pas de somnambule. La tête dans le lavabo, il ouvrit en grand le robinet d'eau froide. La fraîcheur le dégourdit, lui permit d'ouvrir les yeux, de sentir son cerveau se remettre en marche. Si Jane avait été encore en vie, elle l'aurait réveillé vers 8 h avec un baiser. A ce moment-là, elle aurait déjà fait partir les enfants pour l'école, pris sa douche, son petit déjeuner; elle aurait été prête à s'en aller faire sa classe en lui laissant une salle de bain tiède, une cabine de douche encore chaude. Chaque jour, un bon démarrage, un matin douillet...

Paul enfila son peignoir pour se protéger du froid matinal et entra dans la chambre de Bobby. Le petit garçon était couché sur le dos, l'édredon toujours tiré jusqu'au menton, le nez pointé vers le plafond. Mon fils unique, mon petit trésor... Dans la pénombre, Paul contempla Bobby, ses sourcils fournis, ses longs cils à la courbe délicate. « Pourquoi Barbara n'a-t-elle pas les mêmes ? disait parfois Jane quand Bobby était encore bébé. Il est si beau ! »

Paul se pencha, posa un baiser sur le front de son fils :

— Salut, l'ami ! Il est l'heure.

L'interpellé souleva les paupières, cligna les yeux, s'étira en bâillant.

— B'jour, p'pa.

— Bien dormi ?

— Pas trop mal. Il fait froid, dehors ?

— La même chose qu'hier, mais pas de soleil. Je peux allumer ?

Bobby hocha la tête. Paul actionna l'interrupteur du lustre qui projeta une vive lumière. Bobby s'extirpa de l'édredon et s'assit au bord du lit, une main levée pour s'abriter les yeux. Pendant ce temps, Paul sortait un jean propre du dernier tiroir de la commode, le vérifiait pour s'assurer qu'il n'était pas troué aux genoux.

— Quel jour est-on aujourd'hui ? demanda Bobby.

— Jeudi.

— La barbe ! Les deux premières heures, travaux pratiques.

— Tu ne raffoles pas des sciences, si je comprends bien ?

Bobby commençait à se battre avec son T-shirt, s'énervait de ne pas trouver une manche, agitait le bras dans tous les sens. Paul avait essayé de lui apprendre à rouler d'abord le vêtement pour passer la tête en premier avant d'enfiler les bras. Mais Bobby s'obstinait à faire le contraire en espérant que le T-shirt tomberait en place de lui-même.

— M. Bressant, le prof, est un vieux chnoque. Il nous colle plein de devoirs et ne les corrige jamais...

Un geste trop brusque et la main de Bobby traversa le coton blanc.

— Zut ! Je l'ai déchirée, dit-il en arrachant la chemise qu'il jeta rageusement sur le lit.

— Ce n'est pas grave, tu en as d'autres.

Paul se détourna devant le regard ulcéré de son fils, chercha un autre T-shirt dans le tiroir et le lança dans sa direction :

— Qu'est-ce qui te ferait plaisir pour le petit déjeuner ?

La chemise à la main, Bobby haussa les épaules et se mit à pleurer. Paul l'attira contre lui, lui serra la tête sur sa poitrine.

— Ce n'est pas grave, voyons. Tu ne vas pas pleurer pour un vieux bout de tissu ?

36

Le petit garçon laissa échapper un sanglot, se dégagea de l'étreinte de son père et s'essuya les yeux de ses poings fermés, visiblement furieux de s'être laissé aller. Paul se sentait lui-même au bord des larmes et dut faire un effort.

— Alors, que préfères-tu ? Œufs brouillés, céréales ?

Bobby haussa de nouveau les épaules.

Parle, je t'en supplie ! Dis-moi quelque chose...

— Bon, je t'attends en bas, dit Paul d'une voix enrouée.

— Ouais, d'accord.

Paul descendit, défit la chaîne de la porte d'entrée, donna deux tours de clef et ouvrit pour prendre le journal sur les marches. La rue était calme. Une voiture passa en ralentissant, s'arrêta au feu rouge. En face, chez les Dawson, la lumière s'alluma dans leur chambre. Paul s'attarda un instant à regarder le massif d'impatiences orange et blanches qui égayait le mur sombre de leur maison. Dans quelques semaines, les fleurs seraient flétries, le froid s'installerait. Malgré la fraîcheur aigre d'octobre, elles s'épanouissaient pourtant encore.

Dans la cuisine, Paul déplia le *New York Times* et posa la page des sports sur la table, à la place de Bobby. Il versa un verre de jus d'orange, mit une pilule de vitamines à côté de l'assiette, sortit du réfrigérateur le beurre et le saucisson pour les sandwiches du déjeuner de son fils. En ouvrant le tiroir du pain, il s'immobilisa, incrédule. L'emballage du pain de mie était vide, ou presque. Une seule tranche de croûte écornée. Comment diable en était-on arrivé là ? Hier matin, il en restait plus de la moitié, suffisamment en tout cas pour ne pas s'en inquiéter. Qui était responsable, Barbara ou Gemma, la femme de ménage ? Sans pain, comment allait-il préparer les sandwiches de Bobby ?

Le petit garçon entra à ce moment-là et s'assit en silence.

— Nous avons un problème, dit Paul. Quelqu'un a fait une razzia sur le pain.

Bobby avala sa pilule vitaminée avec une gorgée de jus.

— Pas même de quoi faire les toasts ?

— Pas même.

— Tant pis, je prendrai des céréales.

— Lesquelles préfères-tu ?

Bobby haussa les épaules et se plongea dans la lecture du

37

journal, exprimant par son attitude que ces détails l'indiffé-
raient. Paul ouvrit le placard, passa en revue les paquets
alignés :

— Je peux aussi te faire du porridge chaud...

Silence.

Il prit des corn-flakes, en versa dans un bol, ajouta du lait,
sortit une cuiller et une serviette en papier d'un tiroir et posa
le tout sous le nez de Bobby. Il s'apprêtait à lui donner
également un grand verre de lait lorsqu'il interrompit son
geste : un glaçon, il allait l'oublier. Bobby n'aimait le lait
que glacé, ne pouvait même pas en boire sans au moins un
glaçon. Il répara son omission et consulta la pendule. Sept
heures moins dix.

— Il se fait tard, Bobby.

Celui-ci attaqua son bol de céréales tandis que Paul se
versait un verre de jus d'orange et le buvait à petites gorgées
en regardant par la fenêtre. Bobby allait être obligé de
déjeuner à la cantine, même s'il avait cela en horreur — en
fait, il s'y refusait purement et simplement. Ils avaient déjà
eu plusieurs disputes à ce sujet. L'argumentation de Bobby
se résumait à deux points : primo, il ne bénéficiait que de
trente-cinq minutes de pause et il lui en fallait au moins
trente pour faire la queue au self-service; secundo, l'odeur
des bacs chauffants lui donnait la nausée, le saucisson était
infect, le beurre rance, ils mettaient du céleri dans tout et
dans n'importe quoi et le céleri le rendait malade. Quant au
lait, il était servi tiède, par conséquent imbuvable.

D'un coup, Paul sentit une extrême lassitude le terrasser.
La tête encore pleine de ses pensées déprimantes, il explosa
malgré lui :

— Écoute, Bobby, que cela te plaise ou non, tu vas
déjeuner à la cantine, compris ? Et pas de discussion.

Bobby leva les yeux, stupéfait :

— Hein ?

— Il n'y a plus de pain, je viens de te le dire. Tu
déjeuneras à la cantine. Pour une fois, tu n'en mourras pas.

Bobby avala d'un trait son verre de lait et se leva de table :

— Non, je ne déjeunerai pas à la cantine.

Paul l'empoigna alors qu'il quittait la pièce :

— Et moi, je te dis que si ! Désolé pour le pain,

ajouta-t-il devant l'expression déconfite de son fils. Je ne sais pas ce qui s'est passé, j'ai dû oublier d'en racheter...

— Tu n'as qu'à me donner du lait et une pomme, je me débrouillerai pour trouver un sandwich.

— Te débrouiller ? Comment cela ?

— Tu t'imagines vraiment que je mange toujours ce que tu me prépares ? Quelquefois, je le donne à un copain, ou bien nous faisons du troc.

Paul resta bouche bée.

— Donne-moi des biscuits, je les échangerai avec Sambo. A-t-on des biscuits fourrés ? Sambo troquerait sa chemise contre des biscuits à la vanille.

— Non, Bobby, pas question de t'envoyer à l'école sans rien pour le déjeuner. En montant, prends de l'argent sur ma commode. Tu iras à la cantine, compris ?

— Non, s'obstina Bobby. Le temps que je fasse la queue, le déjeuner sera pratiquement fini, Sambo et les copains seront repartis et je n'aurai personne avec qui m'asseoir. Il est 7 h 10, je vais être en retard.

Il s'arracha de la main de Paul et courut vers l'escalier.

— Prends de l'argent ! lui cria Paul.

Le sentiment de son impuissance l'accablait. Il n'aurait pas dû brutaliser Bobby en ce moment, mais il fallait quand même se montrer ferme... Allons, bon ! Il avait oublié de lui préparer son Thermos de lait. En hâte, Paul chercha le récipient dans le placard. Il l'avait rempli jusqu'au goulot quand il s'aperçut qu'il oubliait encore les glaçons. C'est en ouvrant le congélateur que son regard tomba sur un paquet, là, devant la rangée des sauces surgelées préparées par Jane : un pain de mie, presque recouvert de givre sous son emballage de plastique. Jane pensait toujours à mettre un pain en réserve. Depuis quand celui-ci était-il congelé ? Au moins cinq mois. Était-il encore mangeable ? Paul défit le paquet, renifla deux tranches dures comme du bois. Drôle d'odeur. Mais le pain congelé a toujours une drôle d'odeur...

Il tartina du beurre, empila des rondelles de saucissons, posa l'autre tranche sur le dessus et faillit prendre un couteau pour couper le sandwich en deux. Impossible à couper, voyons ! Le pain sera-t-il au moins dégelé à temps pour le

39

déjeuner ? Paul fit une prière silencieuse, ajouta une pomme et trois ou quatre biscuits dans le sac. Lorsque Bobby reparut, son cartable plein de livres et de cahiers à la main, Paul lui tendit son déjeuner :

— J'ai retrouvé du pain.

Bobby ne manifesta aucune surprise. Il s'affaira à remplir ses poches de la petite pile d'objets posés sur le coin du buffet, près de la porte. Tous les jours, en rentrant de l'école, Bobby commençait par vider ses poches et disposait le contenu au même endroit. Selon le rite établi, Paul le vit reprendre deux tickets de métro, sa carte d'abonnement pour le train dans un étui de plastique, sa carte d'identité scolaire, son trousseau attaché à un porte-clefs en forme de patin de hockey, le billet d'un dollar et la pièce de dix *cents* dont il ne se démunissait jamais : la pièce pour un taxiphone en cas d'urgence, le billet pour un agresseur s'il se faisait attaquer.

— Tu as tout ce qu'il te faut ?

Bobby acquiesça, fourra le déjeuner dans son cartable et boucla les courroies. Paul l'accompagna jusqu'à la porte d'entrée puis, quand il eut enfilé son manteau et mis sa casquette, l'aida à charger le cartable sur son dos. Pourquoi forcent-ils ces malheureux gamins à trimballer autant de livres et de cahiers ?

— Gemma sera ici quand tu rentreras, peut-être Barbara.

Bobby lui tendit la joue, Paul y déposa un baiser, lui serra affectueusement le bras.

— A ce soir, fiston.

Debout sur le perron, Paul le suivit des yeux. Arrivé sur le trottoir, Bobby se retourna brièvement et lui fit un signe de la main, que Paul lui rendit. De loin, il avait l'air si petit, si fragile sous son lourd cartable qui le forçait à marcher penché en avant... Bobby traversa au passage clouté et se mit à courir. Paul le perdit de vue lorsqu'il tourna le coin de la rue.

En regagnant la cuisine, il entendit le bruit de la chasse d'eau et les pas de Barbara dans sa chambre, au-dessus de lui. Il fit chauffer de l'eau dans la bouilloire et se prépara une tasse de café en poudre. Il en avait bu la moitié et allumait la première cigarette de la journée quand Barbara le rejoignit et le salua d'un « Bonjour ! » plein de bonne humeur.

— Il y a de l'eau chaude dans la bouilloire, lui dit-il.

Barbara hocha la tête et se versa du jus d'orange après avoir avalé une pilule vitaminée.

— Tu devrais arrêter de fumer, dit-elle.

— Oui, je sais...

— C'est une très mauvaise habitude.

— Je t'en prie, ma chérie, pas aujourd'hui, d'accord ? Ce matin, j'ai vraiment besoin d'une cigarette.

Tout en parlant, Barbara versait de l'eau bouillante dans sa tasse, la jaune, ébréchée du bas, qu'elle se réservait, et y mit un sachet de thé.

— Je viens d'avoir une nouvelle dispute avec Bobby au sujet de son déjeuner. Il n'y avait plus de pain pour lui faire de sandwich.

— Aïe !...

— C'est toi qui l'avais fini ?

— Avec Peter, hier, en revenant du lycée. On s'est bourrés de tartines de miel. Excuse-moi.

— Tu aurais pu me prévenir hier soir, j'aurais eu le temps d'en racheter.

— Je t'ai dit « excuse-moi ».

Barbara prit un pot de yaourt dans le réfrigérateur et se dirigea vers la table. Paul l'observa : elle portait, ce matin-là, un de ses jeans les plus dépenaillés, rapiécé aux genoux, avec un passant de ceinture déchiré. Au-dessus, une blouse trop serrée en tissu presque transparent révélait très clairement l'aréole brune et la pointe de ses seins. Elle devina sans doute ce qui provoquait l'expression réprobatrice de son père car, au moment de s'asseoir, elle interrompit son geste :

— Qu'est-ce qu'il y a ? demanda-t-elle.

Les habitudes vestimentaires de Barbara constituaient depuis des années un sujet de discorde et avaient maintes fois opposé Jane à sa fille. Barbara professait un profond mépris pour ce qu'elle appelait « la mode » et ricanait dédaigneusement de ses condisciples qui, sous prétexte d'être « disco », arboraient des jeans ornés de sequins et des chaussures invraisemblables. Jane avait cependant toujours su dominer la question, évitant de harceler inutilement Barbara et ne sévissant que lorsqu'elle dépassait les bornes. Paul hésita, fit une grimace. Allons, le patriarche, ose dire ce que tu as sur le cœur.

— Tu devrais porter un soutien-gorge sous cette blouse.

Barbara posa sa tasse de thé et son yaourt et s'assit à sa place habituelle, à côté de la fenêtre :

— Je n'en ai pas.

— Ce n'est pas… convenable.

— Qu'est-ce qui n'est pas « convenable » ?

C'est ça, force-moi à te le dire en toutes lettres.

— Ta poitrine.

— Encore heureux que j'en aie une !

Paul se rappela une conversation surprise un an, dix-huit mois auparavant, entre Barbara qui gémissait au téléphone et une de ses petites amies : « Mais quand est-ce que je vais avoir des seins ! » Maintenant, elle en avait, petits comme ceux de sa mère, assez développés malgré tout pour être remarqués.

— Écoute, ma chérie, tu ne peux pas porter cette chemise sans soutien-gorge. C'est beaucoup trop fin, on voit tout.

— Je n'en ai pas honte.

— Ce n'est pas ce que je voulais dire…

— J'aime me sentir libre de mes mouvements. En plus, c'est plutôt agréable à regarder.

— Justement, c'est trop… provocant, Barbara !

— Toi, tu te fais des idées idiotes ! Tu t'énerves pour rien, tiens, encore une cigarette ! Tu ne peux pas t'en passer ? N'allume pas celle-ci. Fais-moi plaisir.

Paul laissa retomber sa main :

— D'accord. Mais je ne peux pas te voir partir au lycée dans cette tenue.

— Pourquoi ? Tu as peur que je me fasse violer, ou quoi ?

— Sois raisonnable, Barbara. Si je vois tout à travers, les garçons en sont aussi capables !

— Et alors ?

— Et alors, c'est inadmissible ! As-tu vraiment envie d'être déshabillée des yeux, d'entendre le premier imbécile venu faire des commentaires déplacés ?

42

— Crois-tu que cela me dérange ? Je m'en moque éperdument.

— Possible. Mais à quoi bon leur en donner l'occasion ? Crois-moi, je sais de quoi je parle. Passe au moins un sweater par-dessus cette chemise, d'accord ?

— Un sweater me tiendra beaucoup trop chaud.

Elle prit le journal à côté d'elle et fit mine de s'y absorber pour mettre un point final à la conversation.

Paul garda les yeux fixés sur sa fille. Il y avait quelques mois à peine, c'était encore une adorable gamine, insouciante, pleine de fous rires, débordante d'entrain. Ses longs cheveux châtains luisaient dans la lumière tombant de la fenêtre. Paul voyait encore le petit bébé rose dont il changeait les couches, à qui il avait parfois l'insigne privilège de donner un bain et qui, un beau jour, avait grandi, grossi au point de ne plus tenir dans ses barboteuses... Penser que ce petit être rebondi s'était transformé en une grande jeune fille — une femme, plutôt — mince, bien bâtie et belle.

Il fallait pourtant se montrer ferme, sévère — même s'il devait s'en vouloir :

— Tu ne sortiras pas de cette maison dans cette tenue, dit-il d'un ton sans réplique.

Barbara ne leva pas les yeux.

— As-tu entendu ce que je t'ai dit ?

Elle daigna hocher la tête.

— Bien. Tu vas aller te changer.

— Hmm, hmm...

— C'est bon.

Paul se leva, déposa sa tasse dans l'évier. Un rouge-gorge picorait sur la pelouse. Lui, il fallait encore qu'il remonte, prenne sa douche, s'habille, parte pour le bureau. Comment allait-il être capable de travailler toute la journée et revenir ce soir faire la cuisine, s'occuper de tout le monde ? En ce moment, la tâche lui paraissait au-dessus de ses forces.

— As-tu assez d'argent sur toi ?

— Oui.

— Tu comptes rentrer directement à la maison, ce soir ?

— Oui.

Décidément, le *New York Times* doit être passionnant, ce matin, se dit-il, elle ne peut pas s'en arracher une demi-seconde ! « Mademoiselle Givre », c'est ainsi que Jane la surnommait quand elle était d'une humeur comme celle-ci. Mlle Barbara Givre...

Au moment de quitter la cuisine, il pensa au dîner et ouvrit le congélateur. Il déplaça les paquets pour en lire les étiquettes.

— Veux-tu des côtelettes, ce soir ? demanda-t-il.

Pas de réponse.

— Des côtelettes avec un os pas normal ? insista-t-il avec un sourire.

Rien.

— Grillées ou poêlées ? Que préfères-tu ?

— Comme tu veux.

Il sortit les côtelettes et les posa près de l'évier. Avant de remonter s'habiller, il aurait voulu embrasser Barbara mais il n'osa pas. Ce froid, cette indifférence de sa part le paralysaient.

— Quand Bobby rentrera, tu penseras à lui préparer son goûter ?

— Oui, bien sûr.

Elle avait toujours les yeux fixés sur son journal.

— Regarde-moi, ma chérie. Regarde-moi, je t'en prie

Barbara leva vers lui un visage boudeur.

— Je suis désolé d'avoir dû te parler comme je l'ai fait. Mais comprends-moi, je dois être à la fois ton père et ta mère, même si je me débrouille aussi mal dans un rôle que dans l'autre. Il faut pourtant que nous restions unis, Barbara. Toi et moi et Bobby, tous les trois, tu comprends ?

— Et que faut-il que je fasse quand tu m'attrapes pour rien : me taire, subir sans réagir ?

— Je te demande simplement de me comprendre. Tu n'aurais jamais répondu cela à ta mère, d'ailleurs...

— Tu n'es pas ma mère.

— Non, en effet. Mais je suis ton père et je te dis de te conduire convenablement — bien plus, je t'en donne l'ordre. Nous formons toujours une famille, que je sache. Ne nous conduisons pas comme des étrangers les uns envers les autres.

— Même si tu as tort ?

44

Cette sale gamine a plus de caractère que je n'en aurai jamais. Tant mieux pour elle, après tout...

— Parfaitement, même quand j'ai tort. Sais-tu pourquoi ? Parce que, avant tout, nous nous aimons et nous pouvons donc nous pardonner nos erreurs. S'il m'arrive de me tromper, j'essaie quand même de faire de mon mieux pour m'occuper de vous. Compris ?

Raté. A mesure qu'il prononçait ces mots, il les entendait sonner faux. Pompeux et sur la défensive. Une tirade comme celle-ci ne servait à rien, sinon à le déconsidérer.

Barbara hocha cependant la tête.

— C'est bien, dit-il. Maintenant, il est grand temps que je fasse ma toilette et que je m'en aille. A ce soir.

Un baiser, une bonne embrassade en auraient dit cent fois plus et mille fois mieux que tous les discours. Mais Barbara refusait. Elle n'était pas encore femme, elle en possédait pourtant toutes les armes — et savait s'en servir.

Il la vit baisser de nouveau les yeux et feindre de se remettre à sa lecture. Paul tourna finalement les talons et quitta la pièce. Huit heures du matin. Le début d'une journée qui s'annonçait longue. Très longue.

4

Assis en face de Paul dans leur restaurant habituel, Michael Bradie attaqua la dernière en date de ses bonnes histoires. Il s'interrompit le temps de tremper les lèvres dans son verre et, plus encore, de ménager ses effets pour faire valoir la chute.

Paul se mit à rire, pas aussi fort toutefois que Michael lui-même, qui prenait toujours le plus vif plaisir à ses propres traits d'esprit. « Le farfadet irlandais », s'était-il qualifié quelque vingt ans auparavant lorsque Paul et lui s'étaient connus, tous deux jeunes sous-lieutenants en garnison à Rüdesheim, en Allemagne fédérale. Malgré sa coupe en brosse, Michael possédait alors une chevelure noire et drue dont il ne restait, aujourd'hui, qu'une couronne sombre qui exagérait la taille de ses oreilles en feuilles de chou. Ces malheureuses oreilles avaient été l'objet d'innombrables plaisanteries, dites le plus souvent par Michael Bradie avec une irrésistible bonne humeur. Ses sourcils broussailleux, qui se levaient et s'abaissaient au rythme de ses paroles, et son regard sombre et expressif constituaient cependant ses signes distinctifs les plus remarquables. Du « farfadet irlandais », il avait en effet les yeux étincelants et pleins de malice, toujours prêts à cligner en quête de complicité, d'approbation chez ses interlocuteurs. Oui, voilà comment Paul voyait son associé de quinze ans : un petit farfadet robuste et infatigable, le connaissant mieux qu'aucun homme au monde et leur ayant à tous deux apporté la chance et la réussite.

46

Michael but une nouvelle gorgée.

— Tu ne dors toujours pas, à ce que je vois.

— Cela se remarque à ce point ?

— Une banque du sang te proposerait un pont d'or rien que pour te vidanger les yeux. Les somnifères ne te font plus d'effet ?

— Pas des tas, non.

— Et les enfants, comment vont-ils ?

— Il nous faudrait tout l'après-midi pour en parler... Ils en sont toujours au même point, assommés. C'est Bobby qui m'inquiète le plus. Barbara s'en sortira toujours, mais lui, le pauvre gosse...

— Il est à un âge difficile, même sans perdre sa mère. En plus, il vient de changer d'école. Cela fait beaucoup à la fois.

— Je me demande si j'ai eu raison de l'envoyer si loin de la maison.

— C'est une des meilleures écoles de la ville, sinon la meilleure.

— Malgré tout, Bobby aurait peut-être mieux fait de rester plus près. Il aurait des amis dans le quartier, il ne serait pas obligé de passer des heures dans le métro. Il travaillerait peut-être mieux.

— Assez de questions inutiles, Paul. Jane et toi, je vous vois encore, vous exultiez quand il a réussi son examen d'entrée. Bobby y est vraiment à sa place. Quant au surcroît de travail, c'est ce qui peut vous arriver de mieux à tous. Occupez-vous l'esprit plutôt que de rêvasser, de ressasser des pensées morbides.

— Serait-ce par hasard quelque fine allusion ?

— A peine ! répondit Michael en souriant. Depuis le temps qu'on se laisse vivre, un peu plus, un peu moins...

— Écoute, Michael, je ne peux absolument pas m'absenter en ce moment pour aller passer huit jours à Chicago et huit jours à Minneapolis.

— Et alors, t'en ai-je même parlé ?

Michael agita ses sourcils avec une feinte indignation, sans que ses yeux noirs perdent leur affectueuse expression.

— Tu n'as pas besoin de me le dire, je me rends assez compte de ce qui va mal là-bas. Je m'en occuperai, Michael, mais pas maintenant. Après le Premier de l'An, je te le promets.

— Minneapolis en janvier ? Riche idée ! Pour disparaître sous une congère ! Il y a de meilleures méthodes pour se débarrasser d'un associé...

— Mettons février ou mars. Je ne pourrai pas faire lanterner Carter beaucoup plus longtemps.

— Cela dépend entièrement de toi, Paul. Quant à Carter, il peut aller à tous les diables, c'est le cadet de mes soucis. Toujours à se plaindre de quelque chose, cet individu ! Je ne comprendrai jamais comment tu arrives à t'entendre avec lui.

— Mon charme irrésistible, dit Paul en souriant. Et ma bonne habitude de régler l'addition quand il se remplit la panse dans les meilleurs restaurants de la ville.

Nouée pendant leur service militaire, l'amitié entre Paul Klein et Michael Bradie fut véritablement scellée lors d'une permission de trente jours qu'ils avaient prise ensemble. Michael avait lui-même organisé leur périple en Europe, à travers les régions vinicoles d'Allemagne, de France et du Nord de l'Italie. A leur descende de train en gare d'Épernay, Paul fut d'abord étonné de voir une limousine avec chauffeur venue les chercher, puis stupéfait d'être emmené dans des caves impressionnantes où le propriétaire en personne leur servit de guide, tout en manifestant une respectueuse amabilité envers « Monsieur Bradie ». Son effarement s'accrut au cours du dîner, offert par leur hôte dans sa luxueuse résidence, tout au long duquel on s'enquit des nouvelles de la famille Bradie.

— Ce cher homme est en affaires avec mon père depuis plus de quarante ans, expliqua Michael lorsqu'ils se furent retirés dans leurs chambres d'amis. Je voulais te réserver la surprise pour voir la tête que tu ferais.

— Tu es content, j'espère ? Avais-je l'air assez ahuri ?

— Mieux encore.

— Vas-tu quand même daigner me dire qui est ton père ?

— Thomas Bradie, de Thos. Bradie & Sons, Inc. Sans se vanter, il est probablement le deuxième ou troisième importateur de vin aux États-Unis.

La suite de leur permission parut tout aussi extraordinaire

aux yeux de Paul. En France, en Italie, Michael était reçu comme un parent depuis trop longtemps perdu de vue. Encore tout jeune, il avait accompagné son père et ses frères dans leurs tournées d'achat; aussi connaissait-il non seulement les propriétaires et les négociants mais, dans la plupart des cas, les membres de leurs familles. Partout, les deux jeunes sous-lieutenants étaient accueillis avec égards et amitié. Ils furent invités à des parties de chasse dans le Bordelais, reçus dans des villas et des châteaux; un yacht princier fut même mis à leur disposition sur le lac de Côme. A chacune de leurs étapes, cependant, Michael prenait le temps de rendre visite à d'autres viticulteurs, avec qui son père ne traitait pas. « C'est eux qui représentent l'avenir, mon vieux. Le mien, le tien aussi peut-être, commentait Michael. J'ai déjà quatre frères dans Thos. Bradie & Sons, je suis le cinquième — cela fait un de trop. » Car, avant même ses vingt-deux ans, Michael Bradie prévoyait déjà de monter sa propre affaire, où Paul pourrait trouver sa place s'il en manifestait le désir. Son projet, il l'avait réalisé point par point et les deux amis étaient restés à la tête de leur entreprise, dont Michael possédait soixante pour cent et Paul le reste.

Un jour qu'ils lézardaient au soleil sur le pont du yacht, en route vers Bellaggio, Michael avait expliqué ses raisons :

— Les grosses boîtes, comme celle de mon père, importent les grands vins, les marques connues. Ils dépensent des millions en publicité et en opérations de promotion. Mais ce ne sont pas les seuls produits que nous puissions importer, Paul. Les bons vins ne manquent pas, tu sais, même s'ils sont encore inconnus sur le marché. Car le marché peut être développé si l'on sait ce qu'on fait, si l'on a les contacts qu'il faut et l'envie de réussir. Nous n'y deviendrons peut-être jamais riches, comme mon père, mais nous aurons de quoi gagner largement notre vie.

— Je n'ai pas un sou à investir, Michael.

— Les banques sont là pour ça. Nous nous entendons bien, c'est l'essentiel. Tu as un diplôme commercial de l'université de New York, oui ou non ? Et les Juifs sont censés avoir le sens des affaires. Eh bien, nous formerons une association multiconfessionnelle, un catholique et un juif — on n'est pas plus œcuménique. Bradie & Klein, cela sonne bien, tu ne trouves pas ? Je m'occuperai des achats en Europe, tu te chargeras de la vente et des contacts avec les distributeurs — et nous nous partagerons équitablement les soucis.

Il leur avait fallu trois ans pour lancer Bradie & Klein Inc., trois ans pendant lesquels Paul avait appris le métier en travaillant chez un distributeur de Cleveland, un petit importateur du New Jersey, et Thomas Bradie, le père de Michael. Entre-temps, Paul avait épousé Jane, entamé l'éducation de sa fille, contracté un énorme emprunt et assumé plus que sa part de soucis et d'inquiétude. Pourtant, dès le moment où ils avaient ouvert les portes de leur entrepôt et de leurs bureaux à Long Island, leurs affaires tournèrent rond. Ils possédaient toujours ce premier entrepôt, auquel s'étaient adjoints un local plus vaste et des bureaux plus confortables, mais sans luxe inutile, dans le bas de Manhattan. C'est Michael qui en avait fait la découverte dans une rue lépreuse, près du pont de Brooklyn. Depuis, Paul ne cessait de le taquiner sur son manque de flair : de tenaces odeurs de marée défraîchie, venues du marché aux poissons tout proche, les envahissaient dès que le vent tournait. Fragrance admirable, rétorquait Michael, qui nous incite à pousser nos ventes de vins blancs.

Michael termina sa dernière bouchée et reposa ses couverts dans son assiette. Il était en train de décrire à Paul la dernière lubie de Kathleen, sa femme :

— … Et la voilà qui retourne sur les bancs de l'école pour obtenir un diplôme d'infirmière. Comme si cela ne lui avait pas suffi d'élever et de soigner nos quatre filles ! Bien entendu, en dignes militantes du MLF, celles-ci font tout pour l'encourager. Te rends-tu compte ? Mon harem qui se révolte ! Je ne peux plus leur faire la plus innocente remarque sans me faire traiter de macho-phallo, ou pis encore…

— Tu l'es vraiment, Michael.

Paul connaissait assez son ami pour savoir que, sous ses affectations de phallocrate impénitent, il était aussi redoutable qu'un ours en peluche et constamment aux petits soins pour Kathleen et ses quatre filles, à qui il passait tous leurs caprices.

— Absolument ! approuva Michael. La femme au foyer, soumise et les pieds nus, faite pour me servir à table et me mettre mes pantoufles sans avoir le droit d'ouvrir la bouche, voilà comme je comprends la vie.

Ils regagnèrent leur bureau par les rues étroites et tortueuses du quartier financier, marchant comme de vieux compagnons, proches à se toucher, du même pas instinctivement ajusté à celui de l'autre.

Le vent froid qui soufflait du fleuve leur avait fait relever le col de leurs pardessus. Transis, les deux hommes pénétrèrent enfin dans leur bâtiment et la douce chaleur du hall de réception, aux boiseries teintées couleur de chêne, les réconforta. Au bout d'un long couloir, que flanquaient deux rangées de cellules vitrées, ils se séparèrent devant les deux grands bureaux d'angle qui leur étaient réservés.

Lillian Lerner, la secrétaire de Paul depuis leurs modestes débuts de Long Island, était à son bureau disposé dans un renfoncement. Paul pendit son pardessus dans un placard et lui jeta un regard interrogateur.

— Rien de neuf, répondit-elle. Carter a téléphoné de Minneapolis pour passer une commande. Pas plus importante que d'habitude.

Assis à son bureau, Paul consulta le formulaire que Lillian avait rempli de sa petite écriture nette. Une simple commande de réassortiment, comportant peut-être un peu plus de mousseux et de champagnes en prévision des fêtes de fin d'année, mais aucun des nouveaux articles ni des nouvelles marques que Carter avait promis d'acheter. A sa décharge, il fallait convenir que la firme Bradie & Klein n'avait pas non plus tenu sa promesse de lancer des opérations promotionnelles sur le territoire de Carter.

Pour une fois, Paul regretta qu'ils ne puissent procéder comme certains des grands de la profession : produire un spot publicitaire, acheter du temps d'antenne sur les grandes chaînes de télévision et attendre paisiblement de voir affluer les commandes. Faute de campagnes publicitaires, il lui incombait d'aller promouvoir leurs ventes sur le terrain.

Mais cela exigeait du temps et des forces, ce dont il était justement le plus démuni en ce moment.

Paul releva les yeux vers la fenêtre. Un soleil pâle et triste luisait sur les pavés gras de la rue, se réfléchissait sur la mince tranche de fleuve aperçue entre deux murs. Cette année, il avait négligé d'importants voyages d'affaires. Plus grave encore, il n'avait pas mis les pieds au bureau pendant plus de six semaines et, depuis son retour, n'était pratiquement bon à rien. La seule pensée de ce qu'il lui fallait entreprendre pour redresser la situation lui fit cependant du bien. Le travail lui ferait oublier sa douleur. On ne peut pas avoir mal à plusieurs parties du corps à la fois, c'est bien connu : pour oublier une migraine, on se cogne le tibia. Pour ne plus ressasser ses soucis au sujet des enfants ni penser à Jane, il allait se mettre sérieusement au travail. Dès maintenant, il pouvait s'atteler à la préparation de ses campagnes promotionnelles de Chicago et Minneapolis. Quand faudrait-il s'y rendre ? Février ? Sans doute trop tôt. En mars, donc. Comment Bobby et Barbara se sentiraient-ils à ce moment-là ? Pourrait-il les laisser seuls huit ou quinze jours ?

Paul ouvrit son fichier rotatif pour y trouver le numéro de téléphone de la firme de relations publiques dont il avait employé les services lors de son dernier voyage à Minneapolis. C'était peut-être encore un peu tôt, mais on pouvait déjà déterminer un avant-projet, un budget prévisionnel.

Paul s'apprêtait à composer le numéro lorsque le bourdonnement de l'interphone retentit :

— L'école de Bobby sur la première ligne, fit la voix de Lillian.

Paul pressa le bouton allumé en regardant la photo encadrée, posée sur son bureau près du plateau de courrier. C'était la préférée de ses photos de la famille, prise lors de vacances d'hiver à Porto Rico, deux ans auparavant. Jane était au premier plan, les lunettes de soleil remontées sur la tête, et tenait sous chaque bras Barbara et Bobby, souriants tous deux.

— Monsieur Klein ?

— Lui-même.

— Vous êtes le père de Robert Klein ?

— Oui, bien sûr.

— Je suis Patricia McNeil, la conseillère pédagogique de Robert. Je crois que nous nous sommes rencontrés en septembre, au moment de la rentrée.

— Oui, en effet. Je vous avais même fait parvenir un mot au sujet de... la mère de Bobby.

— C'est exact. Je vous appelle parce que Robert a été impliqué dans un incident, une bagarre avec un de ses camarades. Il est en ce moment dans ma salle d'attente...

— Bobby s'est battu ?

— C'est un bien grand mot. Disons qu'il y a eu échange de bourrades, quelques coups de poing aussi. Rien de très grave. Mais depuis, Robert pleure sans arrêt et j'hésite à le laisser rentrer à la maison dans cet état. Si vous pouviez venir...

— J'arrive tout de suite.

En milieu d'après-midi, la circulation était encore fluide. Que le paisible, le doux Bobby fût impliqué dans une bagarre, Paul avait du mal à y croire. Sa nature même répugnait à la violence sous toutes ses formes. Tout petit, Bobby refusait de regarder les spectacles de télévision comportant des brutalités et des fusillades. Contrairement aux garçons de son âge, il n'avait jamais voulu de pistolet à amorces et quittait la pièce quand Barbara insistait pour regarder *Batman* ou un western. Plus tard, il avait même refusé d'aller voir *L'Arnaque* parce que certaines scènes, avait-il entendu dire, étaient trop violentes. Jane, seule, était arrivée à vaincre ses réticences et à l'y emmener.

Jane. Il fallait toujours en revenir à Jane...

Mariez-vous avec une enseignante et vous avez en même temps une femme qui travaille et une mère de famille capable de s'occuper des enfants après la classe. Ou même pendant les heures de classe, se remémora-t-il, sans parler des semaines entières où il s'absentait pour ses affaires. Ainsi, le bras cassé de Barbara. Paul n'avait rien su de sa chute sur le ciment du patio, l'ambulance, les nuits à l'hôpital pour la calmer et la rassurer, l'attente à la sortie de

53

la salle d'opération. Jane s'était occupée de tout — comme toujours.

Paul ne l'avait appris que le lendemain, en trouvant un message à l'hôtel : « *Mme Klein a appelé, demande que vous la rappeliez.* » La voix de Jane, calme, rassurante, avait commencé par déclarer que tout allait bien avant de lui apprendre le reste de l'histoire.

Et la méningite de Bobby — qui n'était en fin de compte qu'une bénigne poussée d'oreillons. Paul était à Boston lorsqu'elle s'était produite et Jane avait pu tout raconter en riant. Mais où avait-elle puisé le courage de tenir la main de Bobby sur la table d'opération pendant qu'on lui faisait une ponction lombaire ? Paul en aurait été rigoureusement incapable — s'il s'était trouvé à la place de Jane, il aurait littéralement fallu le ramasser à la petite cuiller. Comment Jane avait-elle pu survivre seule aux angoisses de l'attente, aux diagnostics incertains des internes qui bredouillaient le mot « méningite » ? La méningite : une inflammation du cerveau, une maladie qui tue ! Jane le savait; et pourtant, elle ne se départait jamais de cette force paisible, de ce calme rassurant. Elle savait toujours quoi faire...

Par miracle, Paul trouva une place de stationnement à moins de cent mètres de l'école, dans une rue perpendiculaire à Park Avenue, et termina le trajet à pied. Des grappes d'enfants sortaient déjà du bâtiment; dans la grisaille de l'après-midi, leurs cris et leurs rires semblaient réchauffer l'atmosphère.

Paul traversa le hall d'entrée, monta l'escalier vers le bureau de la conseillère pédagogique. Il trouva Bobby dans la salle d'attente, effondré sur une chaise, pleurant en silence, les yeux baissés, de sorte qu'il ne vit pas son père arriver. Paul se tint un instant sur le seuil pour l'observer. Bobby avait une croûte de sang séché sous le nez, une tache noire sur la joue, là où il essuyait ses larmes du revers de la main. Un orphelin. Un pauvre enfant abandonné, attendant avec fatalisme qu'on vienne le chercher.

Paul le héla. Bobby releva la tête et se mit à sangloter dans le manteau de Paul qui le serra contre lui. Une grosse femme grisonnante, que Paul n'avait pas vue du couloir, intervint de derrière son bureau :

54

— Vous êtes monsieur Klein ?

— Oui.

— Le pauvre enfant, il n'a pas arrêté de pleurer. Je lui ai dit cent fois de ne pas s'en faire mais...

C'est alors qu'apparut Patricia McNeil :

— Vous avez fait vite. Entrez dans mon bureau, voulez-vous ?

— Une minute, répondit Paul.

Il s'agenouilla près de Bobby, lui tamponna les yeux avec son mouchoir, essaya de nettoyer le sang séché.

— Du calme, champion, tout va bien. Bob, je t'en prie, ne pleure plus...

Les sanglots du petit garçon redoublèrent.

— Tiens, reprit Paul, voilà mon mouchoir. Va au lavabo, mouille-le et nettoie donc cette vilaine tache de sang, d'accord ?

Bobby hocha la tête, Paul l'aida à se lever et lui posa un rapide baiser dans les cheveux. Toujours secoué par les sanglots, incapable de dire un mot, Bobby s'en alla.

Paul prit le siège des visiteurs, en face de la conseillère pédagogique qui lui fit un bref récit de la bagarre :

— Il s'est battu contre Sam Bockman. Le plus étonnant, c'est que Sam Bockman est l'un des rares vrais amis de Robert.

— Sam Bockman ? Ah oui ! l'illustre Sambo. Bobby en parle tout le temps à la maison.

— Je les ai tous les deux comme élèves dans ma classe de maths et ils m'ont toujours donné l'impression de s'entendre à merveille. J'ignore pourquoi ils se sont battus. Selon Sam, il s'agissait d'un mot dit au hasard et Robert n'a rien pu me raconter, vous avez vu dans quel état il est. Sam a été stupéfait de voir Robert se mettre tout d'un coup à le bourrer de coups de poing et il n'a fait que se défendre, prétend-il. Personnellement, je n'attache guère d'importance à cette bataille, bien que j'aie convoqué les parents Bockman pour en parler demain. Mais cela traduit quelque chose. Comment se comporte-t-il à la maison ?

— Il est calme, trop calme. Je ne crois pas l'avoir entendu rire depuis des mois.

— Se fait-il... aider par quelqu'un de qualifié ?

Paul se retint de sourire à cet euphémisme :

— Par un psychiatre, vous voulez dire ? Oui. Nous avons tous eu recours à ses services, individuellement et parfois collectivement.

— C'est bien.

— J'en arrive à me le demander, mademoiselle...

— Madame.

— Excusez-moi.

Pour la première fois depuis le début de l'entretien, Paul vit la présence de l'alliance d'or. Cette *Madame* McNeil était encore loin d'avoir trente ans. Jolie fille, blonde, tailleur bleu pâle, une écharpe de soie négligemment nouée autour du cou. Mariée, donc. Heureuse en ménage, aurait-il parié.

— Je veux dire, reprit-il, que cette assistance qualifiée ne paraît pas avoir obtenu de résultats probants, jusqu'à présent du moins.

— Pourtant, je vous l'aurais suggéré si Robert n'en bénéficiait pas déjà. A titre de conseillère, j'ai reçu la note que vous nous avez adressée à la rentrée et je l'ai gardé sous observation. A l'âge de Robert, la perte d'un parent constitue sans doute le traumatisme le plus douloureux qu'un enfant puisse subir. Ils réagissent chacun à leur manière. Certains se font remarquer, se conduisent le plus mal possible comme pour nous défier de les punir. D'autres, comme Robert, se replient sur eux-mêmes, édifient de véritables fortifications contre le monde extérieur et ne se lient qu'avec très peu de leurs camarades, poursuivit-elle avec un sourire chaleureux. Ces derniers s'attirent toute ma sympathie, je l'avoue. Robert est un enfant tellement attachant. Il est très intelligent et je sens, par moments, qu'il a eu une enfance extrêmement heureuse jusqu'à... jusqu'à...

Elle ne pouvait se résoudre à dire les choses crûment. Paul le fit à sa place :

— Jusqu'à la mort de ma femme, voulez-vous dire ? En effet.

Nous étions tous heureux, chère madame McNeil, enseignante et épouse comblée comme l'était Jane...

— Bobby a toujours été bon élève, reprit-il après son aparté. Dès le début, il aimait aller à l'école. il savait lire couramment à quatre ans.

56

— Cela se sent dans son travail, ce qui est d'autant plus remarquable dans les circonstances présentes. Il est également très consciencieux. Il fait toujours ses devoirs, les remet à temps.

Elle s'interrompit pour consulter le dossier ouvert sur son bureau.

— Et maintenant, ce regrettable incident qui vient tout remettre en question, dit Paul.

— C'est vrai. Est-ce un cas isolé ou le début d'un changement radical dans son comportement ? Voilà, je crois, ce dont nous devons nous inquiéter.

— Je me fais du souci à son sujet depuis des mois. Il est trop renfermé, il n'arrive pas à s'extérioriser. J'espère qu'il ne va pas désormais s'y prendre de cette manière.

— Nous verrons bien, monsieur Klein. En attendant, je continuerai de le suivre de près. Je sais que vous faites tout ce que vous pouvez de votre côté. Il n'y a pas grand-chose d'autre à envisager pour le moment.

Elle se leva, contourna son bureau et tendit à Paul une main fraîche :

— Je compatis très sincèrement à votre... situation, dit-elle.

Ils se séparèrent sur le seuil. Bobby attendait dans le couloir, la figure encore plus sale là où il avait essayé de la laver, un pan de chemise sorti de sa ceinture. Paul lui fit un discret clin d'œil complice. Klein-la-Terreur... Ce petit garçon paisible et doux avait donc été capable de se ruer sur un de ses camarades. Invraisemblable ! Le mouton qui se fait loup ! Mais il y avait tellement de choses incroyables, en ce monde. Ce qui leur était arrivé était encore plus invraisemblable. Est-il normal, en effet, de voir mourir ainsi quelqu'un qu'on aime ? C'est comme si le soleil, un matin, refusait de se lever sur l'horizon.

5

Ils descendirent la rue côte à côte dans la grisaille de l'après-midi, l'homme grand et fort au pardessus bleu marine, le petit garçon frêle, avec son jean délavé, son blouson décoré de badges et sa casquette de base-ball à la longue visière. L'homme portait d'une main le lourd cartable, mais le petit garçon marchait la tête basse, le dos rond, comme si le fardeau eût toujours pesé sur ses épaules.

Ils prirent tous deux place à l'avant de la Buick, bouclèrent leurs ceintures. Paul mit la clef de contact, se tourna vers Bobby, regarda ce profil dans lequel il retrouvait à chaque fois celui de Jane. Son regard s'attarda sur la mèche de cheveux bouclés qui dépassait de la casquette.

— Tu te sens mieux ?

Bobby haussa les épaules.

— Veux-tu qu'on parle de ce qui est arrivé ?

Le petit garçon ne répondit pas.

Paul lança le moteur, manœuvra pour dégager la voiture et roula lentement jusqu'au feu rouge.

— Tu as encore mal au nez ?

Bobby secoua la tête.

Le feu passa au vert. Paul s'engagea dans Lexington Avenue pour stopper au carrefour suivant. Qui, se demanda-t-il, est le plus malheureux de nous deux, en ce moment : Bobby rongé de remords et de honte, ou moi qui le regarde souffrir en silence ? C'était à lui, son père, de lui parler, de trouver les mots qui pouvaient le toucher et lui permettre de se libérer en racontant sa mésaventure — et d'en expliquer les raisons.

— L'autre, ton camarade — Bockman, n'est-ce pas ?

— Oui.

— C'est bien lui que tu surnommes Sambo, celui qui raffole des biscuits fourrés ?

— Ouais...

— Je croyais que c'était ton meilleur ami.

Bobby haussa les épaules.

— Tu lui as fait mal ?

Bobby détourna délibérément le regard. Ce silence persistant finit par exaspérer Paul. Il agrippa le bras de Bobby :

— Écoute, Bob, il faut quand même que nous parlions !

— Je sais ce que tu penses de moi, répondit-il sans se retourner vers son père.

— Ce que je pense de toi ? répéta Paul, incrédule. C'est bien ce que tu viens de dire ?

Bobby hocha la tête.

— Alors, dis-moi au moins ce que je suis censé penser de toi.

Paul vit un sourire amer s'esquisser au coin des lèvres de Bobby. Il en eut le frisson.

Un autobus, en quittant l'arrêt, se mit en travers devant la Buick et bloqua la circulation.

— Que veux-tu dire exactement, Bob ? Crois-tu vraiment que je sois furieux contre toi à cause de ce qui s'est passé ?

— J'aime mieux ne pas en parler.

Un concert d'avertisseurs commença de retentir derrière eux. L'autobus obstrua encore un peu plus la rue en s'efforçant de dépasser un camion de livraison en double file.

— Écoute-moi, Bob, je t'aime. Pas seulement parce que tu es mon fils, mais aussi parce que tu es intelligent, plein de qualités, adorable. Et cela, rien ne peut le changer, tu entends, et sûrement pas une vulgaire bagarre en cour de récréation. Comprends-tu ce que je te dis ?

59

Les yeux de Bobby se remplirent de larmes. Il dégagea son bras d'un geste brusque et s'essuya rageusement.

— Parle-moi, je t'en prie, dis quelque chose, dit Paul d'un ton implorant. Je me fiche de ce que tu as fait. Je te connais, je sais que tu n'es pas méchant, au contraire. Je ne t'en veux absolument pas, crois-moi...

Les mots sonnaient creux et faux à ses propres oreilles. Des mots, voilà tout ce dont il était capable... Comment son père aurait-il réagi ? Herman l'aurait abreuvé d'injures, sans aucun doute, l'aurait secoué comme un prunier. A l'âge de Bobby, Paul vivait dans une sainte terreur de son père. Herman explosait à la moindre occasion. Il devenait rouge, les veines du cou gonflées comme des cordes. Et il battait le coupable sans la moindre hésitation. Voilà précisément pourquoi Paul n'avait jamais levé la main sur son fils. « *Je sais ce que tu penses de moi* »... Cette réplique lui faisait l'effet d'un coup de poignard.

Bobby laissa échapper un sanglot étouffé. Paul se débattit contre la ceinture de sécurité pour soulever un pan de son pardessus et chercher son mouchoir dans la poche de son pantalon. Il se souvint alors que le mouchoir, mouillé et taché de sang, devait se trouver quelque part sur Bobby. Pendant ce temps, la file de voitures se remit lentement en branle pour contourner le camion.

— C'était idiot... commença Bobby.

— Probablement, l'encouragea Paul.

— Et entièrement de ma faute.

— Vas-y.

— On était dans le couloir, à la sortie du cours de maths. C'est moi qui ai commencé.

— Cela n'a plus grande importance, de savoir qui a commencé.

— C'est quand même moi.

Bobby regardait droit devant lui, le regard vague. A l'approche des grands magasins, la circulation ralentissait de nouveau. Paul attendit la reprise du récit. Il y eut un long silence.

— Tu sais, dit-il enfin, je me suis souvent trouvé dans des histoires pendables à l'école, quand j'avais ton âge. Tous les quatre matins ma pauvre mère devait venir me chercher...

Bobby releva les yeux et se tourna vers lui.

— C'est vrai, poursuivit Paul, je n'étais pas un ange, à cet âge-là. Je me rappelle, je devais être en septième ou en huitième — Madame Demlinger, tiens, j'ai retrouvé son nom, à cette vieille bique ! eh bien, cette fois-là, elle nous avait donné à faire une rédaction qu'il fallait lire en classe. L'éléphant, sujet passionnant... Bien entendu, je n'en avais pas écrit le premier mot...

Paul ne put s'empêcher de sourire à ce souvenir. Déjà, il était sûr de lui, toujours prêt à improviser, à briller — ravi, surtout, de jouer un tour au professeur pour faire étalage de sa supériorité.

— Alors, reprit-il, quand mon tour est venu, j'ai ouvert mon cahier sur une page blanche et j'ai commencé à raconter n'importe quoi comme si je lisais : « L'éléphant est le plus gros mammifère parmi les animaux qui vivent dans la jungle. On le trouve du cœur de l'Afrique noire aux plateaux de l'Asie », et caetera, et caetera, jusqu'à ce que Mme Demlinger s'approche de moi discrètement par-derrière, jette un coup d'œil par-dessus mon épaule et se rende compte de ce que je faisais. Alors, là, qu'est-ce que j'ai pris ! Elle m'a traité de tous les noms, non parce que j'étais mauvais élève ni pour n'avoir pas fait la rédaction, mais parce que je faisais semblant. Elle n'admettait pas qu'on fasse semblant...

Paul souriait en espérant faire surgir un éclair de gaieté sur le visage grave de Bobby où, sur les joues sales, les larmes traçaient des sillons gris.

— On jouait à la grande gueule, dit enfin Bobby.

— Qu'est-ce que c'est, ce jeu-là ?

— C'est complètement débile.

— Je m'en doute, mais ça consiste en quoi ?

— On se dit des gros mots, des injures. Et alors, Sambo...

Bobby s'interrompit pour avaler sa salive. Paul l'encouragea :

— Bon, ce ne sont que des mots, ce n'est pas bien grave. Et alors, Sambo, disais-tu...

Bobby ouvrit la bouche, la referma.

— Oui, je vois ce que c'est, reprit Paul. Un mot en

amène un autre jusqu'au moment où il y en a un qui se fâche et se met à cogner. C'est bien comme cela que les choses se sont passées ?

— Ouais...

— Ah ! Nous commençons à y voir clair. Donc, vous vous êtes mis à jouer à ce jeu, à échanger les plus grosses injures que...

— J'ai dit que c'était débile.

— Je l'avais bien compris. Donc, l'un de vous deux a lancé le premier coup de poing.

— Oui, moi.

— Évidemment, Klein-la-Terreur...

— Ce n'est pas drôle.

— Ce n'est pas tragique non plus. Deux copains qui se bagarrent, cela arrive tout le temps, tu sais. Plus souvent même que tu ne le crois.

— Sambo m'avait dit quelque chose.

— Je m'en doutais, figure-toi...

Paul attendit la suite. Bobby s'était de nouveau renfermé dans son silence buté.

— Je sais, reprit Paul avec douceur. Les mots peuvent faire mal. Très mal.

Bobby hocha la tête.

Devant Bloomingdale's, arrêtés au feu rouge, ils furent submergés par la foule des piétons. Bobby prit une inspiration et parla comme s'il se jetait à l'eau :

— J'étais fou furieux de ce qu'il m'avait dit.

— Naturellement, dit Paul d'un ton encourageant.

Il fut stupéfait lorsque Bobby lui saisit la main, la posa sur sa joue et l'y tint serrée.

— Je n'ai pas pu...

Bobby s'interrompit, les lèvres tremblantes.

— Allons, Bob, ce n'est pas grave... commença Paul.

— Si tu savais comme... comme elle me manque... comme je suis malheureux...

Bouleversé, il défit sa ceinture et attira le petit garçon contre lui. Tout autour de la voiture, les piétons ralentissaient pour les regarder au passage. Paul ne s'en souciait pas. Blottie contre son pardessus, la tête de Bobby était secouée de sanglots, palpitait comme un oiseau blessé. Paul lui caressa la joue, la gorge nouée.

— Je sais, mon chéri, je sais. Je comprends...

Le feu passa au vert, les avertisseurs élevèrent aussitôt leur clameur. De chaque côté de la voiture, les files de véhicules s'ébranlèrent. Une minute ! dit Paul mentalement à l'adresse du conducteur bloqué derrière lui et qui ne lâchait pas son klaxon. Un peu de patience, je ne peux pas démarrer tout de suite.

— Tout va bien, mon chéri, ce n'est pas grave, répétait-il comme une incantation.

Il savait, pourtant, que rien n'allait bien, que tout était grave, tragique, pour Bobby, pour Barbara, pour lui aussi.

Derrière lui, les avertisseurs se faisaient menaçants. Autour de lui, les piétons jetaient des regards indifférents ou curieux sur cet homme aux yeux secs, sur ce petit garçon au corps secoué par un gros chagrin, serrés l'un contre l'autre au beau milieu de la rue en cette fin d'après-midi gris et triste.

Les raccords de la chaussée, nouvellement réasphaltée, résonnaient rythmiquement contre les pneus : *Tout va — très bien, tout va — très bien,* entendait Paul. De fait, il se sentait bien, au point de s'étonner de son propre comportement. Pas une larme. Pas une larme ! Stupéfiant. Toujours inquiet au sujet de Bobby, certes. Bouleversé, même. Mais lui, il allait mieux. Comme ce personnage qui tombe du haut de l'Empire State Building et répète, en passant devant chaque étage : « Jusqu'ici, tout va bien »... Allait-il, lui aussi, éclater plus tard sous l'impact ? Bénéficiait-il d'un simple sursis ou d'une grâce présidentielle ?

Bobby restait enfermé dans sa coquille, c'est vrai. Mais que pouvait-il faire de plus ou de mieux pour le moment ? Paul l'avait consolé, lui avait répété que les horions échangés avec son camarade étaient sans importance. Maintenant, il était temps de lui faire admettre la réalité, pour insoutenable qu'elle fût : Jane ne reviendrait plus. Plus jamais. Barbara l'avait compris avant son frère. Elle était plus résistante. Elle disposait de meilleures défenses — trait de caractère hérité de sa mère. Jane s'était toujours montrée plus forte que Paul, plus ferme. Plus capable, surtout, de faire face à toutes les situations, de résoudre les problèmes de sang-froid. L'émotif, c'était lui — et Bobby le traumatisé. S'il voulait regarder les choses en face, son fils était affligé d'une douleur bien à lui, nourrie d'un sentiment de culpabilité.

Mais de quoi se considérait-il coupable, et à quel sujet ?

« *Je sais ce que tu penses de moi* »... Que sous-entendait-il par là ? On eût dit qu'il se complaisait dans sa culpabilité, qu'il attirait exprès les coups, les subissait avec une sorte de délectation. Pourquoi, grand dieu, pourquoi ?

Paul tourna le coin de sa rue et s'y engagea lentement. Une rue plaisante, malgré les arbres dénudés par l'automne. De belles grandes maisons, bâties à la fin du siècle dernier quand on savait encore ce qu'était la douceur de vivre — hauts plafonds, pièces spacieuses, boiseries, vitraux. Une large rue bordée de vastes pelouses et d'arbres majestueux. Une rue tranquille où les enfants, aujourd'hui encore, pouvaient faire du patin à roulettes et de la bicyclette sans courir aucun risque. Tous les enfants — sauf Bobby. Pas une fois depuis la mort de Jane. Cela aussi était malsain : il n'est pas interdit de s'amuser parce que l'on a perdu sa mère.

Paul stoppa devant la porte du garage.

— Nous y voilà, champion. Et de bonne heure, encore.

Bobby resta immobile. Paul lui prit le menton :

— Allons, haut les cœurs ! Remue-toi un peu.

Sans mot dire, Bobby descendit, ouvrit la portière arrière pour prendre son cartable. Paul le regardait par-dessus le toit de la voiture.

— Beaucoup de devoirs, ce soir ?

— Pas trop.

— Alors, si on sortait le ballon de basket pour faire quelques paniers ? Quinze points, ça te va ?

— Il fait froid.

— Eh bien, va enfiler un pull. Allez, viens, on va s'amuser.

La mine sinistre, Bobby secoua la tête et se dirigea vers le perron. Paul dut courir pour le rattraper :

— Et le ballon de foot ? Juste quelques passes...

64

— Il est à plat.

— La pompe marche. Je le regonfle en un rien de temps.

— Non, ça ne me dit rien.

— Tu n'es vraiment pas drôle ! Pour une fois que j'ai envie de faire du sport… Allons, Bob, oublie un peu ce qui s'est passé à l'école. Remuons-nous, cela nous fera du bien.

Autant parler à un mur.

La porte à peine ouverte, ils reçurent comme un coup de point le vacarme de la stéréo à pleine puissance.

— Ta sœur est rentrée, ça s'entend, dit Paul en souriant.

Ils pendirent tous deux leurs vêtements dans le placard du vestibule.

— Qu'est-ce que c'est que cet abominable raffut ?

— Du punk, répondit Bobby avec un haussement d'épaules.

— C'est chouette, le punk ! On doit l'entendre à la station de métro. Comment peut-elle supporter un chahut pareil ?

Les vibrations graves de la basse et de la batterie semblaient se répercuter jusque dans leurs dents.

— Va prendre un biscuit et un verre de lait, je redescends dans un instant, dit Paul en s'engageant dans l'escalier.

Il commit alors l'erreur d'ouvrir la porte de Barbara sans frapper au préalable.

La musique était tellement assourdissante qu'ils ne l'avaient pas entendu monter. Barbara était sur son lit, couchée sur le dos, son sweater bleu remonté jusqu'aux épaules, ses petits seins comme deux yeux écarquillés qui le regardèrent entrer. Peter était étendu à côté d'elle, en train de l'embrasser, une main passée à l'intérieur du jean dégrafé.

Paul resta paralysé sur le seuil, si choqué de ce spectacle qu'il sentit le sang quitter ses joues et se trouva incapable de proférer une parole. La fureur reprit cependant vite le dessus. Il repoussa violemment la porte, l'envoyant buter contre la cloison :

— Dehors ! hurla-t-il. Sortez d'ici !

Peter sursauta, livide de peur, et bondit du lit. Paul dut se contenir pour ne pas se ruer sur lui, faire pleuvoir une grêle de coups de poing sur ce visage idiot avec ce grotesque embryon de moustache qui, quelques secondes auparavant, se frottait sur les seins de sa fille. Il se contenta de traverser la pièce et de couper brutalement le contact de la stéréo. Le vacarme s'éteignit dans un gémissement. Barbara avait roulé à bas du lit, du côté du mur. A demi accroupie, elle refermait son jean, tirait sur son sweater.

— Fichez le camp ! répéta Paul.

Peter était blanc. Il paraissait avoir pris racine au pied du lit, son grand corps dégingandé légèrement voûté, comme prêt à recevoir le poids du ciel qui allait lui tomber dessus d'un instant à l'autre. Paul fit un pas vers lui, l'air menaçant. Peter sauta en arrière, pivota sur place et s'élança vers la porte, traversa le couloir en deux enjambées et s'engouffra dans l'escalier qu'on l'entendit dévaler quatre à quatre. Quelques secondes plus tard, la porte d'entrée claqua bruyamment.

Paul se laissa tomber sur une chaise, devant la table de Barbara. Il sentit quelque chose sous lui, un blouson bleu, froissé.

— Le blouson de Peter, dit-il machinalement.

Son cerveau recommençait à fonctionner. Dehors, il faisait froid. Il se précipita vers la fenêtre, l'ouvrit. Peter était déjà presque au coin de la rue.

— Hé, Peter ! Arrêtez ! Vous avez oublié votre blouson !

L'interpellé stoppa dans sa course, se retourna. Le père outragé dévisagea le séducteur en déroute, qui lui rendit son regard.

— Votre blouson ! insista Paul.

Peter resta où il était, un pan de sa chemise à demi sorti de son jean. Cet imbécile de gamin croit que je lui tends un piège, comprit Paul, que je le fais revenir pour lui arracher les poils de la moustache ou quelque chose de ce genre. Pris en flagrant délit, la main dans le pot de confiture, cet idiot-là est mort de frousse. Ce serait drôle, s'il s'agissait d'une autre que ma fille...

Il fallait quand même en sortir. Paul empoigna le blouson, le brandit à la fenêtre pour que Peter le voie :

— Blouson ! cria-t-il.

Peter revint à pas lents vers la maison, sans cesser de surveiller Paul d'un air méfiant. Qu'est-ce qu'il s'imagine, que je vais sauter par la fenêtre pour lui tomber sur le dos ?

66

Lorsqu'il fut enfin sur la pelouse, Paul jeta le blouson vers lui. Raté ! Le vêtement donnait prise au vent. Il s'accrocha à la gouttière de la véranda, hors de portée de la fenêtre et trop haut pour que Peter pût le saisir en sautant.

Écœuré par ce coup du sort, Paul enjamba la fenêtre et posa précautionneusement un pied sur les ardoises du toit en forte pente. Que diable suis-je en train de faire là, avec mon vertige ? Il passa l'autre jambe avec répugnance, s'accroupit. Cet abruti de blouson était là, à six mètres, en train d'onduler dans le vent comme pour le narguer. *Veuf désespéré se casse la jambe en tombant de sa véranda pour récupérer le blouson du vil séducteur de sa fille.* Non, trop long pour une manchette du *Daily News.* Paul sentit sa veste s'accrocher à un clou et entendit très distinctement l'étoffe se déchirer. Adieu, ma flanelle anglaise sur mesure...

Pas à pas, cramponné aux saillies du mur, Paul se déplaça le long de la toiture. Mais qu'est-ce que je fais ici, au lieu d'être en bas en train de casser à coups de pied les dents de ce petit crétin ? A partir de maintenant, fini de jouer les braves types... ! Paul poussa un cri de terreur en se sentant glisser sur les ardoises. Du calme, pas de mouvements brusques. Le blouson se rapprochait, il n'avait plus qu'à tendre le bras... Un coup de vent espiègle survint alors, qui chassa le blouson le long de la gouttière. Paul reprit sa lente progression. La poussière et la suie accumulées sur les ardoises lui avaient fait des mains de ramoneur. Un pas, un autre... Voilà. Il parvint enfin à accrocher le blouson du bout du pied et à le prendre d'une main.

Au sol, Peter l'avait suivi et, pour le moment, piétinait les rhododendrons. A quelques pas, Bobby suivait la scène, effaré :

— Qu'est-ce que tu fais là-haut, papa ?

Paul ne put s'empêcher d'éclater de rire.

— Attrapez ! cria-t-il à Peter en lui jetant le blouson.

— Merci beaucoup, monsieur, répondit ce dernier en enfilant une manche.

— Toi, Bobby, rentre immédiatement. Il fait froid, dehors.

Froid ? On gelait, oui ! Bobby obtempéra et Paul le vit gravir le perron et disparaître à l'intérieur. Pendant ce temps, Peter refermait la glissière de son blouson. Il recula de deux pas et Paul fit une grimace de douleur en entendant une branche de rhododendron casser net.

— Monsieur, vous savez, je suis vraiment désolé...

Paul lui fit un signe de tête fort sec :

— Moi aussi, mon garçon. Alors, soyez gentil, voulez-vous ? Rentrez chez vous. Et ne mettez plus les pieds ici quand je n'y suis pas, compris ? Apparemment, il vous faut un chaperon, à tous les deux, ou un chien de garde. A moins que ce ne soient plutôt une camisole de force et des chaînes...

— Cela ne se reproduira plus, je vous le promets.

Irrésistible, ce petit ! Bien évidemment, *cela* se reproduira la prochaine fois que ces deux forcenés se retrouveront seuls ensemble. Cela, ou pire encore... Allons, n'y pense plus, fit une voix impérieuse à l'oreille de Paul.

— Bonsoir, Peter. Rentrez chez vous, comme je viens de vous le dire.

Et pendant que tu y es, jeune voyou, prends donc une longue douche bien froide, glacée.

Au moment où Peter s'éloignait, Phyllis Berg survint sur le trottoir, un gros sac d'épicerie dans les bras — la grande Phyllis, avec les grosses lunettes à monture d'écaille qui lui donnaient l'allure d'une chouette mâtinée de cigogne. David et elle étaient les meilleurs amis des Klein dans le quartier. Leurs enfants, un garçon et une fille, avaient à peu près le même âge que Barbara et Bobby.

— Paul ! s'écria Phyllis. Est-ce bien vous ?

Une chouette myope, par-dessus le marché...

— Vous n'êtes pas blessé, au moins ? reprit-elle.

— En pleine forme, très chère amie. Jamais senti mieux.

Brave Phyllis, toujours inquiète, toujours prête à porter secours, à dorloter tout être vivant ou moribond lui passant à portée de la main.

— Mais que diable faites-vous donc là-haut ?

Je suis devenu dingue, Phyllis, ne le saviez-vous pas ? J'envisage de planter ma tente sur le toit. *Veuf aliéné, père de deux enfants, campe sur le toit de sa véranda. Voisins inquiets alertent les autorités.*

— Je vérifiais simplement les gouttières, Phyllis. Plein de feuilles mortes coincées dans les tuyaux de descente.

— Habillé ainsi, en costume et en cravate ?

— L'envie m'a pris, comme ça... Bon, je vais rentrer, maintenant. Bonsoir, Phyllis.

De grâce, Phyllis, déguerpissez ! Faut-il vraiment vous repaître du spectacle d'un homme terrorisé en train de ramper sur son toit ?

Il vit Phyllis tourner la tête :

— Dimanche vous convient-il ? demanda-t-elle à quel-qu'un.

Surgit alors Howard Austin, le voisin. Il revenait du bureau, un porte-documents à la main et un journal sous le bras. Paul ne s'était pas encore rendu compte que Howard écourtait à ce point ses journées de travail. Les hommes de loi ont bien de la chance...

Howard s'arrêta pile et leva la tête avec curiosité :

— Paul ! s'écria-t-il, stupéfait. Que fabriques-tu là ?

— Salut, Howard.

Du coin de la rue, l'on voyait déjà s'approcher Myron Lewis, l'expert en jardinage du quartier, qui rentrait chez lui. Mon dieu, dans cinq minutes on va pouvoir tenir une conférence plénière ! Ils ne vont quand même pas me demander de faire un discours...

— Pour dimanche, Howard, insista Phyllis, venez-vous dîner, oui ou non ?

— Oui, bien sûr. Avec plaisir.

Qu'est-ce qu'ils attendent pour déguerpir ? N'ont-ils encore jamais vu personne perché sur un toit ?

— Aux environs de sept heures, ou après la retransmission du match. David n'aime pas se mettre à table avant la fin.

— Entendu, Phyllis, et merci encore.

Personne ne faisait mine de partir. Entre-temps, le petit groupe s'était augmenté de Myron Lewis. Paul entendit Phyllis lui parler d'une gouttière bouchée et rendit d'une main le salut que le dernier venu lui adressait cordialement.

Non, décidément, rien à faire. Ils sont décidés à rester sur place tant que je ne serai pas rentré à l'intérieur. Paul se mit donc en mesure de regagner la fenêtre ouverte, les mains crispées sur les ardoises, les genoux fléchis, l'allure vraisemblablement idiote. Courage, vieux frère ! Un pas, un autre, pas de panique.

Trop effrayé pour lâcher prise avant d'enjamber l'appui de la fenêtre, il s'y glissa la tête la première et fit un roulé-boulé approximatif en se recevant sur le parquet. Il resta allongé, pour ne plus avoir à se montrer aux curieux, et héla Barbara à voix basse :

— Ferme cette fenêtre et tire les rideaux !

Puis il se releva enfin et s'examina. Il avait les mains noires de crasse, le devant de la veste couvert de débris d'ardoise, les genoux de son pantalon pleins de poussière grise. Amuser le public n'est pas une sinécure. La prochaine fois, se dit-il, je ferai payer le spectacle...

Barbara le regardait, sérieuse et concentrée.

— Je ferais mieux d'aller me laver, lui dit Paul. Viens avec moi, que nous parlions.

Elle le suivit dans la salle de bain. Paul enleva sa veste, qu'il lui tendit du bout des doigts, et se planta devant le miroir au-dessus du lavabo. Il avait une joue noircie mais sa cravate — celle à rayures bleues et jaunes, une de ses préférées — paraissait intacte. Paul n'aimait cependant pas se laver les mains avec sa cravate; ou bien, en se penchant, il la plongeait dans le lavabo, ou bien il s'arrangeait pour l'éclabousser de savon. Il ne pouvait pourtant pas la toucher avec ses mains crasseuses.

— Sois gentille, enlève-moi ma cravate, veux-tu ?

— Tout de suite, répondit Barbara.

La veste de son père sur le bras, elle s'approcha et se mit à défaire le nœud. Ils étaient proches à se toucher et Paul la regarda dans les yeux. Sa fille, son adorable fille aux yeux marron comme ceux de Jane, surmontés de sourcils fournis qu'elle n'avait pas encore eu l'idée d'épiler. Elle avait le nez plus fin, plus élégant que celui de sa mère, dont elle possédait pourtant les lèvres pleines et si douces. Un sursaut d'amour le porta vers elle, mêlé à une infinie tendresse. La rage qui l'avait saisi en la trouvant avec Peter s'était dissipée. Pourquoi se sentait-il tout à coup si heureux ? Pourquoi, comment semblaient s'évaporer la peine, la tristesse dont il avait été accablé depuis des mois ? Attention, mon garçon, sans être superstitieux, crache par terre ou le mauvais sort va revenir ! Pas de questions oiseuses, profite des bonnes choses tant qu'elles durent. Cette adorable jeune fille devant toi, mélange de Jane et de toi, voilà un don du Ciel. Elle et Bobby, il ne te reste rien d'autre au monde. Ils représentent ta raison de vivre, ta santé mentale — comme tu es la leur. Pour t'en sortir définitivement, tu ne peux compter que sur eux — et sur eux seuls.

Sa cravate dénouée, il empoigna Barbara sans plus se soucier de ses mains sales et la serra très fort contre lui.

— Je t'aime, ma chérie.

— Tu n'es plus fâché contre moi ?

— Bien sûr que si, mais cela passera...

Il renifla bruyamment, pour qu'elle le remarque, le parfum léger qui émanait de ses longs cheveux :

— Orange, citron ?

— Citron et sapin. Un shampooing organique.

— Délicieux, dit-il en la lâchant après un dernier baiser. Qu'est-ce que tu es, au juste, une fille ou un jardin ?

Il la vit sourire — un miracle.

— Tu sais, dit-elle, je suis désolée de...

— Moi aussi, figure-toi. Nous en parlerons plus tard, après le dîner. Je me sens tout à coup une faim de loup ! Ce doit être le grand air et l'exercice. Tiens, bonne idée : tous les soirs, dorénavant, je vais faire une petite promenade sur le toit de la véranda avant le dîner.

Cette fois, Barbara pouffa de rire.

— Pourquoi pas ? reprit Paul. Le grand air, l'exercice, il n'y a rien de meilleur. Sans parler des rencontres qu'on y fait...

Il se mit à rire à son tour, Barbara en fit autant. Ils se retrouvèrent dans les bras l'un de l'autre.

6

Plus tard, ce soir-là, ils prirent place tous trois autour de la table de la cuisine.

— Un dîner de gala. Le chef mérite des louanges, dit Paul.

— Ouais, pas mal, répondit Barbara.

— Pas mal ? C'est tout ce que tu trouves à dire ?

— Bon, d'accord, c'était convenable.

— Toi, tu accordes les compliments comme s'ils étaient rationnés. Et vous, cher monsieur, poursuivit-il en se tournant vers Bobby. Votre opinion, je vous prie. Parlez sincèrement.

— Bof ! Mangeable.

Paul, la main sur le cœur, prit l'air ulcéré :

— C'est le bouquet ! Je me décarcasse pour préparer un festin à faire pâlir de jalousie les plus grands chefs, et tu trouves ça *mangeable* ? Sois juste, au moins !

— Disons correct, répondit Bobby en esquissant un sourire.

— Correct, maintenant ! Ignoble rejeton pétri d'ingratitude, que sais-tu des mystères de la grande cuisine, hein ? Correct ! On ne m'épargnera rien....

— Les côtelettes étaient trop cuites.

— Un peu, je te l'accorde. Mais l'assaisonnement miracle, mon secret longuement mûri dans la méditation ? Voilà qui mérite des applaudissements nourris !

— Puisqu'on parle de nourrir, intervint Barbara, les pommes de terre n'étaient pas mauvaises.

— Merci, mais tu me flattes. Je n'ai jamais vraiment réussi la purée. Celle-ci était un peu trop liquide. Je me conforme pourtant au mode d'emploi sur le paquet, je suis leurs instructions à la lettre mais elle n'a jamais le goût de celle que faisait votre mère.

— Elle y mettait davantage de lait et de beurre.

— Probablement. En tout cas, les petits pois étaient irréprochables.

— Hmm... grogna Barbara. Un reste de conserve d'hier soir.

— Ils étaient bien verts, oui ou non ? C'est l'essentiel.

Paul n'oubliait pas l'un des principes de Jane : toujours mettre quelque chose de vert dans l'assiette. Elle voulait dire, bien entendu, un légume frais, cuit à la vapeur quelques instants avant de le servir. Il eut une bouffée de nostalgie pour ses brocolis embaumant l'ail, ses haricots verts croquants sous la dent, ses épinards en branche. Oui, Jane était une merveilleuse cuisinière. Une parfaite mère de famille. Une enseignante hors pair. Une femme inégalable.

D'un coup, il se rendit compte qu'il était capable de penser à elle sans souffrir. Il la voyait encore s'affairer devant le fourneau, ses mains agiles voletant d'une casserole à l'autre, dans le tablier bleu offert par les enfants à l'occasion d'une fête des Mères, son verre de scotch — un glaçon, jamais plus — posé sur le comptoir à côté d'elle, dont elle buvait une gorgée de temps à autre tandis qu'il la regardait faire, assis à la place même qu'il occupait en ce moment. Tout en travaillant, elle lui parlait. De sa journée, de ses classes, de ses élèves, des incohérences administratives provoquées par l'inspection d'académie.

Jane. Il pouvait l'évoquer sans accompagnement obligé de gorge nouée, de larmes plein les yeux, de douleur au creux de l'estomac. Quel miracle !

— Elle n'a pas toujours été un cordon-bleu, vous savez. Naturellement, elle a fait d'énormes progrès à partir du moment où je lui ai dévoilé mes secrets...

Il regarda les enfants en souriant et vit l'expression réprobatrice sur le visage de Bobby.

73

— Pas drôle, papa, dit-il le premier.

— Exact, répondit Bobby.

— Je plaisantais, c'est tout. Tu sais, cela ne fait pas de mal de temps en temps, même si la plaisanterie est mauvaise. D'ailleurs, les miennes le sont presque toujours. Au fait, j'en connais de pires...

Il entreprit alors de leur raconter la dernière de Michael Bradie, entendue au déjeuner. Barbara éclata de rire, Bobby daigna pousser quelques gloussements. Qu'il était bon de voir enfin un sourire éclairer le visage triste de son fils !

— Et maintenant, savez-vous comment votre mère a appris à faire la cuisine ? poursuivit-il. Nous venions de nous marier, nous habitions encore notre appartement en sous-sol...

— Celui de Troy Avenue, précisa Barbara.

— C'est ça. Tu te rappelles, Bob, nous sommes passés devant, une fois, je te l'avais montré ? Bref, je travaillais à l'époque chez le distributeur du New Jersey et votre mère occupait son premier poste d'enseignante. J'avais une véritable passion pour les escalopes panées — je les aime toujours, d'ailleurs — mais elle préférait les côtelettes d'agneau. Aussi, ce soir-là, elle a voulu nous faire plaisir à tous les deux et a acheté chez le boucher une escalope pour moi et des côtelettes pour elle. Le malheur, c'est que lorsque nous nous sommes mis à table...

— Elle avait pané les côtelettes et grillé l'escalope, interrompit Bobby.

— Tu connais déjà l'histoire ?

— Je l'ai à peine entendu raconter cent mille fois.

— Maman nous l'a dite elle-même, précisa Barbara.

Où se trouvait-il, pendant ce temps ? Sur la route, vraisemblablement. Il ne put retenir un sourire au souvenir du goût inimitable des côtelettes panées — ce qui lui rappela autre chose :

— Passons, dit-il. Mais ce n'est pas tout. La première fois que votre mère a voulu se servir de la friteuse, ce fut une véritable catastrophe. Nous vivions alors à Cleveland...

— L'histoire des pommes de terre frites ? dit Bobby.

— Oui.

Encore un haut fait historique fichu par terre. Paul était

stupéfait d'apprendre que Jane avait dévoilé aux enfants ces histoires peu flatteuses sur son propre compte.

— En rentrant, tu l'as trouvée en larmes, intervint Barbara. La cuisine était pleine de fumée et toute l'huile répandue par terre, c'est bien cela ?

— Oui, c'est bien cela, dit Paul en souriant. La cuisine transformée en patinoire et votre mère en fontaine.

— Je parie qu'elle n'a plus jamais refait la même bourde, dit Bobby.

— Non, jamais. Parce qu'elle ne s'est plus jamais servie de cette friteuse-là, à vrai dire.

— Elle est idiote, cette histoire, répondit Bobby en faisant la moue. Maman n'était pas aussi maladroite.

— Je n'ai pas dit cela. Elle manquait d'expérience, c'est tout. Mais elle s'y est vite mise, plus vite que bien d'autres.

— Évidemment, elle était intelligente.

— Oui, très. Et l'histoire du poisson rouge, vous la connaissez ? demanda Paul.

Les enfants ne dirent mot. Enfin, un coin de territoire inexploré ! Profitons-en.

— Tu venais de naître, Barbara, tu avais peut-être trois ou quatre mois. Comme tu passais encore ton temps au berceau, je me suis dit qu'il serait bon de te donner quelque chose à regarder.

— J'avais un mobile, accroché au-dessus de mon berceau, dit Barbara. Il faisait de la musique.

— Tu ne t'en souviens quand même pas ?

— Non, mais je me souviens de l'avoir vu sur le berceau de Bobby. Maman m'avait dit que c'était le même que le mien.

— C'est exact.

— Il avait des oiseaux, dit Bobby. Des oiseaux roses, bleus et jaunes et la boîte à musique jouait... attends. J'ai oublié. Il est encore au grenier, dans une caisse.

— C'est vrai ?

— Oui, répondit Bobby. Nous étions montés ranger certains de mes vieux jouets, il y a quelques années, et elle me l'avait montré.

— Pas possible ! Ta mère a gardé tes vieux jouets ?

— Oui, tu ne le savais pas ?

— Mais non !

— Tous les ans, quand mon coffre jaune débordait, nous en faisions le tri, elle et moi. Ceux qui étaient cassés ou dont je ne me servais plus, elle les mettait dans des boîtes en carton du supermarché et nous les rangions au grenier. Elle écrivait même mon âge sur le couvercle, avec un crayon-feutre.

Jane, l'obsédée du rangement ! Jane, la conservatrice acharnée de ficelles et d'élastiques, de sacs en papier pour les ordures, soigneusement empilés sous l'évier; de vieilles photos, collées bien en ordre dans des albums; d'objets hétéroclites, de souvenirs serrés dans des boîtes à cigares. Elle avait même mis de côté les cartes et télégrammes de félicitations reçus à la naissance des enfants ! Mais les jouets, pourquoi les garder au lieu de les donner à quelque œuvre charitable qui les aurait réparés pour des enfants en ayant vraiment besoin ? A cause de Bobby, sûrement. Parce que ce petit garçon, assis là, était anxieux depuis l'enfance, sujet à des crises de larmes et de colère lorsqu'il n'obtenait pas tout ce qu'il voulait — ou croyait vouloir. Alors, Jane avait pris le temps de s'asseoir auprès de lui pour trier le contenu de son coffre à jouets et tout mettre de côté dans des boîtes, soigneusement étiquetées, naturellement. Toute la vie de Bobby, résumée en vieux jouets cassés ou défraîchis préservés pour la postérité... Une manière comme une autre — meilleure qu'une autre — d'assurer à Bobby une sécurité dont il avait tant besoin. Son passé à jamais préservé par une femme, sa mère, qui le connaissait infiniment mieux que lui, son père.

— Alors, l'histoire du poisson rouge ? dit Barbara.

Pourquoi Jane ne lui avait-elle jamais parlé des jouets rangés dans le grenier ? S'agissait-il d'un secret entre Bobby et elle ? Combien d'autres secrets avaient-ils ainsi partagés ?

— Où en étais-je ?

— Il me fallait, paraît-il, quelque chose à regarder de mon berceau.

— Oui, c'est cela. Un jour, donc, je me suis arrêté dans une boutique et j'y ai acheté deux petits poissons, un noir et un rouge. Je les ai mis dans un bocal sur une étagère, au-dessus de ton berceau.

76

— C'était quand nous habitions Beverly Road ?

— Oui.

Barbara était très fière d'avoir vécu dans le deux-pièces de Beverly Road. Bobby y avait été conçu mais n'y avait jamais vécu. Cet appartement-là était exclusivement celui de Barbara.

— L'achat de ces deux poissons était bien digne de moi, reprit Paul. Toujours impulsif, incapable de prévoir plus loin que le bout de mon nez. Si j'avais réfléchi, il aurait fallu que j'achète un aquarium plus grand, une pompe à oxygène ou un filtre, des plantes marines, à la rigueur, pour purifier l'eau, ou même de ces produits qui éliminent l'eau de Javel. Ces malheureux poissons étaient donc condamnés à crever tôt ou tard. Mais à cela, je n'avais pas réfléchi. Il fallait simplement que je trouve quelque chose qui bouge et que tu puisses regarder.

Les enfants écoutaient avec attention.

— Une huitaine de jours plus tard, poursuivit Paul, tu t'es mise à pleurer au milieu de la nuit et je me suis levé pour aller voir ce qui se passait. Quand tu étais petite, vois-tu, ta mère et moi étions convenus de nous relayer et ce soir-là, j'imagine, elle m'a probablement poussé à bas du lit pour que je me lève. J'ai donc fait ce qu'il fallait pour te faire taire, probablement te changer tes couches; et c'est alors que j'ai remarqué un des poissons, le rouge, qui flottait le ventre en l'air à la surface du bocal. Mort. Je l'ai jeté dans les cabinets, j'ai tiré la chasse d'eau et je me suis recouché.

« Le lendemain matin, ta mère était dans tous ses états : "C'est incroyable ! Il faut que tu viennes voir ça", me répétait-elle. Moi, je n'y pensais déjà plus. J'ai fait ma toilette, j'ai pris ma douche, tout ça. Mais avant même que j'aie eu le temps de déjeuner, elle m'a traîné dans ta chambre pour me montrer le bocal en me disant : "Regarde ! Un des poissons a disparu." Naturellement, elle était ébahie et se demandait ce qui lui était arrivé.

« Dieu me pardonne, mais je n'ai pas pu y résister : "Comment, je ne t'avais pas prévenue ? lui ai-je dit. Le noir est une sorte de requin nain, un véritable tueur. Le marchand m'a affirmé que c'est une espèce très rare." J'ai brodé en inventant un nom latin, *carpus cannibalis* je crois, en concluant : "Il a sans doute dévoré l'autre pendant la nuit. Nous aurions dû les nourrir davantage." »

Barbara éclata de rire.

— Mais ce n'est pas fini, dit Paul en riant à son tour. Je n'y ai plus pensé pendant la journée, j'avais beaucoup de travail. Et comme par hasard, le même soir, mes parents sont venus prendre le café — ils nous rendaient souvent visite, après ta naissance. Alors, croyez-le ou non, votre mère les entraîne dans la chambre de Barbara, leur montre le poisson noir et leur raconte mot à mot mes idioties au sujet du requin tueur de poissons rouges, de la *carpus cannibalis* qui est une espèce rarissime et tout et tout...

A ce souvenir, Paul se remit à rire, Barbara l'imita mais Bobby, la mine sévère, les dévisageait avec surprise :

— Pourquoi avais-tu fait cela ? demanda-t-il.

— Pour m'amuser.

— Et pourquoi maman t'avait-elle cru ?

— Pourquoi ? répéta Paul. Parce que ta mère croyait toujours tout ce que je lui disais. Elle était convaincue que je savais tout, ce qui est d'ailleurs vrai, ajouta-t-il avec un clin d'œil complice.

— Donc, tu n'as pas hésité à la faire passer pour une idiote, déclara Bobby.

Bobby, l'intrépide défenseur de la mémoire de sa mère ! Personne ne pourra jamais dire de mal d'elle devant lui...

— Ce n'était qu'une simple plaisanterie, Bob, une innocente plaisanterie, même si elle n'était pas très fine. Deux personnes qui s'aiment peuvent bien se faire des farces de temps en temps, et même se taquiner.

— Elle ne s'est jamais moquée de toi, elle.

— Bien sûr que si.

— Je ne l'ai jamais entendue, en tout cas.

— Et le compte en banque ? Elle passait son temps à dire que je ne savais pas compter, que sans elle nous serions sur la paille. As-tu oublié ses taquineries sur les rendez-vous que j'oubliais, sur mes retards pour le dîner ? Quand j'ai un peu grossi, elle me traitait de « gros lard »...

— Tu lui faisais bien pire que ce qu'elle te faisait.

— C'est possible.

78

Paul était stupéfait du ton presque hargneux qu'adoptait Bobby.

— Tu tournes toujours tout à la plaisanterie !

— Mais non...

— Presque tout.

— Écoute, Bob, répondit Paul avec un soupir, le monde entier est plutôt bizarre, tu sais. Il se passe des choses, les gens se font des tours, des histoires... Si on ne peut pas en rire, on deviendrait vite dingue.

— Il y a pourtant des choses dont on ne doit pas rire. Tout n'est pas toujours drôle.

— Toi, en tout cas, tu ne l'es pas du tout ! dit Barbara.

— Ni toi non plus ! riposta Bobby.

— Il y a des moments où tu es vraiment bête comme tes pieds.

— Et toi, tu es une minable !

— Suffit, vous deux ! intervint Paul, les mains levées. Ne commencez pas à vous disputer, compris ?

— Il est débile, ce sale gosse ! répliqua Barbara.

— Barbara, tais-toi ! dit Paul sèchement.

Bobby repoussa bruyamment sa chaise :

— J'ai des devoirs à faire, déclara-t-il en se levant.

Il contourna la table et Paul l'intercepta au passage :

— Ne te vexe pas, voyons.

— Je ne suis pas vexé.

— Alors, rassieds-toi. Nous n'avons pas mangé la glace.

— J'en prendrai plus tard.

— Enfin, voyons, nous nous amusions si bien...

Bobby haussa les épaules, l'air maussade. Il s'arracha à son père et s'éloigna :

— Je vais faire mes devoirs, dit-il par-dessus son épaule.

Encore une joyeuse soirée en famille ! se dit Paul.

— Merci de ta coopération, dit-il à Barbara.

— Dé-so-lée ! répondit-elle en chantonnant.

— Ne me dis pas « dé-so-lée » sur ce ton, je te prie.

Ils se dévisagèrent en silence. Paul ne savait plus exactement où il en était, après ce qui venait de se produire. La soirée, qui s'annonçait si prometteuse, semblait se désagréger et l'ensevelir sous des ruines. Il prit une cigarette, l'alluma, en aspira une longue bouffée. Il avait tout à coup envie d'un bon café et se rendit compte qu'il n'avait pas même pensé à en faire.

Barbara se leva et commença de débarrasser la table sans mot dire en empilant la vaisselle sale auprès de l'évier. Elle se mit ensuite à rincer les assiettes et à les disposer dans le lave-vaisselle.

Il voyait les murs se dresser à nouveau, ces murs qui les isolaient chacun dans son univers et leur interdisaient de communiquer. Assis là, à regarder sa fille, cette inconnue, Paul se sentit tout à coup très seul, accablé sous le poids de tout ce qui restait à faire, des mots qui n'étaient pas dits.

Barbara finit de rincer les couverts et les laissa tomber dans le panier du lave-vaisselle.

— Je m'occupe des casseroles, proposa Paul.

Elle ne parut pas l'entendre, se lava les mains sous le robinet et les essuya à un torchon.

— Il faut que nous parlions de Peter, reprit-il.

Elle hocha froidement la tête, le visage fermé.

— Je ne veux plus qu'il revienne ici pendant la semaine. En tout cas, pas après les classes quand Gemma n'est pas là et que je ne suis pas rentré.

L'expression de Barbara ne trahit rien de ses sentiments.

— Tu vois bien assez Peter au lycée et pendant les week-ends. Je ne demande pas mieux qu'il vienne ici le samedi et le dimanche, pendant que je suis à la maison. Tu peux également sortir avec lui, comme tu l'as fait jusqu'à maintenant.

Barbara se taisait. Paul aurait voulu qu'elle parle, qu'elle se défende, qu'elle réagisse d'une manière ou d'une autre. N'importe quoi plutôt que ce silence.

— Ce que je te dis est-il injuste, abusif ? insista-t-il.

Elle haussa les épaules.

— Enfin, parle ! Dis quelque chose !

— Pour quoi faire ? Cela ne changerait rien.

— Tu crois que je suis injuste envers toi ?

— Tu es le père.

— Et alors ?

— Alors ? Qu'est-ce que je peux répondre ?

— Ce que tu veux. Je ne suis pas un ogre.

— Après ce qui... ce qui s'est passé aujourd'hui ?

80

— Je t'ai déjà pardonné.

— Merci, tu es trop bon, répondit-elle d'un ton sarcastique. J'ai une composition de français, demain. Il faut que j'aille travailler.

Paul la regarda s'éloigner, incapable de trouver les mots pour la retenir. Il écrasa rageusement sa cigarette dans le cendrier. Oui, encore une joyeuse soirée en famille ! Jeux et distractions pour tout le monde, grands et petits ! Approchez, bonnes gens, regardez le jeune Bobby se refermer comme une huître. Admirez comment la ravissante Mlle Barbara Givre transforme à dix pas le cœur de son père en bloc de glace. Écoutez le récit mirifique de secrets de famille compris totalement de travers par le propre fils du conteur. Contemplez, enfin, le spectacle inoubliable du père abandonné de tous pour laver les casseroles !...

Il plongea la main dans le four, en sortit la grille et le plateau émaillé du gril qu'il approcha de l'évier. Il se mit ensuite à récurer la casserole où avait cuit la purée de pommes de terre. Les fabricants de purée en flocons mettaient certainement de la colle dans leurs ingrédients ! Trois, quatre fois il dut s'y reprendre pour laver, frotter, rincer — et il n'arrivait pas à faire disparaître une pellicule féculente. Il faillit recommencer une cinquième fois.

Il ferma le robinet d'eau chaude, se tourna vers la fenêtre ouvrant sur le jardin obscur. L'on voyait des étoiles scintiller et le contour du grand sapin, au fond du jardin, qui frémissait dans le vent.

Décidément, il fallait qu'il parle des enfants à quelqu'un. A une femme, de préférence.

Existait-il vraiment un instinct maternel, une compétence particulière dont les pères étaient dépourvus ? Ou ne s'agissait-il que d'un bourrage de crâne, d'une propagande lancée et entretenue par quelque toute-puissante « Union des Mères pour la Propagation de la Foi en Maman » ? Une confédération internationale, pour le moins... Cet instinct maternel, Jane le possédait — au plus haut degré. Mais ni plus ni moins que le sens de la pédagogie, de la finance, des rapports humains. Elle était douée pour tout...

Une femme à qui parler.

Kathleen Bradie. Oui, il la connaissait assez pour lui

téléphoner. Elle savait sur le bout du doigt comment s'y prendre avec les filles — et avec Michael.

Non, pourtant. Ils étaient proches l'un de l'autre, Paul l'aimait beaucoup. Ils n'avaient cependant jamais eu l'occasion de communiquer à un niveau aussi intime. Ce critère écartait du même coup sa secrétaire, l'intelligente, sensible et sensée Lillian Lerner.

Phyllis Berg, au bout de la rue. Voilà, c'est à elle qu'il faut parler. Depuis la mort de Jane, Paul n'a cessé de faire appel à Phyllis. Jane et Phyllis étaient amies intimes. C'est Phyllis qui avait prévenu Jane lorsque cette maison s'était trouvée mise en vente; c'est elle qui avait fait venir la famille dans ce quartier. Combien de fois les avait-elle reçus à dîner, leur avait-elle apporté des plats tout préparés, des friandises, avait-elle emmené Bobby et Barbara faire des courses avec ses propres enfants ? Sa générosité ne s'arrêtait pas là.

Paul éteignit les lumières dans la cuisine, décrocha sa peau de mouton dans la penderie de l'entrée. La stéréo de Barbara résonnait dans le vestibule. Paul s'approcha du pied de l'escalier, leva la tête :

— Oh ! Les enfants !

Bien entendu, ils ne pouvaient pas l'entendre. Il gravit quelques marches, jusqu'à ce qu'il vît les portes de leurs chambres, poussa un nouvel appel, attendit. La porte de Bobby s'entrouvrit, puis celle de Barbara. Deux visages se tournèrent vers lui.

— Je sors un petit moment, je vais voir les Berg.

Bobby hocha la tête sans répondre, Barbara grommela « D'ac » et les portes se refermèrent. *Bang. Bang.* Deux coups de pistolet en plein cœur.

> *Ne reviens pas, ne reviens pas, ô très cher père,*
> *Laisse-moi seul dans mon chagrin et ma misère...*

Arrête ton cinéma, vieux frère. N'empêche, le cow-boy solitaire qui s'éloigne dans le crépuscule avait au moins son fidèle cheval pour compagnon.

La nuit était claire et froide, belle en dépit du vent qui secouait les arbres nus. Une odeur de feu de bois flottait dans l'air. Quelque part, des gens étaient douillettement installés devant un feu de cheminée. Les Weiss, peut-être, ou les Martin, la porte à côté. Dans la rue vide, on n'entendait même pas, par extraordinaire, le grondement de la circulation dans les avenues avoisinantes. Le réverbère tout proche se reflétait sur le pignon pointu de la maison des Turner et découpait, contre le ciel sombre, la tour ronde qui dépassait du toit. La Ford de Myron Lewis était restée à l'extérieur de son garage. La vitre arrière arborait un autocollant du *Wellesley College*. Joanne, la fille aînée, l'avait sans doute posé, qui y était entrée en première année.

Paul s'engagea dans la courte allée menant au perron des Berg. Il y avait de la lumière aux fenêtres du living. Paul gravit les marches et se pencha pour regarder par la fenêtre la plus proche. Les rideaux n'étaient pas tirés, il pouvait voir à l'intérieur. Il entendit un rire — le gloussement de David. Celui-ci était assis dans son fauteuil, les pieds sur un pouf, en train de regarder la télévision sur un meuble bas sous la fenêtre. Phyllis était installée sur le canapé, son ouvrage de broderie à la main, blottie contre la blonde Amy qui, à quatorze ans, devenait un véritable fac-similé de sa mère, y compris dans sa myopie et ses grosses lunettes à monture d'écaille. Devant le canapé, assis par terre et adossé aux genoux de Phyllis, Billy. A douze ans, il était déjà plus grand que sa sœur d'une bonne demi-tête. Toute la famille Berg regardait la télévision, que Paul entendait vaguement. Ils se mirent à rire tous ensemble. Phyllis reposa son ouvrage sur ses genoux et, d'une main, ébouriffa tendrement les cheveux noirs de Billy. David tourna brièvement vers sa famille son maigre visage de vautour, en ce moment souriant et détendu. Paul vit ses lèvres remuer. Les trois autres écoutaient. Ils éclatèrent de rire tous ensemble. Toujours, tous ensemble...

Paul s'écarta silencieusement de la fenêtre avec l'impression d'être un intrus, un indésirable. Une vague de tristesse et de solitude le submergea. A travers cette fenêtre, il avait dérobé un instant d'intimité auquel il n'avait pas droit, instant semblable aux milliers d'autres vécus par des familles, qui consolident les liens et assurent la pérennité de la cellule familiale.

L'an dernier encore, son cas était identique. Désormais, il en était exclu à jamais. Il n'avait plus rien à partager. Plus rien des joies de l'intimité. Plus rien. Jamais plus.

Jamais plus.

Il fit un nouveau pas en arrière et se détourna pour de bon de la fenêtre des Berg. *Jamais plus... Jamais plus...* Ces mots tournoyaient dans sa tête, résonnaient comme une mélopée. Non ! Assez ! Ce sont de telles pensées qui conduisent au désespoir, un désespoir dont ils avaient sûrement eu plus que leur part. Un jour, Bobby, Barbara, lui-même retrouveraient le rire, ils sauraient de nouveau plaisanter, être heureux ensemble, se sentir libres de se taquiner, de se révéler les uns aux autres sans plus s'enfermer entre des murs. Ou refermer des portes. Ou se retrancher derrière des masques de deuil qui les isolaient les uns des autres.

Sa Barbara. *Son* Bobby. Et lui, le père. Une nouvelle cellule familiale de trois âmes seulement, mais liées par le sang, par l'esprit et par une vie commune aux fils tissés, indissolublement, sous le même toit.

Il redescendit les marches sans bruit. Poussée par le vent, une feuille morte traversa la pelouse sous ses pas. Paul reprit lentement le chemin de sa maison.

Parvenu devant chez lui, Paul resta un moment sur le trottoir, face à la maison. Le vent froid sifflait à ses oreilles. Un rayon de lumière, tombant de la fenêtre de Barbara, caressait le toit de la véranda. Il leva les yeux vers le grenier, la lucarne obscure, la cheminée dressée toute droite à l'angle du faîtage. Ce n'était plus la maison de Jane. Dorénavant, elle leur appartenait, à lui et aux enfants. Le spectre de Jane y demeurait encore, son esprit restait imprégné dans chacune des briques, des ardoises, chaque centimètre carré de bois peint et de verre poli. Mais les spectres existent dans le passé. Ils ne savent pas conseiller, encourager, encore moins indiquer le chemin à suivre.

A pas lents, Paul traversa la pelouse, gravit le perron et franchit le large plancher de la véranda pour rejoindre ses enfants qui l'attendaient à l'intérieur de la maison.

porte. La lumière s'alluma automatiquement. C'était une grande penderie, presque une pièce, dont les dimensions l'avaient ravie après le minuscule placard de leur ancien appartement. Paul avait lui-même installé les étagères à chaussures sur la porte. Douze paires bien alignées, immaculées, petites et gracieuses comme elle. Les escarpins de daim bleu marine avec le liséré de cuir rouge qui lui allaient si bien. Par terre, en rang, ses tennis, la vieille paire de brodequins pour le jardinage, les mules dorées qu'elle portait à la maison. Toutes si menues, si enfantines qu'elles lui remuaient le cœur.

Il fit un pas à l'intérieur. A gauche, sur des étagères, ses sacs à main, ses gants rangés dans un plateau bas. Tout là-haut, quelques cartons à chapèaux. Sur la première barre, ses blouses; les robes, les ensembles, les tailleurs étaient pendus sur celle du dessus. Paul tendit la main, palpa, remua les vêtements. Sa robe de soie jaune, une de celles qu'il préférait, elle ne la portait qu'une ou deux fois par été, pour les grandes occasions. Il la décrocha, y plongea son visage. Il n'y restait qu'une trace d'elle, un souvenir ténu de son parfum. Paul remit la robe jaune à sa place, fit glisser les cintres sur la barre. Au bout de la rangée, son peignoir orange en tissu-éponge, sa longue robe d'intérieur en velours bleu. Il la dépendit, la serra contre lui, les yeux fermés. Un vertige le fit brièvement vaciller au souvenir de Jane, lorsqu'elle remplissait la robe et qu'il la tenait dans ses bras.

« Jane, je t'aime », murmura-t-il en posant la joue contre le velours. Le son de sa propre voix rompit le charme. Il se sentit tout à coup ridicule et replaça la robe sur son cintre.

La commode en bois fruitier clair, celle de Jane. Il ouvrit le premier tiroir, laissa ses doigts errer dans les foulards, les mouchoirs, les fichus. Ces étoffes soyeuses faisaient partie d'elle, signaient son style. Toujours, la discrète touche colorée autour de son cou, un foulard noué à la poignée du sac, ou une longue écharpe à la taille, en guise de ceinture.

Le second tiroir, culottes et soutiens-gorge. Il pêcha au hasard une culotte de bikini bleu roi, incroyablement menue. Tout le tiroir embaumait le lilas et la lavande — Paul en trouva des sachets dans le fond, en fouillant un peu. Tiens, un soutien-gorge transparent, sans armature — sans forme

86

et sans vie puisque sans elle. Paul le porta à son nez, ferma les yeux. En les rouvrant, il se vit dans le miroir. Un homme au nez plongé dans un soutien-gorge. Franchement ridicule... *Veuf obsédé sexuel perd la raison, appréhendé dans la rue où il s'exhibait dans les sous-vêtements de sa femme...*

Arrête ton cinéma. Ferme le tiroir. Regarde la télé jusqu'à ce que tu t'endormes. Exécution !

Il tourna le bouton, tomba sur un vieux western avec James Stewart en chapeau de cow-boy, armé d'une longue carabine. Assis dans le fauteuil club, il regarda distraitement jusqu'à ce qu'un coup discret, frappé à la porte, le fît se retourner.

Barbara glissa la tête dans l'entrebâillement :

— Il me semblait bien avoir entendu la télé. Moi non plus, je ne peux pas dormir.

— Entre, ma chérie.

Elle était vêtue d'un pantalon de pyjama jaune, à l'allure de caleçon long. Au-dessus, Paul reconnut avec surprise une vieille chemise de flanelle marron qu'il avait cru jeter le printemps dernier.

— Dis donc, je la connais, cette chemise !

— Je ne te la rendrai pas.

— Je ne te la demande pas. En fait, je la croyais disparue depuis longtemps.

— Gemma s'apprêtait à la mettre aux ordures, dit Barbara en souriant. Je l'ai raccommodée moi-même.

— Il y a une tache de peinture sur le col.

— Ça ne fait rien, je l'adore.

Elle s'assit par terre devant la commode de Jane, les jambes repliées en position de yoga.

— Qu'est-ce que tu regardes ? demanda-t-elle.

— Je ne sais pas, n'importe quoi. James Stewart en redresseur de torts, seul contre tous comme d'habitude.

Ils regardèrent le film en silence. Paul était trop heureux d'avoir de la compagnie pour s'inquiéter vraiment de l'heure matinale à laquelle Barbara devait se lever le lendemain.

— Il faut qu'on parle, dit-elle pendant la publicité.

Une femme chantait les louanges d'une poudre à laver.

— De ce qui s'est passé aujourd'hui ?

— Oui, en partie.

— Je croyais la question réglée.

— Erreur.

— Comme tu veux...

La compagnie du téléphone expliquait à ses abonnés combien il est plaisant et peu coûteux d'appeler la Californie après 20 h. Paul eut soudain envie de connaître quelqu'un en Californie, quelqu'un qui aurait l'idée de l'appeler, lui... Il détourna les yeux de l'écran et les posa sur Barbara.

— Je ne sais pas par où commencer, dit-elle.

Elle évitait de le regarder, remuait silencieusement les lèvres.

— Il s'agit de toi et de Peter, n'est-ce pas ?

Elle hocha la tête. Pendant le long silence qui suivit, un groupe de gens de tous âges vanta en musique les mérites d'une boisson gazeuse.

— Allons, parle. Je ne vais pas te manger.

Barbara se racla la gorge :

— Eh bien... euh... La semaine dernière, je suis allée au planning familial.

Paul sentit une grosse pierre rouler dans sa poitrine.

— Tu... quoi ?

— Je veux me procurer un diaphragme.

Un flot de sang brûlant fit irruption dans sa tête en résonnant avec fracas contre ses tympans.

— Une minute, dit-il, plus fort qu'il n'en avait l'intention.

Il se leva pour éteindre la télévision et regarda sa fille, partagé entre la fureur et l'incrédulité. Il aurait voulu se boucher les oreilles, tout en sachant qu'il lui faudrait écouter. D'un geste trop brusque, il poussa la porte coulissante de sa penderie, décrocha sa robe de chambre et noua la ceinture trop serré, sans quitter Barbara des yeux.

— Tu as entendu ? demanda-t-elle.

— Oui, je t'ai entendue.

Inutile de faire un dessin, ma petite : Peter et toi voulez découvrir les joies de l'amour physique. Toi, ma fille, et cette espèce d'échalas à la moustache grotesque ! Elle n'est encore qu'une gamine, un bébé...

— Pas question ! dit-il sèchement.

— Je savais que tu serais furieux.

88

— J'ai de bonnes raisons, tu ne crois pas ?

Il se tapota les poches pour y prendre ses cigarettes et se souvint de les avoir laissées sur la table de chevet. Aurait-il jamais un jour, un seul jour de tranquillité ? A peine un problème résolu, il en surgissait un autre.

— Tu as le chic pour choisir ton moment, ma petite.

— Je suis assez grande...

— Ce n'est pas ce que je voulais dire. De toute façon, j'estime que tu ne l'es pas.

— Nous nous aimons. D'ailleurs, je n'ai pas besoin de ta permission.

— Ah oui, vraiment ? Je suis ton père, bon sang ! Et tu n'as que seize ans.

— Je n'ai quand même pas besoin de ton autorisation pour avoir un diaphragme. Je voulais juste t'en parler avant. En plus, j'aurai dix-sept ans au printemps prochain.

— Mais tu es encore un bébé !

— Calme-toi.

— Non, je ne veux pas me calmer ! J'ai envie d'être fou de rage, au contraire !

— Je ne suis pas venue pour te mettre en colère.

— Vraiment ? Tu t'y prends pourtant à merveille !

— J'aurais aussi pu faire ce que je voulais derrière ton dos.

— C'est ce que tu t'imagines, ma petite !

— Ne t'excite pas comme cela, papa. J'aurais pu demander la pilule ou me faire poser un diaphragme sans que tu n'en saches rien. Mais je n'ai rien voulu faire sans t'en parler d'abord.

— Trop aimable !

Comment diable faisait-elle pour rester si calme ?

— Tu n'as pas le droit de contrôler ma vie sexuelle.

— Où as-tu pêché cela, dans un tract du MLF ? Je suis ton père et je dispose de tous les droits de la puissance paternelle, que je sache !

— Tu n'essaies même pas d'écouter ce que je te dis !

— Je ne t'entends que trop clairement et ce que tu dis me déplaît à l'extrême, répondit-il en haussant le ton. Au moment de son mariage, ta mère était vierge, Barbara, et elle avait vingt ans.

— Les temps ont changé.

— Mais qu'est-ce qui te prend, à la fin ? Tout le monde devient donc fou, dans cette maison, ou quoi ?

Il avait conscience de ne plus se dominer mais, au point où il en était, peu lui importait. Une rage incontrôlable bouillonnait en lui, une rage froide qui le poussa à reprendre, en criant presque :

— Notre famille se désagrège, nous tombons tous en morceaux, ne le comprends-tu pas ? Il n'y a plus d'ordre dans les choses, plus de sympathie ni d'égards entre nous... Au lieu de coopérer, de faire de ton mieux, tu ne cherches qu'à me contredire en tout. On m'appelle de l'école de ton frère parce qu'il confond sa salle de classe avec un ring de boxe. Je rentre, il ne desserre pas plus les dents qu'un trappiste et fait une tête d'enterrement, toi je te trouve sur ton lit avec Peter, plus rien ne tourne rond et tu viens m'annoncer la bouche en cœur que tu veux un diaphragme !

— Dé-so-lée.

— Et ne chantonne pas ce mot-là sur ce ton, tu sais parfaitement que cela me met en rage !

C'est à ce moment-là que Bobby apparut sur le pas de la porte, les yeux pleins de larmes :

— Je vous demande pardon, dit-il. Je sais que vous vous disputez à cause de moi.

Paul sursauta :

— Quoi ?

— C'est... Tout est de ma faute.

Il se retournait pour partir en courant quand Paul bondit à travers la pièce et le happa par le bras :

— Qu'est-ce qui est de ta faute ? De quoi parles-tu ?

Bobby essaya de répondre, n'y parvint pas et fit des mains un geste d'impuissance. Un rugissement de douleur s'échappa de la bouche de Paul :

— Ce n'est de la faute de personne ! s'écria-t-il. De personne, c'est cela le pire. Personne n'a tué votre mère, elle est morte. Vous comprenez ce que je vous dis, tous les deux ? Elle avait un minuscule petit quelque chose dans le cerveau, trois fois rien, et ce petit quelque chose s'est brisé quand il a bien voulu. Un anévrisme, cela s'appelle, une bulle qui a crevé et qui l'a fait mourir. Rien de ce que tu as fait, Bobby, ou de ce que tu as fait, Barbara, ni même de ce que j'ai fait, moi, ne l'a provoqué. Rien !

Il prit le petit garçon dans ses bras et le serra contre lui :

— Ne pleure plus, tu entends ? Ne pleure plus. Ni toi non plus ! poursuivit-il en voyant les yeux de Barbara se remplir de larmes. Arrêtez, tout de suite !

Il avait aboyé ses ordres, en souffrant de leur cruauté et, soudain, lui-même éclata en sanglots. Mais tandis qu'il forçait Bobby à s'asseoir par terre, à côté de sa sœur, il sentit se dénouer ce qui lui serrait la gorge et trouva un renouveau de courage et de lucidité.

— Assez de pleurnicheries, le deuil est fini ! dit-il méchamment. Votre mère est morte, vous entendez ? Morte. Enfoncez-vous ça dans la tête. Elle ne ressuscitera pas. Nous l'avons enterrée, nous sommes sortis du cimetière pour revenir ici. Un point c'est tout. C'est fini.

Il s'interrompit pour reprendre son souffle.

— Alors, qu'est-ce que vous êtes, vous deux ? De pauvres petits orphelins ? Fichtre non ! Vous avez un père, moi ! Et moi, j'ai deux enfants que je ne suis pas près de laisser tomber ni de voir me filer entre les doigts. Vous entendez ? Jamais ! Où que vous alliez, quoi que vous fassiez dans la vie, je resterai toujours votre père. Quelles que soient les circonstances, vous êtes à moi, vous êtes mes enfants et je me crèverai s'il le fait pour m'occuper de vous.

Les deux enfants avaient cessé de pleurer. Médusés par le ton féroce de Paul et la dureté de son expression, ils écoutaient :

— Votre mère vous connaissait mieux que moi, je commence à m'en apercevoir. Mais si c'est elle qui vous a élevés, raison de plus pour que vous soyez précisément les deux meilleurs gamins de la terre. De toute façon, personne au monde ne vous aime plus que moi. Seulement, voilà : à partir de maintenant, fini de se lamenter. Fini de ne penser égoïstement qu'à nous-mêmes, de jouer à cache-cache les uns avec les autres, de nous refermer des portes au nez. Nous formons une famille, je suis votre père. Ce que je dis ou ce que je fais ne vous plaît peut-être pas toujours mais, nom d'une pipe, vous m'écouterez ! Car, bon gré mal gré, gamins, nous sommes condamnés à vivre ensemble parce que nous représentons la seule famille que nous ayons tous les trois !

L'expression de Paul s'adoucit peu à peu. Les enfants étaient pétrifiés, vaguement apeurés par sa tirade. Impressionnés, peut-être ? Paul s'agenouilla auprès d'eux, les prit tous deux dans ses bras et les serra très fort contre lui. Un instant plus tard, il sentit le bras de Bobby lui encercler la taille. Barbara fit de même presque aussitôt et leur petit groupe, désormais soudé, demeura ainsi un long moment.

— Je vous ai fait un sacré discours, dit Paul d'un ton léger. Si j'avais su, j'aurais mis mon pyjama de cérémonie... Je regrette de t'avoir engueulée comme je l'ai fait, ma chérie, poursuivit-il en caressant la joue de Barbara. Je me suis montré injuste envers toi.

— Ce n'est pas grave, papa.

— Nous en reparlerons bientôt, je te le promets. D'ici là, ma petite fille, fais preuve d'un peu de patience, d'accord ?

— D'accord, répondit-elle en déposant un baiser sur la main de son père.

— A crier comme cela, j'ai la gorge rêche comme une pierre ponce...

Paul se releva, alluma une cigarette et alla s'asseoir sur le bord du lit.

— Je me conduirai mieux, dit Bobby en le rejoignant.

— Je n'en avais jamais douté.

— Je regrette...

— Il n'y a rien à regretter.

Bobby se pencha pour embrasser Paul sur les joues :

— Bonne nuit, papa.

Paul voulut prolonger cet instant privilégié et le retint :

— Une seconde ! J'ai bien envie d'une tasse de chocolat. Si nous descendions à la cuisine nous en faire tous les trois ?

— Mais... il est minuit passé ! dit Bobby, étonné.

— Je sais.

— Et l'école, demain ?

— Eh bien, tant pis ! Allons, viens, Bob, toi aussi, Barbara. Une tasse de chocolat et un bavardage bien tranquille, pour changer. Sur notre lancée, nous trouverons peut-être de bonnes idées pour organiser un peu mieux notre vie de famille.

8

Les semelles en caoutchouc de Bobby couinèrent sur les marches et le petit garçon, les cheveux en broussaille, fit son entrée dans la cuisine sans mot dire.

— Salut, champion, lui dit Paul. Bien dormi ?

Bobby poussa un vague grognement, s'assit à table et ouvrit le journal à la page des sports.

— J'ai très bien dormi, merci, reprit Paul. Et toi, papa ? Pas mal non plus, merci, mon fils. Pas tout à fait assez longtemps, cependant.

Bobby tourna vers son père un regard vitreux.

— Bonjour, tout le monde !

La voix ensoleillée qui venait de retentir était celle de Barbara. Elle s'approcha de Paul par-derrière, l'entoura de ses bras et l'embrassa sur la joue. Son haleine embaumait le dentifrice.

Tandis qu'elle prenait place, Bobby ne releva pas les yeux.

— Quelle mouche le pique, ce matin ? demanda-t-elle.

— Fais comme s'il n'existait pas, répondit Paul. Cela le fera peut-être disparaître en fumée.

Barbara se pencha sur la table et fit glisser le journal hors de portée de son frère, qui ne réagit pas davantage. Elle tourna les pages pour consulter les manchettes :

— Il me faudrait un article sur la Chine communiste, expliqua-t-elle. Pour le cours de sciences sociales.

Paul mit la poêle à chauffer et cassa des œufs. Parmi les

93

décisions prises la nuit précédente, au cours de leur longue conférence familiale, Barbara avait accepté de se lever plus tôt afin qu'ils déjeunent ensemble. Paul le lui avait demandé dans l'espoir que son influence sur Bobby se révélerait salutaire.

Il la trouva particulièrement adorable, ce matin, dans sa vieille chemise marron, la tête studieusement penchée vers le journal, les cheveux fous où le soleil jetait des reflets cuivrés. Paul se sentit submergé par une vague d'amour et d'affection. Oui, il avait de bons enfants — y compris ce sale gosse maussade qui ne savait ou ne voulait plus rire...

Pendant que cuisaient les œufs brouillés, Paul se fit une tasse de café en poudre et alla regarder le contenu du congélateur. Encore un dîner à prévoir. Quand cela prendrait-il fin ? Jamais... Comment les femmes faisaient-elles face : tous les jours, les courses, la cuisine, le repas sur la table. Tous les jours... Kathleen Bradie avait six bouches à nourrir. Même après que Michael se fut retrouvé riche en héritant de son père, Kathleen était restée aux fourneaux. Incroyable ! — admirable, peut-être.... Mais cela ne résolvait pas son problème à lui : que leur préparer pour ce soir ?

Il referma le congélateur avec un soupir las et touilla les œufs. Oui, c'est bien une forme d'amour que de nourrir sa famille. Vous leur donnez des aliments, en guise d'offrande, et ils les absorbent pour apaiser leur faim. Voilà, leur dites-vous, j'ai fait ceci de mes mains pour vous garder en vie, en témoignage de mon amour pour vous. N'est-ce pas ainsi qu'il faut considérer les choses, ou bien s'agit-il d'une illusion grandiloquente ?

Veuf frappé d'insanité pseudo-philosophique pendant préparation du petit déjeuner. Information exclusive pour publications intellectuelles. Un peu de sérieux, mon petit vieux, tu vas te couvrir de ridicule. Il est pourtant si bon, parfois, de se sentir ridicule...

Saisi d'une inspiration subite, Paul se tourna vers les enfants et prit son plus épais accent campagnard :

— Et maintenant, les gamins, écoutez bien ce que votre vieux père plein de sagesse va vous dire. J'ai trouvé ce qu'on

94

va manger ce soir pour le dîner. Tenez-vous bien, ça va vous couper le souffle.

Ils relevèrent tous deux les yeux vers lui et Paul se sentit aussitôt joyeux.

— Toi, mon petit rayon de miel, tu écoutes bien ton cher papa ? dit-il à Barbara.

— Oh oui, Pa ! répondit-elle sur le même ton.

— Et toi, fiston, fais attention à ce que tu vas entendre, parce que je vais te poser des questions tout à l'heure et tu aurais intérêt à répondre comme il faut, compris ?

Était-ce bien un sourire qu'ébauchaient les lèvres de Bobby ? Un vrai miracle !

Décidément remonté, Paul entreprit alors de leur décrire une préparation culinaire invraisemblable à base de graisse d'ours et de queues de renard. Une minute plus tard, Bobby lui-même participait au jeu et leur lugubre petit déjeuner devint une fête, dans les éclats de rire et les nasillements des collines du Kentucky. Pour la première fois depuis longtemps — trop longtemps —, ils s'amusaient sans retenue. Et tous ensemble.

Un peu plus tard, dans le vestibule, Paul aida Bobby à boucler son cartable sur le dos :

— Passe une bonne journée, mon fils.

Bobby se dressa sur la pointe des pieds pour l'embrasser sur les deux joues.

— Que vas-tu faire avec Sambo ?

— Je ne sais pas encore.

— En tout cas, plus de bagarres, d'accord ? S'il veut se réconcilier, tu ne refuses surtout pas.

— Tel que je le connais, ça m'étonnerait.

— Je n'en suis pas si sûr, tu verras.

Bobby ouvrit la porte, s'avança sur le perron. Paul resta sur le seuil, frissonna dans son pyjama :

— A ce soir, mon grand !

— N'oublie pas la graisse d'ours !

Bobby dévala les marches et partit en courant vers le passage clouté.

A 9 h, Paul avait fini sa toilette et était prêt à partir pour le bureau. Il attendit l'arrivée de Gemma en buvant une nouvelle tasse de café en poudre, qui lui parut encore plus infect que d'habitude. Dehors, il faisait froid mais beau. Paul regarda distraitement par la fenêtre, remarqua le panier de basket au filet déchiré qu'il s'était cent fois promis de réparer, le fouillis de plantes mortes qui transformaient le potager en mini-jungle. Au printemps, il s'occuperait de tout ça. Et après ? Bien sûr, il était capable de débroussailler le fouillis, de replanter quelques légumes. Des tomates, parce que Bobby les aimait. Des salades. Mais qui continuerait ensuite à prendre soin du jardin ? Lui, évidemment, à condition de se faire aider par les enfants. Seulement, voilà le hic : pour leur montrer comment faire, il faudrait d'abord qu'il apprenne lui-même le minimum indispensable...

9 h 30. Que diable fabrique Gemma ?

Il appela le bureau, demanda Lillian. Non, pas de catastrophes. Tout allait bien — mieux, en fait, que d'habitude.

Alors, Gemma Anne Davis, allez-vous bientôt vous montrer, oui ou non ?

A 10 h, Paul était exaspéré. Cette maudite femme méritait cent fois d'être mise à la porte. Elle abusait de la situation. C'était Jane, bien entendu, qui était chargée des rapports avec elle, et Paul savait qu'elles s'entendaient à merveille. Au long des années pendant lesquelles Gemma avait travaillé pour la famille, Paul ne l'avait aperçue que rarement. En fait, il la connaissait à peine.

Il avisa un bloc-notes et trompa son attente en jetant sur le papier des idées pour sa prochaine tournée. A 10 h 20, il entendit enfin la porte s'ouvrir. Il y eut ensuite un bruit de cintres dans la penderie de l'entrée, des pas dans la salle à manger. La porte de la cuisine :

— Monsieur Klein ? Vous êtes encore là ?

— Bonjour, Gemma. Je vous attendais.

Gemma, une grande et ample Noire en robe de coton, lui souriait en faisant scintiller sa dent d'or.

— Je sais, dit-elle avec un geste pour prévenir les objections de son employeur. Je suis en retard.

96

Elle mit de l'eau à chauffer dans la bouilloire, sortit un petit pain de son cabas, prit le beurre et la confiture dans le réfrigérateur et disposa le tout sur la table, avec un bol, une assiette et des couverts.

— Je voulais vous parler, Gemma.

— Ma seconde fille va accoucher d'un jour à l'autre. Je suis passée chez elle ce matin pour voir si tout allait bien et j'en ai profité pour lui faire ses courses. C'est cela qui m'a mise en retard.

— Vous grand-mère, Gemma ? Je ne peux pas y croire . Vous avez l'air bien jeune.

Elle n'avait sans doute pas plus de trente-cinq ans.

— J'en ai peut-être l'air, monsieur Klein, mais je ne me sens pas si jeune, croyez-moi. En fait, je peux bien vous le dire, je n'avais guère le cœur à venir chez vous aujourd'hui. Ces temps-ci, je ne me sens pas dans mon assiette.

Elle additionna son thé de deux morceaux de sucre et vint s'asseoir à table.

— Depuis combien de temps travaillez-vous pour nous, Gemma ?

— Voyons voir... Cela ne doit pas faire loin de huit ans. Au début, votre pauvre chère femme me prenait un jour par semaine, puis deux. Elle voulait toujours que je lui donne un jour de plus, vous savez, mais j'ai d'autres dames qui me réclament...

Gemma s'interrompit pour tirer de sa poche un minuscule mouchoir brodé.

— Ce que je m'en veux ! dit-elle d'une voix brisée par l'émotion. Je lui avais toujours refusé, et voilà maintenant que je lui donne ce qu'elle veut quand elle n'est plus là pour en profiter. J'en ai bien de la peine, si vous saviez...

Elle se moucha bruyamment. Paul détourna les yeux pour ne pas se laisser gagner par le chagrin.

— Une femme comme elle, reprit Gemma. Si bonne, si douce. A quoi ça ressemble je vous le demande ? Est-ce que c'est juste ?

— Non, Gemma, vous avez raison.

— Dans la fleur de l'âge. Deux beaux enfants, une jolie maison, tout pour être heureuse...

Elle se tamponna énergiquement les yeux, se moucha de nouveau.

— Quelquefois, l'après-midi quand je travaille ici, je pense à quelque chose qu'il faut que je lui dise et je me dis : Elle ne va plus tarder. A trois heures et demie, quatre heures, elle va rentrer, me sourire comme elle le faisait toujours, nous allons nous asseoir ici, à cette table, et bavarder un peu...

Elle avala à grand bruit une gorgée de thé, renifla :

— Oh oui ! monsieur Klein ! J'en ai bien du chagrin, vous savez. Elle me manque, la pauvre dame.

— Je sais, Gemma.

— Et j'en ai de la peine pour vous autres. Il y a bien du tourment dans le cœur de ce petit bonhomme, vous savez. Lui qui était toujours si joyeux, si gai, avec ce petit sourire en coin, toujours à plaisanter, à rire, à m'appeler « ma grosse Gemma », comme lui seul savait le faire. Vous devriez vous faire du souci pour lui plus que pour n'importe qui, croyez-moi, monsieur Klein, parce que son pauvre petit cœur, il est brisé en mille morceaux. Et tout le malheur qu'il y a en lui, il ne sait pas comment le faire sortir.

— Justement, Gemma, il faut que vous m'aidiez. Chaque fois que quelque chose cloche dans la maison, c'est pour nous comme un avertissement, un rappel que Jane a disparu. Ainsi, cette semaine, Bobby n'avait plus de chaussettes à se mettre et il a fallu que je fasse une tournée de lessive en catastrophe. Je ne veux plus que ce genre de chose se reproduise.

— C'est qu'il a besoin de chaussettes, ce petit. De sous-vêtements, aussi. Et ses chemises de flanelle, elles sont de l'année dernière. Je ne crois pas qu'elles lui aillent encore.

— Voilà précisément ce que je voudrais que vous me disiez, dit Paul en prenant des notes. Vous préveniez Jane de ce qui manquait lorsque vous vous en aperceviez, n'est-ce pas ?

— Bien sûr. Mais elle s'en rendait compte elle-même. Au fait, il nous faut de l'adoucissant, dit Gemma après un instant de réflexion.

— C'est noté, répondit Paul. A la fin de la semaine, j'irai

leur acheter de quoi s'habiller. Les jeans de Bobby sont trop courts.

— Pas la peine, vous savez. Il suffit de lâcher l'ourlet.

— Vous pouvez vous en charger ?

— Voyons, monsieur Klein ! dit Gemma en souriant. Votre chère dame me donnait tout le temps à faire des choses comme cela. La jupe de Barbara, celle retaillée dans un de vos vieux jeans, vous savez ? Eh bien, qui, croyez-vous, a fait la moitié du travail ? La couture, le raccommodage, je m'en suis toujours chargée. Évidemment, Madame me mettait l'ouvrage de côté, pour que je le trouve en arrivant. Vous n'avez qu'à faire la même chose.

— Je vais m'en occuper dès maintenant.

Gemma mordit dans son petit pain et mastiqua pensivement :

— Barbara et Bobby étaient encore des petits bébés quand je suis venue travailler ici, au début... Elle grandit vite, votre fille. Intelligente, ça oui, et pas du genre à se laisser marcher sur les pieds. Mais en dessous, douce comme le miel, croyez-moi. Jamais elle n'a oublié mon anniversaire, même cette année. Et Bobby... eh bien, on est tous les deux comme une vraie paire d'amis. Lui et moi, on a toujours été comme les doigts de la main.

Tout en écoutant Gemma discourir, Paul griffonnait distraitement sur son bloc. Il avait dessiné un rectangle, auquel il ajouta le contour d'un toit et d'une cheminée.

— Je me rappelle une fois où il était malade, reprit-elle. Il avait dans les sept-huit ans, je crois bien. Je lui avais préparé son déjeuner, quelque chose qu'il ne connaissait pas. Depuis, il m'en a toujours redemandé... Cela me fait penser : pourquoi vous n'achetez plus de ces raviolis en boîte ? Bobby les adore.

— Vraiment ? Il ne m'en a jamais rien dit, répondit Paul en le notant sur le bloc.

— C'est pourtant vrai. Tenez, pour le déjeuner vous lui en faites chauffer. Un verre de lait, et il sera aux anges.

— Écoutez, Gemma, je voudrais vous demander un service. Un très grand service. J'aurais l'esprit infiniment plus tranquille si je vous savais ici tous les jours, pour vous occuper des enfants. Pourriez-vous faire cela pour moi, Gemma ? Pour eux, surtout ?

Gemma but une gorgée de thé, la mine pensive.

— Eh bien... L'été dernier, déjà, je vous avais dit que je ne pouvais vous donner qu'une journée de plus, le vendredi.

— Je sais, Gemma, et je vous en suis reconnaissant. Mais cela ne fait quand même que trois jours par semaine. Si vous pouviez venir cinq fois, tout irait beaucoup mieux, j'en suis sûr.

— Et mes vieilles dames ? Qu'est-ce que je vais leur dire ?

— Que vous avez des responsabilités très importantes. Qu'il ne s'agit pas simplement de passer l'aspirateur ou de cirer les parquets, mais d'une famille entière qui compte sur vous, de toute une maison à mener. De deux enfants qui ont besoin d'une femme à qui parler, d'une femme qui les aime. Voilà ce que vous leur direz à vos vieilles clientes, Gemma. Dites-leur aussi que vous y gagnerez davantage — c'est vrai, je vous le garantis.

Il indiqua un chiffre, loin de ce qu'il payait Lillian Lerner, mais plus du double du salaire actuel de Gemma.

Celle-ci garda le silence, réfléchit tout en tortillant sa serviette.

— Je ne verrais aucun inconvénient à ce que vous arriviez plus tard dans la journée, reprit Paul. Au contraire, je voudrais surtout que vous soyez ici quand les enfants rentrent de classe. Le temps que vous passerez avec eux, voilà le plus important.

— Surtout avec Bobby. Barbara a son copain Peter pour bavarder autant qu'elle veut.

— Oui, je sais.

— Elle m'a raconté qu'elle est amoureuse de lui. Bien aimable, ce garçon, bien poli. Mais qu'est-ce qu'il dévore ! Je me demande si on le nourrit, chez lui.

— Justement, Gemma, vous pourriez les surveiller un peu quand je ne suis pas là. Et puis, ce serait moins dur pour vous si vous n'aviez qu'une seule maison à votre charge. Je ferais de mon mieux pour vous aider. Alors, qu'en dites-vous ?

100

Plongée dans une intense réflexion, Gemma contempla longuement le spectacle de la rue.

— Voyons, dit-elle comme en se parlant à elle-même, je pourrais demander à ma cousine Gigi de faire le ménage de Mme Miller. Thelma, qui chante à l'église, ne dirait pas non si elle trouvait un travail régulier. Elle ne sait pas repasser, mais ça n'a plus tellement d'importance, par les temps qui courent...

Un large sourire vint soudain lui illuminer le visage :

— Allons, c'est d'accord ! Je vais venir tous les jours, mais à l'essai, n'est-ce pas ? J'arriverai vers dix heures du matin jusqu'à cinq heures du soir, cela ira ?

— Vous pourriez même commencer à onze heures, si vous vouliez.

— Non, onze heures, c'est trop tard. La maison est grande, vous savez.

— Comme vous voulez, Gemma. Je vous laisse décider.

— On verra si ça marche. Mais vous y mettrez du vôtre, monsieur Klein. Ma pauvre mémoire n'est plus ce qu'elle était.

— Vous pouvez y compter, Gemma. Je vous laisserai des mots en partant, ou je vous téléphonerai du bureau.

— Malgré tout, il se peut que je cafouille. Alors, ne soyez pas furieux après moi s'il m'arrive d'oublier ceci ou cela.

— Non, Gemma, je ne serai pas furieux après vous, je vous le promets.

9

— Où est le récif corallien ? demanda Jane. Je ne le vois pas.

— Mais si, là-bas, répondit-il en lui montrant du doigt une ligne écumeuse sur l'eau turquoise de la baie.

— C'est bien loin, mon chéri.

— Pas du tout, un jeu d'enfant.

Il la prit par la main pour la guider au bas de la côte rocheuse. Sous leurs pieds nus, le sable blanc de la plage était chaud, tiède l'eau de la mer. Dans le ciel bleu, des nuages blancs paradaient très haut.

Elle s'assit sur le sable, au bord de l'eau, humecta ses palmes pour les mettre à ses pieds.

— C'est donc cela Honolulu ? dit-elle. Guère spectaculaire.

— Ce sont pourtant les plus beaux coraux de cette partie du Pacifique.

Il s'assit auprès d'elle, la regarda se débattre avec les palmes. Une jolie fille en bikini bleu. Elle, la mère de deux enfants déjà grands ? Difficile à croire. Elle semblait à peine sortie de l'adolescence.

— A quoi penses-tu ? dit-elle en souriant.

— A toi. Rien qu'à toi.

Jane lui serra brièvement la cuisse de sa petite main ferme. Elle mouilla la vitre de son masque de plongée, le plaça sur son visage. Prête, elle se releva et s'avança à reculons, maladroitement, vers le large, s'arrêta pour attendre Paul.

— On va nager sans se presser, dit-il en la rejoignant. Tu es prête ?

— Tu te rends compte, j'espère, que d'ici nous ne voyons plus le récif.

— C'est tout droit devant nous, impossible de le manquer. Ne nous quittons pas.

— Nous ferions peut-être mieux d'attendre. Personne ne sait que nous sommes ici.

— Allons, froussarde, en avant !

Il la vit sourire sous son masque.

— S'il nous arrive quelque chose, dit-elle, ma mère sera furieuse.

Paul éclata de rire, se lança dans l'eau et attendit qu'elle le rattrape. A mi-chemin du récif, il sentit le courant lui happer les jambes et chercher à l'entraîner vers l'ouverture de la baie, vers le grand large.

— Faisons la planche quelques minutes, dit-il en se mettant sur le dos.

Il releva son masque sur le front, regarda en arrière pour retrouver l'arbre qui leur servait de repère à terre. Ils avaient un peu dérivé, rien de grave encore mais le courant semblait fort et les chasserait sans doute de plus en plus dans la mauvaise direction.

— Il va falloir nager sur notre gauche, dit-il, à un angle d'environ...

En se retournant pour le lui dire, il ne la vit plus.

— Jane ! Où es-tu ? Jane !

Le soleil qui dansait sur l'eau l'aveugla.

— Jane, réponds-moi ! Où es-tu, Jane ? Jane !

Il lui avait pourtant recommandé de ne pas le quitter. Où diable était-elle partie ? Et ce soleil dans les yeux qui l'empêchait de rien voir...

— Réponds, Jane ! Où es-tu ? Jane ! ! JANE ! ! !

Il se réveilla en sursaut, la gorge nouée par la panique. Un soleil éblouissant filtrait par les fentes des persiennes. Dans le miroir au-dessus de la commode, il vit son image, celle d'un homme échevelé, affolé, la bouche grande ouverte sur un cri. Une abondante sueur froide faisait de son pyjama comme un suaire.

Ce n'était qu'un cauchemar. Un mauvais rêve.

La scène s'était presque déroulée ainsi. Il se rappelait avoir eu peur, mais pas de véritable panique. Jane avait aussitôt répondu à ses appels. Elle n'était pas loin, quelques brasses à peine. Elle nageait d'ailleurs beaucoup mieux que lui.

Il n'avait pas non plus oublié la fin de cette journée, les heures passées à explorer le récif, les formations coralliennes, à admirer l'incroyable richesse de la faune, les poissons de toutes les formes et de toutes les couleurs qui venaient curieusement les observer jusqu'à se frotter à leurs masques. A leur retour, une bouteille de champagne les attendait au frais. Ils s'étaient douchés ensemble, il avait savonné, frictionné son ravissant petit corps tout en courbes. Nus sous leurs peignoirs, sur le grand lit face à la mer, ils avaient bu le vin glacé, l'un contre l'autre. Sans se presser, car ils savaient qu'ensuite ils auraient le temps, tout le temps, de faire longuement l'amour...

Suffit !

Il tâtonna, trouva ses cigarettes, en alluma une et s'assit sur le rebord du lit. *Veuf lubrique devenu fou moleste postière distribuant le courrier dans sa rue.* N'y pense plus, imbécile ! Cela s'évanouira peut-être.

Il se rasa, laissa couler la douche très chaude. Une fois dessous et savonné, il augmenta le débit d'eau froide pour la rendre tiède puis glacée. Tout en s'essuyant, il s'efforça de penser à la journée qui commençait. Faire une liste pour le supermarché, prévoir si possible les menus de la semaine. Ensuite, une tournée des grands magasins avec les enfants. Ce soir, un film — n'importe lequel — et dîner dans un restaurant.

Il replia la grande serviette de bain et la pendit à la barre, derrière la porte. Ce n'était d'ailleurs pas une des siennes mais celle de Jane, toute rose. Lui, il en avait des bleues. Toujours pratique, Gemma sortait des serviettes propres sans se soucier de la couleur. Quelle importance, d'ailleurs, que les roses aient été celles de Jane ? Ce n'étaient que des serviettes, un point c'est tout. Naguère, Gemma disposait deux petites serviettes et deux grandes de chaque couleur, maintenant elle n'en mettait plus que deux au lieu de quatre. Pour lui tout seul.

Il n'avait vraiment pas envie de sourire. Nu dans sa salle

de bain, il ne se sentait pas seul. Jane y était encore, qui l'entourait, l'enserrait d'un réseau de souvenirs. D'un instant à l'autre, elle allait ouvrir la porte, apparaître, prendre une mine offusquée en lui disant : « Quoi ? Un homme nu dans ma salle de bain ? »...

Sur l'étagère de céramique, à côté du philodendron, ses flacons de lotion et de parfum toujours alignés. *L'interdit*, dont elle se vaporisait avant de se coucher. Le parfum préféré d'Audrey Hepburn. Jane lui ressemblait, d'ailleurs, menue, avec un long cou gracile. Une star, elle aussi...

Près du lavabo, la grande corbeille à papiers. Paul la saisit, la mit sous l'étagère. Eau de Cologne, parfums, lotions, d'une main il y fit tout basculer. Au panier.

Il n'y avait pas de raison qu'il continue à voir toutes ses affaires chaque fois qu'il mettait les pieds dans la salle de bain. Non, aucune raison !

Il fit glisser la porte de l'armoire à pharmacie, la moitié réservée à Jane. Au panier, dehors, les shampooings, les fioles de laque, les fonds de teint, les crèmes, les limes à ongles ! Au panier le lait démaquillant, le coton, le talc, les gouttes pour le nez, les Tampax, le bain moussant, la brosse et les peignes ! Dans le tiroir, il découvrit dix pochettes d'allumettes entamées attachées par un élastique, des épingles à cheveux. Il les envoya rejoindre le reste.

Il s'attaqua ensuite au placard d'angle. Une réserve de paquets de coton, des lotions solaires, un vieux séchoir à cheveux qui ne marchait plus depuis des années, une pile de limes à ongles en papier-émeri, une collection invraisemblable de petites savonnettes récupérées dans tous les hôtels où ils avaient séjourné. Dans un autre tiroir, encore une brosse à cheveux, son nécessaire de manucure, un flacon entamé de rouge à ongles, des tubes de rouge à lèvres, un crayon à sourcils. Dehors, au panier !

Animé par une sourde fureur, il passa dans la chambre, en fit le tour des yeux. Deux de ses petits tableaux en tapisserie ornaient les murs. L'un, au-dessus de sa commode, représentant un voilier dans des tons bleus et pourpres. Dans le coin, au-dessus de la télévision, un disque du zodiaque dans les ocre et les orangés. Ces deux-là pouvaient rester.

105

Il se vêtit d'un jean et d'une chemise. Il fallait tout virer, se débarrasser de tout. Inutile de garder ces souvenirs de ce qu'il avait perdu. Son estomac se mit à gargouiller. Il avait faim, envie d'une tasse de vrai café, au lieu de cet infect breuvage en poudre. Pourquoi était-il soudain si plein de rage ?

En bas, dans le living, Bobby était installé sur le petit canapé de cuir noir, en pyjama sous sa robe de chambre à rayures, devant le poste de télévision. Paul s'arrêta un instant, aspira un grand coup, se pencha pour embrasser son fils en lui ébouriffant les cheveux :

— Qu'est-ce que tu regardes ?

— Des trucs idiots.

— Habille-toi, dit Paul d'un ton de commandement trop autoritaire.

Bobby leva vers lui un visage étonné :

— Tout de suite ?

Du calme. Ce n'est pas à lui qu'il faut s'en prendre...

— Ne traîne pas trop. Nous avons des tas de choses à faire, aujourd'hui.

Dans la cuisine, Barbara était à table et lisait le journal. Elle avait mis un sweater rose qui lui coloriait les joues. En l'entendant entrer, elle leva les yeux et sourit à Paul :

— B'jour, Pa ! dit-elle avec l'accent paysan de la veille.

En lui rendant son sourire de bienvenue, il s'assit en face d'elle et alluma une cigarette. Barbara replia le journal et le lui tendit à travers la table.

— Que veux-tu, ce matin ? demanda-t-elle.

— Tu veux bien le préparer ?

— Bien sûr, sinon je ne te l'aurais pas demandé.

Elle se leva pour faire le tour de la table et l'embrasser :

— Qu'est-ce qui ne va pas, aujourd'hui ? Tu as l'air tout chose.

— Rien. Toujours pareil.

— Pauvre papa. Que puis-je faire pour toi ?

— Sois gentille, tiens-moi compagnie. Je me sens de nouveau bien seul.

— Je ne te lâche pas. Œufs brouillés, sur le plat ?

— Non, juste quelques toasts. Et du vrai café, bien fort.

106

— Tout de suite, commandant ! dit-elle en saluant militairement.

Paul grignota son toast sans vraiment le goûter mais savoura le café. Assise à la place de Jane, à côté de lui, Barbara l'observait.

— Peter m'a téléphoné, ce matin. Il voudrait m'emmener à un concert ce soir. Je lui ai dit que je te demanderais d'abord la permission.

— Où a-t-il lieu, ce concert ?

— A Greenwich Village. Nous irons sans doute manger une pizza quelque part avant d'y aller.

— Et il est bon, ce concert ?

— Un groupe que j'adore. Les Lézards...

— Punk ?

— Non, répondit-elle en pouffant de rire. Du rock « nouvelle vague », plein de dissonances. Ça ne te plairait pas du tout.

— A quelle heure tu rentrerais ?

— Pas tard.

— Bon, vas-y. Mais je tiens à ce que Peter te raccompagne. Jusqu'à la porte, compris ?

— Promis. Merci, papa.

Il termina son café, posa sa tasse vide dans l'évier. Sur une étagère du placard, il choisit un grand sac-poubelle en plastique.

— Monte avec moi, dit-il. Tu vas pouvoir m'aider.

A l'étage, il trouva Bobby habillé, à plat ventre sur son lit, actionnant un jeu électronique qui émettait des bruits extra-terrestres.

— Bob, sois gentil. Grimpe au grenier, s'il te plaît, et apporte-moi toutes nos valises.

Le petit garçon posa son jeu et se redressa :

— On part en voyage ?

— Non. Descends-les-moi simplement dans ma chambre, d'accord ?

Barbara le suivit dans la salle de bain, le vit vider la poubelle dans le sac en plastique.

— Qu'est-ce qui se passe ? demanda-t-elle.

— Un grand nettoyage.

Le sac à la main, il passa devant elle pour se diriger vers la commode de Jane. Dans l'un des vases de fleurs, il prit une rose de soie, la jeta dans le sac :

— Elle m'empoisonnait depuis des mois, celle-là, commenta-t-il.

A côté des vases, dans un gros coquillage de bronze, il empoigna un assortiment de colliers de fantaisie, de rangs de fausses perles et autres colifichets qu'il allait à leur tour précipiter dans le sac lorsque Barbara interrompit son geste :

— Attends ! Ne jette pas ces trucs-là !

— Pourquoi ? Tu n'en portes jamais.

— Peut-être que si, un de ces jours.

Il lui tendit le coquillage entier, avec son contenu :

— Tiens, prends-le et mets-le dans ta chambre. Mais cache-le bien, d'accord ? Je ne veux plus le voir, plus *jamais*, compris ?

L'air apeuré, Barbara disparut dans le couloir. Un instant plus tard, Bobby fit son entrée, une grosse valise dans chaque main.

— Pose-les par terre, Bob, et ouvre-les.

Il obtempéra et s'assit sur le lit en regardant son père.

— Il me faut aussi les autres valises. Va les chercher.

— Qu'est-ce que tu vas faire ?

— Du nettoyage. Va, Bob, fais ce que je te dis.

Il quitta la pièce au moment où Barbara y revenait. Paul ouvrit le tiroir supérieur de la commode. Bas et collants de couleurs assortis, certains encore neufs, dans leur emballage. Paul prit le tiroir et en fit basculer tout le contenu dans le sac.

— Papa... Tu te sens bien ? demanda timidement Barbara.

— Non.

— Tu fais une drôle de tête.

— Ces affaires me rendent fou, si tu veux savoir.

Dans le tiroir du dessous, une bonne centaine d'enveloppes, relevés de banque, reçus, factures pour des achats datant d'au moins dix ans. Paul les fit disparaître à leur tour dans le sac. Le demi-tiroir d'à côté : culottes, bikinis, débardeurs. Dehors, eux aussi ! Au suivant...

Bobby revint à ce moment-là :

— Qu'est-ce qui lui prend ? demanda-t-il à sa sœur.

108

— Il jette les affaires de maman.

— Tout ?

— Demande-lui toi-même.

Dans un coin du tiroir, de la bijouterie fantaisie sans valeur mêlée à quelques belles pièces. La broche de jade qu'il lui avait offerte, des sautoirs d'or achetés pour un Noël passé, des bracelets en or eux aussi.

— Veux-tu garder ces machins-là ? demanda-t-il à Barbara.

— Oui.

— Lesquels ?

— Je ne sais pas... Le tout, peut-être. Je ne peux pas prévoir ce qui me fera envie quand j'aurai vingt ans.

Paul prit le tiroir entier et alla le poser sur le lit de Barbara :

— Choisis ce que tu veux mais cache-le. Je veux que ce tiroir soit vide quand tu me le rendras, compris ?

Elle revint avec lui jusqu'à la chambre. Paul ouvrit le tiroir suivant, plein de sweaters et de pull-overs. Il se mit à en remplir une des valises.

— C'est idiot, papa ! protesta Barbara. Ils sont en parfait état.

— Et alors, qui va les porter ? Tu as dix centimètres de plus qu'elle et tu n'as pas fini de grandir.

Paul continua d'empiler les vêtements dans la valise.

— Le bleu marine, là. Il est en cachemire, dit Barbara.

Paul se souvint de Jane dans ses bras, lorsqu'elle le portait. Si douce... Assez ! A la poubelle, les souvenirs !

Le tiroir du bas. Albums de photos, vieilles lettres, télégrammes, cartes de vœux. Non, à garder — pas pour lui mais pour les enfants. Il referma le tiroir d'un coup de pied.

Retour vers le haut, demi-tiroir de droite. Écharpes, fichus et mouchoirs. Paul finit d'en remplir la valise, rabattit le couvercle, la ferma.

— Papa..., dit Barbara à mi-voix.

— Oui ?

Le tiroir suivant : soutiens-gorge, sous-vêtements.

— Ne jette pas tout, papa. S'il te plaît. Il y a certaines choses... Je voudrais les mettre, de temps en temps.

109

D'un geste rageur, il jeta des brassées de lingerie dans une nouvelle valise :

— Non ! cria-t-il.

— Si, papa. Je t'en prie...

— Non, ai-je dit !

Les chemises de nuit, maintenant. Bon dieu...

— Pourquoi pas ? insista la voix de Barbara. Elle n'avait que des vêtements d'excellente qualité. J'aimerais en porter...

Sous les doigts de Paul glissaient des étoffes soyeuses, douces, fluides. La chemise de nuit rose qui se déboutonnait jusqu'en bas... Vite, dans la valise. Ne regarde plus, n'y pense plus, surtout. Dehors.

— Ses jupes ! reprit Barbara. Je peux très bien les mettre, il suffit de lâcher l'ourlet pour les rallonger.

Il referma le dernier tiroir en le claquant, se redressa, respira fort :

— Non, Barbara, non. Je ne pourrais pas le supporter. Cela me tuerait, je crois, de te voir avec quelque chose qui lui appartenait. Même refermés, ces tiroirs m'obsèdent. Rien que d'imaginer la voir revenir, s'habiller... Non, j'en devenais fou. Je ne veux plus subir cela.

Il se détourna de ses enfants, se regarda dans la glace. Son cœur s'était endurci, au cours de cette exécution. Il était au-delà des larmes. Sa douleur ne représentait plus qu'une sorte de poids mort, une masse glacée quelque part en lui. S'il ne la provoquait pas, peut-être se ferait-elle oublier...

— C'est affreux, ce que tu fais, intervint Bobby. C'est comme si... comme si tu jetais maman aux ordures.

Du calme, de la douceur. Ne le blesse pas pour te soulager.

— Elle est partie, mon chéri. Ce ne sont que des objets, des choses sans importance dont elle ne se servira plus jamais. Mais ces objets m'ont trop fait mal depuis trop longtemps, voilà pourquoi je veux m'en débarrasser. Comprends-tu ?

— Non. Comme tu le fais, c'est... méchant. Brutal.

— J'aurais pourtant dû le faire bien avant ce matin, mais je n'en avais pas eu le courage.

Restait la penderie. L'immense penderie, toute pleine...

110

Il ouvrit la porte d'un geste brusque, balaya les chaussures de leurs étagères, les mules, les baskets posées par terre. Il saisit au hasard les vêtements pendus aux cintres, robes, tailleurs, jupes, reconnut au passage les étiquettes des meilleurs magasins, des boutiques élégantes. Rien que de bonne qualité, de bon goût. Son style, ses couleurs...

Barbara se décida enfin à l'aider. Elle pliait, rangeait, empilait dans les valises ce que Paul lui tendait. Finalement, les barres se retrouvèrent vides, les cintres dénudés tintaient l'un contre l'autre. Derrière lui, maintenant, les étagères chargées de sacs à main, de gants, d'accessoires innombrables. Tant de choses... Il dut envoyer Bobby chercher d'autres sacs en plastique et en remplit deux.

Au tour des cartons à chapeaux. Paul les empila dans le couloir, en reconnut certains au passage. La capeline de paille jaune, celle qu'il préférait, achetée à Florence. Elle l'avait étrennée à la terrasse d'un café dominant l'Arno sous un soleil joyeux. Ils y avaient bu des Cinzano avec Michael et Kathleen Bradie. Le reflet de la paille dorait son visage. Ils se reposaient tous les quatre d'une épuisante visite au musée des Offices... Dehors !

En deux tours, il parvint à tout descendre. Une fois rempli le coffre de la voiture, il dut en mettre sur la banquette arrière et laissa les sacs-poubelles sur le trottoir. Barbara l'aidait sans plus de réticences, Bobby de mauvais gré. Ils rentrèrent se couvrir, manteaux chauds, gants fourrés. Paul ferma la porte à double tour.

Il faisait un beau froid sec. Paul respira à pleins poumons. Possédait-il vraiment toute sa tête ? Qu'avait-il accompli de tangible, ce matin ? Et à quel prix ? A pas lents, il descendit le perron, traversa la pelouse. Les enfants l'attendaient près de la voiture. Avant d'y monter avec eux, il se retourna, contempla longuement la maison. La maison de Jane. Elle l'avait trouvée et faite sienne. Peut-être l'avait-elle désormais quittée, en partie du moins — cette partie enfermée dans les valises du coffre, les sacs en plastique sur le trottoir. Cette partie d'elle qui l'avait hanté, l'obsédait encore. Il s'en rendrait bientôt compte. Peut-on vraiment imposer le repos éternel à un fantôme en se débarrassant de ses vêtements, de son parfum, de son vernis à ongles ?

En démarrant, il alluma la radio. Une musique bruyante et gaie remplit la voiture. Paul se mit à fredonner à l'unisson. Il se dirigea vers l'église du quartier; devant le presbytère, il avait maintes fois remarqué un gros conteneur vert devant lequel il s'arrêta. « Société de Saint-Vincent-de-Paul », spécifiaient les lettres blanches peintes sur les côtés. Il prit les valises une à une, en déversa soigneusement le contenu dans l'ouverture. Accroupi sur le trottoir, il les referma, les remit dans le coffre dont il claqua le couvercle.

D'un coup, il se sentit soulagé d'un énorme poids, animé d'une force nouvelle et inattendue. Il avait une faim de loup.

— Je me sens capable de dévorer un bœuf entier ! Qui a faim, là-dedans ? lança-t-il joyeusement en se réinstallant au volant.

La voix de Frank Sinatra scandait mélodieusement un air connu. Paul sifflota en mesure et fit un demi-tour spectaculaire. A défaut d'un bœuf entier, il allait pour le moins avaler un steak d'une livre. Avec des frites.

DEUXIÈME PARTIE

10

Un printemps inattendu.

L'on n'était qu'à la fin de février et la nature, par quelque fantaisie, offrait un échantillon de ce que l'avenir réservait. Des températures supérieures à dix degrés, un soleil jaune et vif, une brise aux bouffées tièdes sur la peau. En sortant, ce matin, Paul avait pris le temps de humer l'air. Au bord de la pelouse, des crocus fraîchement éclos pointaient leurs clochettes. Sous les rhododendrons des pousses multicolores de jonquilles, de tulipes, de hyacinthes parsemaient la terre brunâtre. Encore un don de Jane, la jardinière-miracle. En avril et mai, tout le devant de la maison allait être égayé de brillantes floraisons.

La vie continuait — avec ou sans Jane.

L'atmosphère du bureau était étouffante. Paul laissa la fenêtre ouverte, préférant subir le grondement de la circulation sur le pont et les senteurs nauséabondes du marché aux poissons. Il s'assit, se releva, nerveux, alla regarder par la fenêtre le fleuve sillonné d'embarcations variées. Il avait envie de courir dans l'herbe, de jeter très haut une balle blanche qu'il suivrait des yeux contre le bleu du ciel. D'entendre le ressac sur le sable d'une plage, de goûter sur ses lèvres le sel des embruns. En avait-il assez besoin, après ce misérable hiver glacial et solitaire !

La grippe les avait attaqués par vagues successives. Bobby, le premier, avec près de quarante de fièvre, des pommettes trop roses dans un teint verdâtre, les yeux vitreux. Une nuit, à deux heures du matin, Paul s'était levé pour lui préparer une tisane calmante. Tous les jours, il avait pressé des oranges pour lui faire boire du jus frais en attendant que Gemma vienne prendre la relève en dépit des trottoirs enneigés. Ensuite, ce fut le tour de Barbara.

A peine Barbara retournée en classe, Paul se sentit flageoler. Migraines, nausées, le nez qui coule, les sinus engorgés. Pas rasé, pas lavé, écrasé de fatigue, il dut passer quatre jours d'abrutissement total au fond de son lit. Des semaines plus tard, il luttait encore contre un rhume tenace.

Oui, un hiver parfait pour des masochistes ! Vers la fin de janvier, le chauffage central était tombé en panne. Un matin, au réveil, Paul s'aperçut en frissonnant qu'il faisait à peine plus de sept ou huit dans sa chambre. Il fallut deux jours au réparateur pour tout remettre en état. Il avait aussitôt expédié les enfants chez Phyllis Berg tandis que lui, Nanouk l'Esquimau, montait la garde dans l'igloo. En caleçon long et tricot de corps, enfoui sous deux édredons, il ne se gelait que le visage pendant la nuit jusqu'au moment où il découvrit le passe-montagne de Bobby, qu'il parvint à enfiler en forçant. Merci, Jane, d'avoir si bien su tricoter.

Bientôt, il allait se trouver à Chicago et Minneapolis, prêt pour l'offensive. Il sut dominer son envie de faire les cent pas et se plongea, deux heures d'affilée, dans le travail. Il appela ses deux distributeurs, Fischetti à Chicago et Carter à Minneapolis, mit au point avec eux les derniers détails de son programme de promotion : dégustations dans les meilleurs hôtels, visites aux principaux détaillants, quelques interviews par la presse locale et les stations de télévision régionales. A mesure, Paul sentait sa vitalité renaître. Il était fin prêt à reprendre la route.

Le grésillement de l'interphone, la voix de Lillian Lerner :

— Une certaine Marion Gerber vous appelle, sur la première.

Marion Gerber. Oui, la quarantaine, divorcée depuis des années. Une amie de Jane, plutôt une relation du quartier. Paul n'avait pas eu de ses nouvelles depuis des mois, en fait depuis la dernière fois qu'ils étaient allés tous les trois dîner chez elle.

116

— Paul, c'est bien vous ? Je n'avais pas votre numéro au bureau, j'ai dû l'obtenir par les renseignements.

— Eh bien, vous m'avez trouvé, à ce que je vois. Que se passe-t-il, Marion ?

— Rien, je voulais simplement prendre de vos nouvelles, de vous et des enfants. Savoir si tout allait bien de votre côté.

— On s'en tire, pas trop mal jusqu'à présent.

Il attendit d'apprendre ce qu'elle lui voulait.

— Je pensais justement à vous aujourd'hui, c'est d'ailleurs pour cela que je vous ai appelé... Vous savez, c'est bientôt le moment de la vente de charité à l'école. Jane et moi, nous nous sommes toujours occupées ensemble de la pâtisserie et... Je ne sais pas. J'ai eu un coup de cafard en pensant à Jane et j'ai simplement eu envie de vous appeler pour prendre de vos nouvelles... Cela me ferait vraiment plaisir de vous avoir tous les trois pour dîner, très bientôt...

— J'accepte ! dit Paul sans hésiter. Je n'ai aucune honte à jouer les pique-assiette. Quand vous voudrez, le plus tôt sera le mieux.

— La semaine prochaine, cela vous convient ?

— Aux enfants, certainement. Mais moi, je pars en voyage pour une quinzaine de jours. Si ce n'est pas abuser, Marion, votre invitation rendra quand même grand service à Barbara et Bobby.

— Avec plaisir, Paul. Je suis un monstre d'égoïsme et je m'en veux de ne pas vous avoir fait signe plus souvent.

— Pas du tout, Marion, vous nous avez reçus plusieurs fois. C'est à moi de vous remercier.

— J'ai l'impression que nous nous sommes trop longtemps perdus de vue. Je suis impardonnable.

— Pour l'amour du Ciel, Marion, cessez de vous excuser ! Les amis restent les amis. Et vos enfants, comment vont-ils ?

— Bien. Jeff est entré à l'université de Cornell cette année...

Elle s'interrompit et Paul l'entendit tousser. Elle fume beaucoup trop, se dit-il. Jane la harcelait constamment sur ce point. Depuis qu'elle avait jeté Phil, son mari, à la porte, Marion était un paquet de nerfs.

117

— Eh bien, c'est d'accord, reprit-elle. J'aurai les enfants à dîner pendant votre absence. Mais je compte aussi sur vous quand vous reviendrez, promis ?

— Promis, Marion. Et merci.

— Dépêchons-nous, Bob ! dit Paul en consultant la pendule au-dessus de la porte de la pizzeria. La pièce commence à huit heures, nous allons être en retard.

Bobby se fourra un gros morceau de pizza dans la bouche et mastiqua en silence. Il avait une tache de sauce tomate sur le menton, une autre sur la joue. Paul voulut l'essuyer avec sa serviette, mais le petit garçon se déroba.

— Tu ne m'as toujours pas répondu, dit-il la bouche pleine.

— J'y réfléchis. Prends ta serviette, tu as de la sauce sur la figure.

— Pourquoi moi tout seul ? s'obstina Bobby. Tu ne vas plus chez le Dr Wirtz, Barbara non plus. Alors, pourquoi faut-il que je continue d'y aller ?

— Le docteur a dit qu'il voulait encore te voir.

— Moi, je n'ai aucune envie de le revoir.

— C'est lui le docteur, Bob.

— C'est un vieux chnoque, papa ! Je ne peux pas le souffrir et il ne m'aime pas non plus.

— Il n'est pas question d'aimer. Tu es un de ses patients, il fait de son mieux.

— Comment cela ? En restant assis sans jamais rien dire ? Il est complètement dingue, ce type !

Bobby se frotta énergiquement le menton et la joue.

— Le Dr Wirtz est psychiatre, dit Paul patiemment. Son rôle est précisément d'écouter, de te laisser parler pour comprendre ce qui te chiffonne, pour discerner tes problèmes. Il faut donc qu'il se taise.

— Encore heureux, parce qu'il ne dit que des idioties quand il ouvre la bouche ! Tout ce que je lui dis, il le répète de travers. C'est impossible de discuter avec un type comme lui.

— Pourquoi cela ?

Bobby leva les yeux au ciel :

— Voilà, tu fais exactement comme lui ! A chaque fois que je dis quelque chose, il pose une question. J'en ai marre, papa, je ne veux plus y retourner.

— Bon, bon, je vais lui en parler. En attendant, il se fait tard. Dépêchons-nous.

Paul humecta un coin de sa serviette pour faire disparaître du visage de Bobby les dernières traces de sauce tomate. Ils sortirent ensuite du restaurant pour traverser la rue vers l'entrée du lycée de Barbara.

— Combien es-tu obligé de le payer, ce Dr Wirtz ? demanda Bobby. Très cher, je parie.

— Ne t'inquiète donc pas de cela, mon garçon.

Ils firent brièvement la queue à la porte de l'établissement et suivirent la foule dans un large corridor, aux murs ornés de photos d'élèves participant à diverses activités scolaires et sportives. On leur distribua des programmes à l'entrée de la salle et ils trouvèrent deux sièges côte à côte à quelques rangs de la scène. Paul aida Bobby à enlever son pull-over, car il faisait chaud. Il plia soigneusement son pardessus et le posa sur ses genoux avant de consulter le programme. Cette année, le lycée montait une adaptation de la célèbre bande dessinée *Peanuts*, « mise en scène d'Eugène Bodian », précisait le programme. Il devait s'agir de l'illustre M. Bodian, dont Barbara chantait les louanges depuis des mois. Elle figurait elle-même dans la distribution, dans le rôle de Lucy, l'acariâtre sœur. aînée de Charlie Brown.

Un petit groupe de musiciens, mené par un pianiste, attaqua les premières mesures de l'ouverture. Bobby se pencha pour souffler à l'oreille de son père :

— C'est Peter qui joue de la guitare.

— Le Peter de Barbara ?

— Ouais, c'est lui.

Le rideau se leva sur un décor sommaire, comportant quelques bancs et une boîte représentant sans doute la niche du chien Snoopy. Barbara fit alors son entrée, au son de la musique, et Paul béa d'admiration. Elle était superbe; le menton levé, les traits accusés par les projecteurs de scène, ce n'était plus là son bébé attendrissant mais bien une ravissante jeune femme, sûre d'elle et de sa beauté.

119

— Regarde comme elle est belle, chuchota-t-il à Bobby.

Il prit alors conscience des raisons de cette transformation spectaculaire. Jamais encore, ou presque, il n'avait vu Barbara vêtue d'une robe, le visage rehaussé de rouge à lèvres et d'un discret maquillage. Il en ressentit une bouffée de fierté mêlée de tristesse.

L'auditoire salua chaleureusement la fin de l'ouverture et Barbara, souriante, vint s'incliner devant son public. Bobby manifesta son enthousiasme en sifflant bruyamment dans ses doigts, Paul en applaudissant à s'en meurtrir les mains. Les scènes comiques s'enchaînèrent ensuite dans les rires de la salle. Bobby lui-même se laissait gagner par l'hilarité générale, mais Paul était au bord des larmes. Jane, se disait-il, Jane devrait être ici en ce moment pour partager sa joie...

Il ne fut capable de s'intéresser véritablement à la pièce qu'à partir du second acte et se rendit compte alors que Barbara se révélait excellente comédienne. Elle était entrée dans la peau de son personnage qu'elle rendait vivant et criant de vérité, elle se distinguait des autres comédiens en se fondant dans le ton général de la troupe. Aux yeux de Paul, elle était de loin la meilleure.

Le finale provoqua une longue et bruyante ovation. M. Bodian apparut alors sur la scène pour partager le triomphe de ses élèves. Barbara avait repéré Paul et Bobby dans la salle et leur adressa un clin d'œil complice.

Le père et le frère de la vedette se frayèrent ensuite un chemin dans la foule jusqu'à une porte latérale menant aux coulisses. Une vaste salle de classe en tenait lieu, qu'ils trouvèrent déjà bondée de parents et d'amis, d'acteurs et de machinistes qui circulaient d'un groupe à l'autre, s'interpellaient, riaient. Le buffet avait été disposé sur une grande table, le long du tableau noir. Paul repéra enfin Barbara. Elle était au bout de la salle avec Eugène Bodian qui lui donnait l'accolade. Sans lâcher la main de Bobby, de peur de le perdre dans la presse, Paul se faufila jusqu'à elle. Après les avoir embrassés, elle les présenta à son professeur, personnage grand et mince au menton orné d'une courte barbe brune.

— N'est-ce pas qu'elle a été parfaite ? dit-il en souriant. Un ange, votre fille !

— Nous allons nous marier le plus tôt possible ! commenta Barbara avec un sourire extatique.

— Ah bon ? dit Bobby. Et Peter, alors ?

— Je l'épouserai lui aussi, répondit-elle en pouffant de rire.

— Pas d'ici vendredi, en tout cas, dit Bodian. Il nous faut d'abord quatre autres représentations aussi parfaites que celle de ce soir.

Barbara passa à la ronde des gobelets de carton, avala une rasade de limonade, s'écria : « Tiens, voilà Peter ! » et disparut dans la foule. Bodian agita sa barbe et se tourna vers Paul :

— Quelle fille vous avez là ! C'est un plaisir de la faire travailler. Elle possède un véritable don pour le théâtre.

— Merci, répondit Paul. Mais vous avez fait un excellent travail. Vos jeunes ont tous été remarquables.

— J'ai bien connu Jane, reprit Bodian. Cela paraît si loin, maintenant... J'étais alors à l'inspection d'académie. Nous avons travaillé deux ans ensemble, dans une commission de révision des programmes. Barbara me la rappelle énormément. Surtout son regard, je crois, et son sourire. Elle a aussi l'application, le sérieux de sa mère.

— Pas toujours.

— Ne vous faites pas de soucis pour elle, dit Bodian en posant la main sur l'épaule de Paul. Avez-vous déjà pensé à ses études universitaires ?

— Non, pas vraiment. Elle a encore son année de terminale, l'an prochain.

— Cela passera beaucoup plus vite que vous ne croyez. Voyez-vous, dit-il en souriant dans sa barbe, j'aimerais voir Barbara dans un établissement sérieux, où elle puisse donner toute sa mesure. Elle dispose d'un potentiel extraordinaire. Elle écrit à la perfection, elle est également très forte en maths. Elle peut choisir n'importe quelle branche, scientifique ou littéraire.

Barbara dans un laboratoire, environnée de cornues et d'appareils compliqués ? Surpris, Paul ne put s'empêcher de

121

sourire en imaginant une équipe de chercheurs en blouses blanches immaculées agglutinés autour de sa fille.

— J'aimerais la voir s'habiller un peu mieux, avoua-t-il.

— Il est vrai qu'elle exagère un peu dans ce domaine, dit Bodian en riant. Mais cela fait partie de sa personnalité en ce moment, je crois. Ne vous plaignez quand même pas. Elle est honnête, intelligente. Elle ne se drogue pas ni ne s'abrutit dans le rock ou le punk, comme beaucoup. Elle a surtout une remarquable franchise.

— Elle en abuse, par moments.

— Une enquiquineuse, oui ! approuva chaudement Bobby.

— Je vois ce que tu veux dire ! répondit Bodian en riant. Excusez-moi, dit-il en serrant la main de Paul, il faut que je circule un peu dans la foule. Mais réfléchissez à ce que nous venons de nous dire. Harvard, Yale, Columbia : Barbara peut prétendre aux meilleures universités. Elle est douée, croyez-moi.

— J'y réfléchirai, promit Paul. Et merci encore.

Le barbu les quitta pour aller faire ses politesses ailleurs, pendant que Paul et Bobby se mettaient en quête de Barbara. Ils la retrouvèrent dans un coin de la salle en compagnie de Peter Block et de ses parents.

Ils échangèrent salutations et compliments. Un instant plus tard, Mimi Block attira Paul à l'écart. C'était une grande femme imposante, dans un volumineux manteau de vison noir complété d'une toque de fourrure. Paul ne la connaissait que vaguement, pour l'avoir rencontrée ici et là à des réceptions chez des amis communs.

— Ainsi, voilà le futur beau-père de mon fils, dit-elle en souriant. Nos enfants ont l'air fous l'un de l'autre.

— Un peu trop, vous ne croyez pas ?

— Comment les en empêcher ? Peter ne peut plus remuer le petit doigt sans demander l'avis de Barbara. Laissez-moi vous dire, en tout cas, qu'elle a une excellente influence sur lui. Il ne s'est jamais aussi bien conduit.

Ne sachant que répondre à une telle déclaration, Paul se contenta de hocher la tête en souriant.

— Permettez-moi de vous poser une question, poursuivit

122

Mme Block. Avez-vous défendu à Barbara de venir dîner à la maison ?

— Moi ? Pas le moins du monde !

— C'est curieux, dit-elle avec une moue de surprise. Je l'ai invitée plus de cent fois et elle a toujours refusé. Elle invoque une règle selon laquelle vous exigez qu'elle rentre dîner avec Bobby et vous. Je n'ai plus insisté.

Un tel sens du devoir chez sa fille toucha Paul.

— Je l'ignorais complètement, je vous assure, répondit-il.

— Nous serions vraiment enchantés de l'avoir avec nous de temps en temps, elle est adorable. Bien entendu, je les surveillerais.

— Je n'y vois aucun inconvénient, chère madame.

— Venez donc dîner à la maison, vous aussi. Quand cela vous conviendra, bien entendu.

— Vous êtes trop aimable, je vous remercie.

— Mais, dites-moi, dit-elle sur le ton de la confidence et avec un nouvel éclair dans le regard, recommencez-vous à sortir un peu, à voir du monde ?

— Du monde ? Qui cela ?

— Voyons, des femmes !

Seigneur ! Voilà donc où voulait en venir cette matrone qu'il connaissait à peine. Le ciel nous préserve des bonnes âmes !...

— A vrai dire, non, répondit Paul.

— Vous devriez, pourtant, vous savez. Vous êtes encore très bel homme, vous n'auriez aucun mal à vous faire des relations. Je connais bien des femmes qui ne demanderaient pas mieux que de faire plus ample connaissance.

— Un de ces jours, peut-être...

— Si je vous parle ainsi, c'est parce que j'ai été veuve moi-même. Saul n'est que mon second mari. Croyez-en mon expérience, plus vite vous vous remettrez sur le marché, mieux vous vous en porterez.

Sur le marché ? se dit Paul avec un mouvement de colère. Pour qui me prend-elle, un rôti de bœuf ou une voiture d'occasion ? Coincé par la foule contre cette grosse femme indiscrète qu'il ne voulait cependant pas vexer, Paul se sentit pris au piège et fit l'effort de se dominer.

123

— Je verrai, répondit-il d'un ton évasif.

— Quand vous voudrez, faites-moi signe. J'ai justement une de mes cousines, une femme charmante, veuve depuis peu avec un petit garçon d'une dizaine d'années, l'âge de votre Bobby. Je vous inviterai à dîner tous les deux.

Le culot de cette bonne femme ! S'il existait un élément capable de faire réviser à Paul son jugement peu flatteur sur Peter, c'était de découvrir la personnalité de sa mère. Que le malheureux gamin eût survécu à cette mégère faisait de lui un miraculé, pour qui l'on pouvait éprouver de l'admiration.

— Il ne faut pas faire fi des plaisirs du sexe, reprit Mimi Block en agitant sentencieusement sa toque de fourrure. L'amour joue dans la vie un rôle important. Surtout pour un homme, ajouta-t-elle dans un murmure confidentiel et lourd de sous-entendus.

Paul réprima à grand-peine une furieuse envie de rire. Qu'aurait-elle dit s'il lui avait arraché son vison pour la violer séance tenante, sur le parquet ? *Surtout pour un homme !...* Cette grosse dondon, qu'allait-elle insinuer ? *« Je n'ai pas pu contenir mes instincts bestiaux »*, *avoue le veuf obsédé appréhendé au cours d'une orgie en plein lycée.*

— Excusez-moi, il faut que je m'en aille, dit Paul en faisant mine de s'éloigner.

Mme Block le retint par la manche :

— Pensez à ce que je vous ai dit. Ma cousine sera ravie, quand vous voudrez.

Paul parvint à se frayer un chemin jusqu'à Barbara, qu'il trouva dans de grandes embrassades avec une de ses camarades.

— Papa ! Toute la troupe sort ensemble pour célébrer la première. On me raccompagnera à la maison. D'accord ?

— Ne rentre pas trop tard, il y a classe demain matin. Bravo, ma chérie, poursuivit-il quand l'autre l'eut lâchée. Tu as été sensationnelle.

Un peu plus tard, sur le chemin du retour, Paul retrouva le silence obstiné de Bobby rencogné sur son siège contre la portière. Il lui donna une bourrade sur l'épaule pour attirer son attention :

— La pièce était bien jouée, n'est-ce pas ?

124

— Ouais, répondit Bobby avec un haussement d'épaules.

— Je les ai tous trouvés très bons.

— Pas mal, admit Bobby avec condescendance.

— En tout cas, Barbara était parfaite, non ?

— Je l'ai vue faire mieux que ça à la maison.

Paul éclata de rire. Bobby tourna vers lui un regard offusqué :

— Qu'ai-je dit de si drôle ?

— Rien. Mais si tu voulais, tu aurais un bel a venir dans la critique.

11

Le Boeing amorça son virage au-dessus de Staten Island et
se dirigea plein nord, le long de l'Hudson, en survolant
Manhattan illuminé qui, du ciel, prenait l'allure d'une
maquette d'architecte. Quelque part en dessous, au-delà de
la masse vert sombre formée par le parc, des maisons. La
sienne. Treize jours sur la route, entre Chicago et
Minneapolis. Treize jours de bon travail, sans répit, qui
s'étaient révélés payants. Les brèches étaient colmatées, Paul
avait retrouvé le tonus. Mieux encore, il y avait pris plaisir.
Loin de chez lui, plongé dans le travail, craintes et
problèmes avaient repris leurs justes proportions.

La maison paraissait attendre son retour. Les tulipes
commençaient à éclore dans les massifs circulaires, les
forsythias jaunissaient. Les fenêtres illuminées luisaient d'un
éclat doré dans le crépuscule. Quand Paul pressa le bouton
de sonnette, il entendit une cavalcade dans l'escalier et la
porte s'ouvrit à la volée. Il les embrassa à tour de rôle; dans
son excitation, Bobby lui sautait au cou en trépignant
presque de joie.

— Seigneur ! dit-il en riant. S'il faut m'absenter pour
avoir droit à un tel accueil, je partirai en voyage plus
souvent.

Ils lui servirent eux-mêmes le dîner qu'ils avaient préparé

de leurs mains. Paul était assis seul au haut bout de la table, comme un roi victorieux reprenant sa place sur le trône. Plus tard, ils l'aidèrent à défaire ses valises tout en bavardant joyeusement. Après qu'il eut bordé Bobby dans son lit, Paul eut enfin quelques instants pour une conversation plus calme avec Barbara. Elle avait l'air inquiète sur le compte de son frère :

— Il est encore trop souvent dans la lune et il a été bizarre pendant ton absence. Je l'ai plusieurs fois surpris en train de pleurer tout seul dans sa chambre.

— Si tu appelles cela bizarre, il l'est depuis longtemps, ma chérie.

— Je sais, répondit-elle, mais, deux ou trois fois, il n'a pas fermé l'œil de la nuit. Je l'ai entendu descendre regarder la télé. Ce n'est quand même pas normal, papa !

Plus tard encore, seul dans la cuisine silencieuse, Paul s'attela à la tâche de dépouiller le courrier accumulé. Il tria les factures, jeta la pile de prospectus, feuilleta deux catalogues de graines et semences adressés à Jane. Il allait bientôt falloir s'occuper du jardin, rétablir l'ordre dans le fouillis de plantes mortes et de mauvaises herbes. Dans l'un des catalogues, il vit défiler des pages et des pages de plants de tomates. Lesquels Jane avait-elle l'habitude de commander ? Et puis, même si Paul n'était pas capable de recréer le potager exactement tel que Jane l'avait conçu, il ferait de son mieux pour réaliser quelque chose d'approchant.

Seul enfin dans le grand lit, l'oreiller de Jane serré contre sa poitrine, il sombra dans un sommeil agité de rêves. Il se voyait au bout d'un quai de métro, dans une longue station obscure, où il attendait Jane. Au loin, dans le tunnel, le grondement de la rame grossissait. Où était Jane ? Pourquoi était-elle en retard ? Pourquoi était-il seul sur ce quai ? Le grondement se faisait de plus en plus assourdissant. Très loin, à l'autre bout du quai, il vit des chevilles apparaître sur les marches, puis une jupe qu'il reconnut. Jane arrivait enfin, mais elle n'avait pas son allure habituelle et portait des lunettes noires, dans cette station obscure. Il l'appela, sa voix fut noyée dans le fracas de la rame. Jane s'avança vers le bord du quai, les bras tendus, telle une aveugle marchant à tâtons. La rame pénétra dans la station, avec des phares éblouissants et un vacarme insoutenable. Jane vacillait sur le rebord du quai. Il se vit courir vers elle, s'entendit lui crier des appels angoissés rendus inutiles par le fracas de la rame qui lui emplissait les oreilles, résonnait dans sa tête...

Un cauchemar. Encore un.

Dressé sur son lit, il perçut en effet comme un bruit de roulement métallique quelque part dans la maison. Il ne s'agissait pas du grondement sourd d'une rame de métro amplifié par le silence de la nuit. Ce bruit-là provenait bien de l'intérieur de la maison. Du second étage.

Il n'y avait pas de lumière dans le couloir; les portes des enfants étaient fermées. Un halo lumineux sinuait dans l'escalier. Paul monta à pas lents et vit que la lumière venait de la petite chambre située directement au-dessus de la sienne. La pièce du train. Des années auparavant, il avait réalisé un circuit ferroviaire sur une grande feuille de contre-plaqué pour le train électrique de Bobby.

Le petit garçon était assis par terre en pyjama devant le boîtier de commande. Un convoi de marchandises sortait de la grande courbe extérieure et franchissait l'aiguillage menant à la voie intérieure. L'ampoule jaunâtre projetait des cernes sombres sous ses yeux.

— Bob !...

— Je ne pouvais pas dormir.

— Je le constate. Mais sais-tu l'heure qu'il est ?

— Oui, je sais.

Les pieds gelés, Paul frissonna. Il n'y avait pas de chauffage au second étage. Bobby ramena le train en marche arrière vers une voie de manœuvre.

— Depuis combien de temps es-tu ici ? Il fait froid. Tu aurais au moins pu mettre ta robe de chambre, des chaussettes.

— Je n'ai pas froid.

Pendant quelques instants, Paul le regarda faire avancer et reculer son train, actionner les aiguillages, les signaux.

— Il n'y a pas classe demain, reprit Bobby. Je peux dormir toute la journée si je veux, et dimanche aussi.

— Ce serait vraiment dommage. Écoute, veux-tu venir avec moi à la cuisine ? Un bon bol de lait chaud, cela te fera dormir.

128

— J'ai horreur du lait chaud.

— Du chocolat, alors. J'en prendrais bien une tasse, moi aussi.

Bobby s'absorbait dans ses manœuvres. Il avait fait revenir le train sur la grande boucle extérieure, où il lança le convoi à une vitesse croissante.

— Tu n'as jamais peint la planche, dit-il. Tu te rappelles, quand nous avions monté les rails ? Tu avais dit que tu peindrais la planche en vert, que tu mettrais une gare, une voie de garage, des arbres, des maisons, tout un tas de trucs. Tu ne l'as jamais fait.

— C'est vrai.

— Je te l'ai pourtant souvent demandé. Mais c'est toujours resté exactement comme nous l'avions monté, quand tu as acheté les trains. On n'a jamais non plus acheté le wagon avec les troncs d'arbres.

— J'oubliais chaque fois. Et puis, tu t'es arrêté de jouer avec.

— Ouais...

Il stoppa le train dans une ligne droite.

— De toute façon, ce n'est pas drôle, un train électrique. Ça tourne tout le temps en rond.

— Écoute, Bob, il faut essayer de dormir. Allons, regagne ton lit, ferme les yeux et le sommeil reviendra, tu verras.

Le petit garçon haussa les épaules et resta assis par terre en regardant son train d'un air absent. Un long moment plus tard, il coupa le contact du transformateur mais ne bougea pas.

— Elle m'aimait bien, n'est-ce pas ? dit-il à mi-voix.

— Ta mère ? Bien sûr. Elle t'a aimé dès la première minute de ta naissance.

— Étais-je souvent malade quand j'étais petit ?

— Un peu, beaucoup, je ne sais pas. Tu avais souvent mal au ventre. Et puis, tu as eu la coqueluche, les oreillons. Toutes les maladies qu'un gosse peut avoir.

— Ça ne l'a pas empêchée de reprendre son travail, après ma naissance ?

— A temps partiel d'abord. Elle n'a repris le plein temps qu'à la rentrée suivante.

— Et pour Barbara, combien de temps était-elle restée à la maison ?

— Quelques jours de plus, je crois. Mais Barbara était la première. Quand tu es né, nous avions déjà de l'expérience.

— C'était Margaret qui s'occupait de moi pendant que maman travaillait, n'est-ce pas ? Et elle surveillait aussi Barbara ?

— Oui. Margaret et ta bonne-maman. Elle venait très souvent, à cette époque-là.

— Qu'est-elle devenue, Margaret ?

— Elle habite en Pennsylvanie, maintenant. Tu avais cinq ans quand elle nous a quittés, presque l'âge d'aller à l'école.

— Je me rappelle être resté seul à la maison. Maman faisait la classe et je regardais des dessins animés à la télé.

— Nous ne t'avons jamais laissé seul, Bob.

— Je me rappelle pourtant être resté seul. Il n'y avait personne et je regardais la télé.

— Tu dois confondre. Cela t'est peut-être arrivé plus tard.

— Non, je suis sûr...

— Moi aussi. Nous ne t'avons *jamais* laissé seul. Il y avait toujours Margaret ou ta grand-mère, si ta maman était sortie. Tu te souviens peut-être d'un moment où Margaret était occupée en haut ou dans le jardin...

Le sourire de Bobby glaça le cœur de Paul, comme si le petit garçon s'était dissimulé derrière un masque de ruse désabusée l'isolant totalement de lui.

— Non, je ne me trompe pas. J'ai souvent été seul...

Il se leva, s'étira, bâilla :

— Je crois que je vais essayer de dormir. Je suis fatigué.

Paul le suivit en éteignant les lumières derrière eux. Il le borda dans son lit, l'embrassa en lui ébouriffant les cheveux. Dans la pénombre, il vit ses cils battre, devina une larme au coin des paupières.

— Elle t'aimait énormément, Bob, murmura-t-il. Elle t'a toujours aimé.

130

Et maintenant, mon bonhomme, vas-y. Endors-toi, si tu en es encore capable.

Assis dans le fauteuil club, Paul réfléchissait en fumant. Bobby s'agitait dans son lit; de temps en temps, un coup sourd contre la cloison témoignait de ses brusques changements de position. Si Barbara avait toujours été facile, Bobby en revanche leur avait constamment causé des soucis. C'était encore vrai aujourd'hui. Né le second, avec une différence d'âge importante, Bobby avait toujours tout fait pour obtenir l'attention de ses parents, même quand Barbara était en colonie de vacances et qu'il se retrouvait enfant unique à la maison.

Croyait-il vraiment que Jane aimait Barbara plus que lui ? Insensé ! C'était au contraire lui le chouchou de sa mère, celui qu'elle dorlotait, qu'elle couvait, qu'elle cherchait à faire rire à tout prix. D'un caractère plus sérieux que sa sœur aînée, apeuré de mille petites choses dont Barbara ne s'était pas souciée, Bobby avait appris à marcher et à parler plus tard qu'elle. Jusqu'à maintenant, il lui fallait encore une veilleuse dans sa chambre.

A quatre heures passées, Paul se mit enfin au lit. Un sommeil charitable l'enveloppa aussitôt.

Le dimanche, Phyllis Berg s'arrêta en passant pour les inviter à dîner le vendredi suivant.

— Nous sommes tout le temps fourrés chez vous, protesta Paul. J'ai l'impression d'y prendre pension.

— Pas du tout, voyons.

— Un de ces jours, il faudra que nous nous décidions à vous avoir à votre tour.

— Aucune importance, Paul. Je voulais vous dire aussi que j'ai invité quelqu'un qui travaille avec David. J'espère que cela ne vous ennuiera pas.

— Pourquoi cela m'ennuierait-il ?

— Parce qu'*elle* est radiologue. Célibataire.

— Tant mieux pour elle.

— Je n'essaie pas de jouer les entremetteuses...

— Mais si, Phyllis ! dit Paul en riant. Avouez.

Derrière les grosses lunettes de chouette, les yeux de Phyllis scintillèrent :

— Admettons, admettons... Mais c'est une fille très bien, Paul. Vous êtes sûr que cela ne vous ennuie pas ?

Alice Freed avait à peine plus de trente ans, beaucoup de charme, les cheveux coupés court et précocement gris. Elle connaissait le monde entier, semblait-il. Elle ne souhaitait parler que de médecine, de voyages et de tennis; lorsque, pour quelques instants, les enfants réussirent à accaparer la conversation à table, son manque d'intérêt et sa réprobation furent un peu trop évidents. Pour Paul, ce fut comme un rideau qui tombait. Elle perdit instantanément, à ses yeux, l'attrait qu'il lui avait trouvé.

Plus tard, après avoir déposé les enfants à la maison, Paul s'offrit à raccompagner Alice. Ils n'avaient pratiquement rien à se dire et, pendant le trajet, parlèrent surtout de leurs hôtes, depuis quand ils se connaissaient, combien ils étaient sympathiques. Arrivée devant sa porte, Alice ne descendit pas tout de suite de la Buick.

— J'ai été ravie de faire votre connaissance, dit-elle enfin.

— Moi aussi, mentit Paul. Amusez-vous bien pendant les vacances.

— Merci. J'espère que nous nous reverrons à mon retour. Voudriez-vous vous remettre au tennis ?

— Peut-être.

Paul attendit qu'elle fût en sécurité chez elle avant de démarrer. Cette soirée l'avait attristé. Entre eux, aucune affinité. Pas même une étincelle d'intérêt mutuel. Il souhaita ardemment qu'elle n'eût pas la mauvaise idée de lui envoyer une carte postale.

Les enfants avaient débarrassé l'élégante table de chêne de Marion Gerber et s'étaient retirés dans leur salle de jeux. Suzanne et Joanne, les filles de Marion, étaient plus jeunes que Barbara, à qui elles vouaient une adoration sans limites.

— Encore un peu de café ? demanda Marion.

— Volontiers, merci.

Paul se carra dans sa chaise et suivit Marion des yeux. La

salle à manger était une fort belle pièce ovale, au plafond décoré de poutres entrecroisées. Jadis, du temps où Phil habitait encore le domicile conjugal, Jane et lui avaient souvent pris place à cette même table. Marion et Phil faisaient alors partie des jeunes ménages dynamiques du voisinage; ils sortaient, recevaient, se portaient volontaires pour toutes les bonnes causes. Jane et Marion étaient amies, camarades plutôt. Jane avait fait la classe à deux des quatre enfants. Phil, le mari, expert-comptable cynique et volontiers méchant, s'était fait la réputation justifiée d'un raseur. Quand Marion et Phil se séparèrent, personne dans le quartier n'en éprouva trop de surprise. Après leur divorce, Jane avait même tenté de jouer le rôle d'agence matrimoniale au bénéfice de Marion en l'invitant à dîner avec des soupirants éventuels.

Marion revint de la cuisine avec une cafetière et remplit la tasse de Paul. Pauvre Marion, se dit-il en la voyant allumer sa dixième cigarette de la soirée. Il y avait quelque chose d'infiniment triste dans ses yeux, une perpétuelle expression de chien battu.

— Les enfants m'ont paru en pleine forme, dit-elle. Vous devriez vous absenter plus souvent, Paul.

— Autant l'avouer, ce voyage m'a fait du bien. J'ai emmené mes clients dans de bons restaurants, j'ai mangé comme quatre, bu comme huit, travaillé comme un dingue. J'adore ça ! Et vous, Marion, où en êtes-vous ?

— Dedans jusqu'au cou, répondit-elle avec un sourire sans joie. Phil fait tout ce qu'il peut pour m'empoisonner la vie. Il ne me verse la pension des enfants qu'après d'interminables interventions d'avocats... Il finit toujours par payer, mais quand il est sûr de m'avoir bien retourné le fer dans la plaie. A quoi bon m'en étonner ? Il a toujours été ainsi.

— Et maintenant, Marion, sortez-vous un peu ?

— J'ai eu une aventure avec un type très bien mais...

Elle s'interrompit pour allumer une cigarette au mégot de la précédente.

— Et vous Paul ? reprit-elle.

— Oh ! j'y pense, mais ça ne va pas plus loin. Cela me

133

fait peur, Marion. Je crois que je ne saurais plus quoi faire ni comment.

— Vous serez surpris de voir comme les habitudes reviennent vite, dit-elle en souriant. J'avoue que ma première tentative avec un homme, après mon divorce, a tourné à la catastrophe. Le pauvre garçon m'avait emmenée chez lui. Quand nous nous sommes mis au lit, je n'ai su que sangloter comme une idiote...

Elle ponctua son récit d'un éclat de rire qui sonna rauque comme un aboiement.

— Par la suite, les choses s'améliorent, vous verrez. Vous vous remarierez, Paul, j'en suis sûre.

Encore une, se dit-il avec agacement. Il but une gorgée de café pour retrouver son calme.

— Pourquoi me dites-vous cela, Marion ?

— Les statistiques, mon cher. Il y a cent fois plus de femmes dans mon cas que d'hommes dans le vôtre. En plus, vous êtes beau garçon, plein de charme. Vous vous êtes certainement aussi rendu compte qu'il n'est pas facile de vivre seul avec des enfants. Les femmes le savent. Vous er trouverez des flopées prêtes à vous sauter au cou en vous proposant le secours de leurs instincts maternels.

— Je n'en ai encore vu aucune.

— Cela viendra. Un bon conseil : faites savoir à vos amis et connaissances que vous êtes « réceptif », c'est l'essentiel Il existe aussi des associations du genre « Parents soli taires ». Vous devriez regarder de ce côté-là.

— Vous avez essayé ?

— Oui.

— Et alors ?

— J'y suis tombée sur de braves types désorientés avec qui j'ai passé des soirées à discuter de leurs problèmes. Cela m'a suffi. J'ai assez des miens sans me mettre ceux des autres sur le dos, croyez-moi.

— Je n'en suis pas encore là. Et je n'ai plus de petit carnet noir bourré d'adresses affriolantes — plus depuis dix-huit ans, en tout cas.

— Écoutez, Paul, j'ai beaucoup pensé à vous... Non, pas dans ce sens-là, ne vous affolez pas ! dit-elle en le voyant changer d'expression. Je me suis simplement dit que nous

134

étions tous deux des « Parents solitaires », que nous nous connaissions bien. Nous vivons à deux rues de distance, nous pourrions redevenir bons amis. Pas question de roucouler comme des tourtereaux, ce n'est pas de cela que je parle. De temps en temps, une sortie, un film, un dîner à deux, sans enfants... En amis. Pourquoi pas ?

— Peut-être. Cependant...

— Pas de fausses idées, Paul. J'ai au moins six ou sept ans de trop pour vous, ne vous inquiétez donc pas. Dieu sait aussi que je ne suis pas du genre nymphomane, ni surtout dotée d'un physique de vamp...

— Voyons, Marion, vous êtes encore très attirante !

— Merci quand même ! dit-elle avec son rire-aboiement. Pensez à ce que je vous ai dit, Paul. Soyons bons amis.

— J'y penserai, Marion. Promis.

Le dix-septième anniversaire de Barbara. Paul invita tout le monde à dîner en ville, y compris Peter. Barbara avait elle-même choisi l'endroit, un restaurant indien de Greenwich Village où Peter et elle allaient souvent dîner avant un concert. « Habituellement, avait-elle précisé, nous prenons le menu le moins cher. Ce soir, nous pourrons faire des folies. »

Paul fit cadeau à Barbara de la bicyclette à dix vitesses dont elle parlait depuis longtemps et d'un sweater en cachemire de chez Bloomingdale's. Une autre surprise était prévue au programme; elle fut livrée huit jours plus tard. En rentrant, ce soir-là, Paul fut accueilli avec des transports de joie par Barbara qui lui sauta au cou :

— Tu es un amour ! Viens que je te montre.

Elle l'entraîna par la main jusqu'à sa chambre où trônait un téléphone flambant neuf, de couleur bleu pastel.

— Je savais que tu en mourais d'envie, dit-il en souriant.

— Tu n'as pas encore vu le plus beau !

Il remarqua alors, lové comme un serpent, un fil interminable. Barbara saisit le téléphone et lui fit signe de la suivre. Elle sortit de sa chambre, traversa le couloir et s'installa triomphalement dans la salle de bain.

— J'ai demandé à l'installateur de poser un long fil, annonça-t-elle. Cela coûte le même prix. N'est-ce pas que c'est sensationnel ? Mes meilleures idées me viennent dans la baignoire !

Plus tard, ce soir-là, Paul ne rit plus et regretta l'arrivée du téléphone. Il était dans la chambre de Barbara pour lui souhaiter bonne nuit. Elle était assise en tailleur sur son lit, vêtue d'un vieux pyjama de finette, les cheveux encore humides de sa douche :

— J'ai pris rendez-vous avec le planning familial pour jeudi prochain, déclara-t-elle. (Paul se laissa tomber sur une chaise.) Tu m'avais demandé d'attendre, j'ai attendu.

— Merci quand même.

Ils se dévisagèrent longuement sans savoir qu'ajouter.

— J'ai fait des économies sur mon argent de poche, dit-elle enfin. Je le paierai moi-même.

— Non, répondit Paul en s'éclaircissant la voix. Je te l'offre. Combien coûte cet... objet ?

— Environ trente-cinq dollars, y compris la visite médicale et l'adaptation.

— Je te ferai un chèque demain.

— Merci...

Elle lui fit un petit sourire, la tête bien droite sur son gracieux cou de cygne — sa fille qui le regardait avec la dignité d'une femme mûre.

— Tu sais, papa, je t'aime.

— Je sais, ma chérie.

— Je ferai très attention.

— J'en suis sûr...

Il avait la gorge serrée et dut s'interrompre. Le moment était sans doute venu de lui dire quelque chose, de lui donner de bons conseils, mais les mots le fuyaient.

— Tu sais, reprit-il, c'est difficile pour moi de... Si seulement ta mère était là, en ce moment !

— Nous en avions déjà parlé, elle et moi. Il n'y a pas si longtemps.

— Tant mieux, cela me soulage.

— Rassure-toi, je n'ai pas l'intention de faire de folies ni de coucher avec n'importe qui.

— Je devrais probablement te faire un beau discours,

136

poursuivit-il en souriant, mais je ne sais vraiment pas comment. Je suis resté de mon époque, vois-tu. Je me rappelle ce que nous autres, les garçons, pensions et disions des filles considérées comme « faciles » ou qui avaient une mauvaise réputation, et je ne crois pas que cela ait beaucoup changé depuis. Tout ce que je te demande, ma chérie, c'est de ne pas oublier qui tu es. Tu as beaucoup de bon sens, je te fais confiance pour savoir t'en servir.

— Je te le promets.

Il se leva, alla se pencher pour l'embrasser et eut l'heureuse surprise d'une longue étreinte pleine de tendresse.

Plus tard, en s'endormant, il se demanda s'il avait reçu le dernier baiser de l'enfance.

Tout au long du printemps, le temps parut s'accélérer, les événements se télescoper. En juillet dernier, la pendule s'était arrêtée. Les aiguilles, paralysées par une sorte de léthargie, transformaient les jours en semaines, les minutes en interminables moments d'agonie. Désormais, les jours coulaient comme les eaux d'un torrent.

A Ford Lauderdale, où elle résidait, Sylvia, la mère de Jane, surmontait elle aussi son deuil. Elle appelait tous les week-ends pour dire bonjour à son gendre et bavarder avec ses petits-enfants. Un samedi, Sylvia demanda à Paul :

— Qu'avez-vous prévu pour le service de bout de l'an ? Dites-moi la date exacte, je tiens à venir.

— Il n'y aura pas de service, répondit-il sans réfléchir.

Il entendit Sylvia pousser un cri d'indignation :

— Mais il le faut, Paul ! C'est la tradition, tout le monde y compte.

— Il faut peut-être aussi lancer des invitations ? s'écria-t-il d'une voix tremblante. Réunir tous les amis, prévoir un buffet ? Non, cent fois non !

Il avait assisté trop souvent à de telles cérémonies. Un an après la disparition de l'être cher, la foule des parents et amis se rassemble au cimetière. Un rabbin, que personne n'a jamais vu, psalmodie des mots hébreux inintelligibles et bredouille un éloge funèbre passe-partout d'une personne qui lui est inconnue et dont il se moque éperdument. Ensuite, les assistants posent un caillou sur la pierre tombale avant de se retirer. Il n'était pas question d'un tel service pour Jane, pas de cérémonie publique devant des indifférents, pas de simulacre de recueillement. Cet hiver, Paul s'était rendu au cimetière, seul. Frissonnant dans la pluie glaciale, il était longtemps resté devant la pierre tombale et avait sangloté. Sans témoins. Non, décidément, il ne pouvait pas s'infliger de son plein gré un service de bout de l'an.

Sous le chaud soleil de Floride, Sylvia ne l'entendait pas ainsi :

— Mais c'est votre devoir, Paul ! Pour ses amis, pour sa famille, vous ne pouvez faire moins. Faites preuve d'un peu de respect.

Du respect !

Le nuage noir qu'il s'efforçait de chasser revenait planer au-dessus de sa tête. Dehors, sous la fenêtre, un geai poussa des cris moqueurs.

— Non, Sylvia ! Je refuse de subir de nouveau cette épreuve, ce serait pire encore pour les enfants.

— Vous tenez donc si vite à l'oublier ? dit-elle avec des larmes dans la voix.

— Je vous interdis de me dire des choses pareilles ! cria-t-il dans le combiné.

Elle rappela le lendemain. Pour l'apaiser, Paul lui promit d'emmener les enfants au cimetière, mais sans cérémonie particulière. Vers la fin avril, au début des vacances scolaires de printemps, il embarqua Barbara et Bobby dans un avion à destination de la Floride pour finir de calmer le ressentiment de sa belle-mère. Ils passèrent une semaine dans son petit appartement, se bronzèrent au soleil, pataugèrent dans la piscine, subirent stoïquement les compliments des amies convoquées par leur grand-mère pour les admirer. A demi morts d'ennui, ils furent ravis de rentrer chez eux.

Pendant ce temps, Paul en avait profité pour rester quarante-huit heures à Cleveland et stimuler distributeurs et détaillants. A son retour, il téléphona à Marion Gerber, l'invita au cinéma. Ils allèrent ensuite boire un verre. Après avoir commenté le spectacle, Marion ramena la conversation sur son ex-mari. Elle semblait posséder d'inépuisables réserves de haine lorsqu'il était question de lui.

Dans la Buick, sur le chemin du retour, elle poursuivit sa diatribe, dévoila à Paul des détails qu'il n'avait nulle envie d'apprendre sur sa vie conjugale. Elle parlait encore devant sa porte et Paul dut l'interrompre :

— Bonne nuit, Marion.

En guise de réponse, elle lui saisit la figure à deux mains et planta sur ses lèvres un baiser brûlant.

— Holà ! dit-il. Que se passe-t-il ?

— Je ne sais pas. Une simple fantaisie.

Surpris, mal à l'aise, il l'observa dans la pénombre, inquiet soudain de ce qu'un voisin pût les observer.

— Vous êtes un type bien, reprit-elle. J'aime vous parler, vous savez écouter. N'y pensez plus, Paul.

Elle ouvrit la portière et rentra chez elle sur un dernier signe de la main.

« N'y pensez plus, Paul »... Facile à dire !

Une semaine plus tard, une fois les enfants revenus de Floride et retournés à leur routine quotidienne, Paul rappela Marion et l'invita à dîner en ville. Cette fois, il ne cherchait plus à se dissimuler ses véritables intentions : il allait jouer le grand jeu de la séduction. Certes, elle lui avait fait comprendre sans détour qu'elle était consentante. Les choses, cependant, se révélèrent plus compliquées qu'il n'y semblait.

Ils mangèrent des fruits de mer dans un restaurant bruyant au bord de la baie. Pour une fois, Marion avait abandonné ses sempiternels tailleurs noirs pour un ensemble gai et coloré. Elle s'abstint, Dieu merci, de remâcher ses griefs au sujet de Phil et bavarda plaisamment de ses enfants et de potins du quartier. Après le dîner, Paul conduisit jusqu'à une rue tranquille au bord de l'eau. Il n'avait pas sitôt éteint les phares et coupé le contact qu'elle était déjà dans ses bras.

Ils s'embrassèrent chastement, comme des collégiens, sans jeux de mains équivoques. Un peu haletante, Marion baissa la vitre, alluma une cigarette. Ils fumèrent en silence, regardèrent les lumières qui dansaient sur l'eau. Ce fut elle qui, finalement, reprit la parole en premier :

— Cela ne vous fait pas un drôle d'effet, Paul ?

— Si, un peu.

— Moi aussi.

— C'est presque... comment dirais-je ? Une sorte d'inceste. Nous nous connaissons depuis si longtemps.

— Le mari de Jane, c'est toujours ainsi que je pense à vous. Jane était une de mes meilleures amies.

— Et moi, je vous revois encore avec elle en train de boire le café, assises dans la cuisine. Vous étiez aussi « la dame qui tient le stand de la pâtisserie à la vente de charité ».

— Alors, qu'est-ce que vous voulez faire ? demanda-t-elle.

— Je ne sais pas. Et vous ?

— Cela devient plutôt ridicule. Ce n'est plus de mon âge de me laisser peloter en voiture.

— J'ai dépassé le stade moi aussi, dit Paul en riant. Que faire, une chambre d'hôtel ?

— J'en mourrais de peur et de honte ! D'ailleurs, j'ai dit aux enfants que je rentrerais vers onze heures.

— Je ne connais aucun hôtel où nous puissions aller, je l'avoue.

— Et moi, je dois être debout à sept heures pour envoyer les filles à l'école.

Il raccompagna donc Marion chez elle.

Le dimanche suivant, Marion l'invita à déjeuner, seul. En arrivant, Paul constata que les filles étaient allées passer la journée chez leur père.

Elle le bourra de saumon fumé et de crème fraîche sans presque rien avaler elle-même, à part d'innombrables tasses de café. Elle fumait à la chaîne et frémissait visiblement plus de nervosité que de désir. En l'observant, Paul comprit que ses yeux de chien battu allaient d'une minute à l'autre se remplir de larmes.

— Du calme ! dit-il en lui prenant la main. Vous avez

140

l'air d'un oiseau terrifié prêt à s'envoler pour échapper au vilain boa.

— Je ne sais vraiment pas pourquoi je suis comme cela...

— N'y pensons plus, Marion. Je peux très bien rentrer chez moi...

— Non, pas question ! dit-elle bravement en se forçant à sourire. C'est pour cela que je vous ai dit de venir.

— De nous deux, c'est moi qui devrais être le plus inquiet. Cela fait si longtemps...

— On n'oublie pas ce genre de chose, Paul, vous plaisantez.

Elle écrasa avec détermination sa cigarette dans le cendrier débordant, se leva et le prit par la main :

— Bon, déclara-t-elle. Allons-y.

Paul eut l'impression d'entendre : « Finissons-en. » Il la suivit néanmoins dans l'escalier en la tenant par la taille, plutôt par politesse. Pour sa part, le désir refusait de se manifester. Il voyait trop clairement les pattes d'oie autour de ses yeux, les racines noires de ses cheveux blonds.

A la porte de la chambre, elle hésita, se tourna vers lui :

— Promettez-moi de ne pas vous moquer de moi.

— Quelle idée, Marion ! Je n'ai aucune raison de me moquer d'une femme ravissante comme vous.

— J'ai les cuisses lourdes et une grosse bedaine.

— Elles me paraîtront adorables, dit-il en se demandant s'il ne se montrait pas présomptueux.

Elle l'abandonna sur le seuil pour se ruer vers la salle de bain, dont elle claqua si bruyamment la porte que Paul sursauta. Il pénétra dans la chambre, se souvint aussitôt d'un dîner où il était venu avec Jane. Il était monté déposer leurs manteaux sur ce même lit, le sien, celui de Jane en poil de chameau avec un col de fourrure...

Les stores étaient tirés, les rideaux fermés. Malgré tout, Paul eut l'impression d'être exposé aux regards narquois des voisins. Pourquoi était-il ici ? Que diable venait-il y faire ? L'amour, mon petit vieux. Cela se fait couramment, même chez les gens les plus respectables...

Il se déshabilla en hâte et se glissa sous les draps. Le bruit de la chasse d'eau lui parvint de la salle de bain. Marion prenait son temps. Avait-elle changé d'avis, en fin de compte ? Du calme, ne t'énerve pas ainsi ! Allait-il lui avouer qu'il n'avait pas touché une femme, à part Jane, depuis plus de dix-huit ans ? Qu'il n'avait encore jamais trompé sa femme ? A quoi bon... Cela ne méritait quand même pas une médaille. D'ailleurs, il n'allait pas tromper sa femme. Elle était morte.

La porte s'ouvrit, Marion passa la tête par l'entrebâillement, lui demanda timidement de se retourner pendant qu'elle venait le rejoindre. Paul obéit, entendit ses pas sur la moquette et se demanda s'ils avaient tort ou raison de faire ce qu'ils allaient faire.

Ils le firent pourtant, mais mal. Mécaniquement, sans joie pour l'un ou l'autre. Le pire, c'est qu'ils en avaient conscience. Après, étendus l'un près de l'autre en fumant une cigarette, Marion tira le drap pour se couvrir jusqu'au menton, comme si elle avait eu honte de lui montrer le corps qu'elle venait de lui donner.

— Je suis désolé... commença Paul.

— Non, c'était de ma faute.

— Nous n'allons quand même pas noter nos performances. Je suis malgré tout plaisamment surpris de me trouver encore en état de marche, dit-il en se forçant à plaisanter.

— Ha, ha ! fit-elle sans gaieté. Je n'ai pas pu m'empêcher de penser à Jane. C'était une erreur.

— En effet.

Marion exhala un nuage de fumée, chercha la main de Paul sous les draps et la serra convulsivement :

— Voilà mes beaux projets à l'eau. Tout s'arrangeait pourtant à merveille : nous allions être à la fois bons copains, amants, voisins. Et maintenant...

Paul sourit. Les projets de Marion, il les avait devinés sans grand effort d'imagination.

— Merci, Marion. On ne m'avait rien proposé de mieux depuis bien longtemps. Mais c'est moi qui ne suis pas prêt, je crois. Après Jane, il me sera difficile de m'attacher à une autre femme — même aussi adorable que vous.

— Pardonnez-moi de vous avoir entraîné dans ce guêpier, Paul.

142

— Il ne faut pas dire ça, Marion. Je crois simplement que... que nous n'étions pas faits pour être amants.

— Non, sans doute... En tout cas, j'espère que nous resterons amis.

De fait, cette tentative malheureuse renforça leur amitié.

Au cours des semaines, puis des mois qui suivirent, Paul fut capable de revoir Marion, de la toucher, de l'embrasser sur les joues sans malaise ni remords. Ils commencèrent à se confier l'un à l'autre. Marion parlait librement des hommes avec qui elle sortait de temps à autre, Paul lui demandait conseil pour les enfants. Elle recevait les Klein plus souvent qu'auparavant et Paul emmenait les filles avec Barbara et Bobby lorsqu'ils allaient au cinéma ou à un match.

Depuis bientôt six semaines, Paul n'avait pas déjeuné avec son associé. A peine de retour d'un voyage d'affaires à travers toute l'Europe, Michael Bradie était cependant bronzé, en pleine forme et visiblement impatient de raconter sa dernière bonne histoire. Paul l'écouta et rit de bon cœur, au vif plaisir de Michael dont le visage de farfadet respirait la bienveillance.

— Toi, déclara-t-il à Paul, je te trouve bonne mine. Tu étais malheureux sans moi ?

— Non.

— Moi non plus.

— Comment as-tu fait pour bronzer à ce point ?

— Je me suis débrouillé pour passer un week-end à Marbella au début de mon périple. Plus tard, pendant que j'étais à Turin, j'ai poussé une pointe vers le lac de Côme pour revoir nos vieux amis.

— J'ai dû me contenter des curiosités de Cleveland.

— Veinard ! Si tu savais comme j'ai travaillé... Un véritable esclavage !

Paul voyait bien que Michael avait de bonnes nouvelles à lui annoncer mais, connaissant la passion de son ami pour les effets calculés, il attendit patiemment le moment propice. Il arriva enfin avec le café et les cigares.

— Et maintenant, apprends ce que je t'ai gardé pour la

bonne bouche, déclara Michael. Selon toutes les apparences, l'entreprise Bradie & Klein, Inc. jouit d'une réputation flatteuse jusque sur les lointains rivages de la vieille Europe. Une rumeur s'est répandue selon laquelle nous disposons d'un réseau de vente digne d'éloges.

Michael tira une longue bouffée de son cigare avec un sourire largement épanoui.

— Apprends donc, mon très cher Paul, que nous nous tenons sur le seuil de la fortune.

— L'affaire de l'Asti Spumante ? Tu as signé ?

— Parmi quelques autres, oui. Et je ne te parle pas de la sangria...

Il cita négligemment des marques mondialement connues.

— On n'aurait pu rêver mieux, poursuivit-il. Ils ne font pas concurrence aux produits que nous distribuons déjà. Ce sont d'excellentes marques, des producteurs importants qui savent déjà ce que c'est que la télévision et qui, sur notre marché, sont décidés à redoubler d'efforts.

— Une campagne télévisée ? Comme les grosses boîtes ?

— Nous en faisons désormais partie, Paul. Nous allons lancer la sangria cet été, l'Asti en automne et pour les fêtes. Et n'oublie pas que chacun des spots télé va proclamer : « Importé par Bradie & Klein ».

— Sensationnel !

— Mérité, sans plus... C'est *eux* qui sont venus nous chercher, Paul, parce qu'ils savent de quoi nous sommes capables. Oui, nous allons devenir gros, énormes, sans beaucoup plus de travail. Hein, qu'est-ce que tu dis de ça ?

— J'en dis que ça me plaît, Michael. Énormément.

— A la nôtre ! dit Michael en levant sa tasse de café. Et maintenant, champion du marketing, tu vas enfourcher ton vaillant destrier et partir en campagne. Il nous faut une bonne agence de publicité, et il nous la faut vite. Une agence capable de nous mijoter des bons films et d'acheter du temps d'antenne aux bonnes heures et sur les bonnes stations. Tu sais comment t'y prendre pour trouver une agence pas trop débile ?

— Ce ne doit pas être une tâche insurmontable, dit Paul.

12

Le printemps s'était installé avec son cortège de chaudes journées ensoleillées, de nuits tièdes. Dans tout le quartier, azalées et tulipes faisaient éclater leurs rouges, leurs jaunes, leurs blancs.

Il voulait envoyer les enfants quelque part pour l'été — mais n'arrivait pas à accepter de s'en séparer. Il voulait que d'autres les voient, les dorlotent et les subissent — sans admettre de se dessaisir de ses prérogatives. Il voulait jouir d'un peu de liberté — mais il avait désespérément besoin de leur compagnie. Il voulait, il désirait, il souhaitait... Finalement, il aurait voulu Jane.

Tous trois, ils se décidèrent à remettre le jardin en état, quand Jane seule avait été capable de désherber, bêcher, planter. Myron, leur voisin, leur dispensa ses conseils, leur fournit des brassées de plants de tomates, de courgettes, d'aubergines. Une tardive vague de froid en tua un bon nombre. Pour combler les vides, Paul voulut en repiquer mais ne réussit qu'à en tuer davantage. Non, ce n'était plus le jardin de Jane, se disait-il avec dégoût en le regardant par la fenêtre de la cuisine. Par quel mystère, grâce à quel don du Ciel faisait-elle croître et prospérer ces plantes ? Leur allure souffreteuse lui faisait mal.

Mais sa vraie potion magique, c'était le travail. De ce côté-là, au moins, il avait des satisfactions.

Les publicitaires sont de curieux énergumènes. A peine le bruit se fut-il répandu que Paul recherchait une agence qu'il se trouva littéralement assiégé. Appels téléphoniques, lettres, télégrammes, dossiers, brochures se déversaient journellement sur son bureau. Il sélectionna une dizaine de postulants. Désireux de ne pas empiéter sur le travail sérieux, il organisa les rencontres aux heures des repas. En quelques jours, il avait déjà éliminé la moitié des candidats, en particulier les grosses agences : à moins de un million de dollars de budget, il aurait été noyé dans la masse.

Quelques jours plus tard, il n'en restait que trois dans la course. Paul était stupéfait du volume de travail que ces gens se montraient prêts à exécuter pour rien, sans espoir réel de décrocher la commande. On le fit assister à de longues présentations fort élaborées, avec graphiques, cassettes, conférenciers et autres coûteux déploiements de faste. Une petite agence alla même jusqu'à lui soumettre un film de trente secondes, réalisé en vidéo, pour le lancement de sa sangria. Qu'une firme d'aussi peu d'envergure consentît à gaspiller plusieurs milliers de dollars à seule fin de lui faire bonne impression parut à Paul une démarche absurde, sinon désespérée. Il l'élimina donc.

Parmi les trois encore en lice, il éprouvait une préférence pour l'agence Golden, Chan & Associés.

— Nous ne sommes pas partisans de la poudre aux yeux, lui avait déclaré Élizabeth Golden, lors de leur premier entretien. Ce sont nos idées que nous vendons, pas de l'alimentation.

Élizabeth Golden était une grande femme aux courbes harmonieuses, d'environ trente-cinq ans. Ses cheveux blond cendré, coupés en frange sur le front, lui tombaient droit sur les épaules. Elle avait des yeux verts, un teint de blonde et ses lèvres, pleines et généreuses, semblaient constamment sur le point de sourire. Elle était sympathique, d'un abord plaisant. George Chan, son associé, était un petit homme fluet aux grosses lunettes d'écaille. Il laissait volontiers sa partenaire s'exprimer en leur nom, écoutait, sirotait du café tout en griffonnant sur son bloc.

Une semaine plus tard, il les rencontra de nouveau pour juger du résultat de leurs réflexions sur ses projets de campagne. Ils ne lui présentèrent que quelques croquis illustrant les principaux aspects des films envisagés, mais

146

dont la conception d'ensemble plut à Paul. Cette affinité naissante ne lui simplifia pas les choses lorsque, quelques jours plus tard, après avoir pris connaissance des projets soumis par les deux autres agences, il se vit contraint d'éliminer à leur tour Golden, Chan & Associés. Sa décision n'était fondée que sur des critères professionnels : l'agence manquait d'ampleur, de références dans le domaine des vins. Elle était dépourvue d'un service « marketing » avec qui échanger des idées ou préciser des stratégies et leur département « médias » était réduit à un seul jeune homme, brillant certes mais encore inexpérimenté. Dommage, se dit Paul. Elizabeth Golden lui avait été extrêmement sympathique et il avait trouvé une tête fort bien faite sur ses belles épaules.

Il l'appela personnellement pour le lui annoncer :

— Je n'ai jamais gagné à la loterie, soupira-t-elle.

— Votre agence m'a quand même beaucoup plu et vous irez loin, j'en suis sûr. Mais je crois que vous ne correspondez pas exactement à ce que nous recherchions.

— Je comprends vos raisons. Je n'en suis pas ravie mais je comprends. Nous aurions malgré tout fait du bon travail.

— Je n'en doute pas.

— Pourriez-vous me dire pourquoi vous nous éliminez ? Cela nous rendrait service, à George surtout. Quand une affaire nous échappe, il a une déplorable propension à jeter contre les murs tout ce qui lui tombe sous la main — moi, à l'occasion.

Paul éclata de rire. Il expliqua les raisons de sa décision, particulièrement l'absence ou l'insuffisance de leur potentiel en « marketing » et en « médias ».

— Merci de votre franchise, répondit-elle. Nous nous serions pourtant bien amusés à travailler ensemble.

Le samedi matin, Paul arpenta la cuisine pour compléter la liste des achats à faire. Par la fenêtre ouverte il entendait le bruit sourd d'une balle rebondissant sur les marches du perron.

Sa liste terminée, il remonta dans sa chambre chercher de

l'argent. En passant devant la porte de Bobby, restée ouverte, il constata que celui-ci n'avait pas fait son lit et que son pyjama était jeté par terre, au milieu d'un fouillis de jeux et de jouets. Mécontent, il entra dans la pièce et vit, posé sur la table, un album à la reliure bleue, l'un des six albums de photographies si soigneusement tenus à jour par Jane. Paul tourna distraitement les pages, en découvrit une vide. Les légendes y figuraient toujours : « Barbecue du 4 Juillet », « Jane et Bobby », « Jardin des Berg, 1975 » et « A la plage, 1976 », mais les photos avaient disparu.

Étonné, Paul descendit l'escalier et sortit dans le jardin. Bobby lançait inlassablement sa balle contre les marches et s'exerçait à la rattraper dans toutes les positions.

— Il est l'heure d'aller faire les courses !

— Je n'y vais pas.

— Comme tu voudras...

Paul le vit cueillir une balle à ras de terre :

— Et pour le déjeuner ? reprit-il. Tu ne veux pas venir manger une pizza chez Guido ?

Sans répondre, Bobby continuait de lancer sa balle.

— Allons, viens ! dit Paul d'un ton engageant. Tu sais bien que le samedi nous allons toujours chez Guido après avoir fait le marché.

— Je n'ai pas envie, d'accord ? répondit enfin Bobby en haussant le ton.

A l'ombre de sa visière, Paul vit les yeux de son fils briller d'une incompréhensible colère. Il lui rendit son regard avec sévérité :

— Tu n'as pas fait ton lit, ce matin. Pourquoi ?

— Tu t'en moques que je fasse mon lit ou pas. Il n'y avait que maman qui s'occupait de ça, pas toi. Alors, j'ai décidé de ne plus le faire. De toute façon, ça ne sert à rien.

— C'est indispensable, au contraire. Ta chambre est un vrai chantier.

La porte des Dawson, les voisins d'en face, s'ouvrit pour laisser le passage à leur caniche qui traversa la rue en courant pour venir renifler amicalement les baskets de Bobby.

— Tu vas monter faire ton lit ! dit Paul.

— Oui, j'ai compris ! Et tu veux que je t'accompagne faire les courses et que je me tienne bien et que je t'obéisse et

148

que nous soyons une grande famille heureuse, c'est ça, hein ?

Bobby tourna le dos et s'agenouilla pour caresser le chien.

— Rentre immédiatement ! dit Paul. Va ranger ta chambre et attends que je revienne du marché, compris ?

Bobby se releva de mauvaise grâce et partit d'un pas traînant. A la porte, il se retourna pour lancer à son père un regard furieux. Paul fit ses achats à la hâte. En quittant la caisse, il avait cependant retrouvé un peu de sang-froid. Après avoir mis ses paquets dans le coffre, il entra chez Guido et lui commanda une pizza à emporter.

De retour à la maison, Paul mit deux couverts sur la table et posa un verre de lait glacé devant celui de Bobby, lequel fit silencieusement son entrée et alla prendre sa place.

— Tu vois, j'ai rapporté une pizza.

Bobby hocha la tête.

— Guido t'envoie le bonjour... Tu as rangé ta chambre ?

— Oui, répondit-il d'une voix à peine audible.

— Tu as fait ton lit ?

— Oui.

Ils mangèrent en silence. L'atmosphère entre eux était tendue.

— Veux-tu qu'on parle ? demanda Paul.

— Non.

— Écoute, Bob, je ne peux pas supporter ce silence ! Il faut que je sache où nous en sommes, toi et moi.

— Je ne suis pas fâché contre toi, ni rien. Mais...

Il s'interrompit, le front plissé sous l'effort pour trouver les mots :

— Je veux dire, à quoi ça sert ? Pourquoi se fatiguer pour rien ? Tous les jours, on refait les mêmes choses idiotes. Je me lève, je vais à l'école, je rentre à la maison, je me couche. Le samedi, je fais mon lit et je t'accompagne au marché. Tout ça, c'est... c'est idiot, quoi !

— C'est ce qui s'appelle vivre, mon petit. C'est cela que nous faisons d'un jour à l'autre, tous les jours.

— Pour quoi faire ?

— Parce que c'est comme ça. Parce que nous essayons de surmonter ensemble un moment pénible de notre vie à tous les trois. Parce que nous sommes désorientés et que nous avons mal.

— Pas Barbara, dit Bobby avec amertume. Ni toi non plus.

— Comment le sais-tu ? Nous en faisons moins étalage que toi, un point c'est tout.

— Possible...

— Si tu t'imagines que nous avons oublié ta mère, tu te trompes.

— Possible, répéta Bobby avec une grimace sceptique.

— Puisque nous parlons d'elle, j'ai remarqué qu'il manquait plusieurs photos dans l'un des albums. Tu les as prises ?

Bobby détourna les yeux et regarda par la fenêtre. D'une main, il roulait et déroulait nerveusement le coin de sa serviette.

— Elles sont dans ma poche, dit-il enfin.

— Tu les gardes toujours sur toi ?

Un pigeon se posa sur le panier de basket et battit des ailes. Bobby avait l'air au bord des larmes. Paul se rappela l'une des photos que Bobby portait précieusement dans sa poche : c'était lui qui l'avait prise, comme la plupart des autres. Ils étaient à la plage. Agenouillée dans le sable, Jane tenait dans ses bras Bobby vêtu d'un caleçon de bain et d'une chemise Mickey. Elle arborait un sourire éclatant et embrassait son fils avec une tendresse évidente.

— Je les regarde de temps en temps, dit Bobby. A l'école, entre les classes. Quelquefois avant de me coucher. Je ne les abîmerai pas, ajouta-t-il. Elles sont dans l'étui de ma carte d'abonnement, elles ne risquent rien.

— C'est très bien.

— Cela t'est égal, au moins ? Il ne faut pas que je les remette dans l'album ?

L'inquiétude soudain apparue dans l'expression de Bobby serra le cœur de Paul :

— Non, bien sûr que non.

Attention, vieux frère, contrôle-toi. Ne te mets pas à sangloter dans ton assiette.

— Tant mieux, dit Bobby. Merci.

150

— Tu sais, Bob, elle t'aimait beaucoup. Énormément.

— Oui, mais pas autant que je l'aimais.

Entre les deux agences restant dans la course, Paul avait du mal à faire son choix. Il retourna le problème dans tous les sens, conscient de ce que le temps lui était de plus en plus mesuré. Michael l'écouta patiemment exposer ses scrupules et ses hésitations et, pour finir, lui suggéra de tirer à pile ou face :

— Elles m'ont l'air aussi qualifiées l'une que l'autre. Piques-en une au hasard et n'en parlons plus.

Paul eut cependant une meilleure idée : il téléphona à Elizabeth Golden.

— Dites-moi que je rêve ! s'écria-t-elle en reconnaissant sa voix. C'est nous que vous avez finalement choisis ?

— Non, j'ai simplement besoin de vos lumières.

Paul lui expliqua la nature de son dilemme et conclut :

— Comme vous voyez, c'est bonnet blanc et blanc bonnet. Pourrions-nous en parler plus en détail ? Voudriez-vous m'aider ?

— Pourquoi voudriez-vous que je vous aide ? Vous venez de faire voler en éclats notre prime de fin d'année !

— Parce que je suis un brave type et que vous avez bon cœur. Sans compter que vous êtes plus futée que moi...

— Je m'en étais déjà rendu compte.

— Alors, je vous invite à déjeuner aujourd'hui ?

— D'habitude, je déjeune à mon bureau, nous avons trop à faire pour perdre notre temps à table. Voulez-vous que je vous commande un sandwich ?

— Je suis trop riche pour me contenter d'un sandwich ! Que diriez-vous du Madrigal ? C'est juste à côté de chez vous.

Il l'entendit pouffer de rire :

— Savez-vous où vous voulez m'entraîner ? Dans cet endroit-là, on grossit de trois livres rien qu'en lisant le menu !

— Un italien, alors ? J'en connais un excellent dans le quartier...

151

— C'est pire ! Attendez, il y a un restaurant végétarien au bout de la rue. On s'en sortira en moins d'une heure.

En descendant de son taxi, il vit Elizabeth qui l'attendait devant la porte, le visage levé vers le soleil.

— Le vaste monde ! dit-elle avec un geste large. Je ne l'avais pas vu depuis longtemps. George m'enchaîne à mon bureau et refuse de me donner la clef.

Debout à côté d'elle, Paul fut étonné de la trouver si grande. Avec ses talons, elle avait presque la même taille que lui. Elle portait, ce jour-là, des jeans, une blouse de soie verte et un long rang de perles autour du cou.

— Comme vous voyez, je n'ai pas la tenue idéale pour aller dans des endroits chics. Venez.

Ils s'intégrèrent à une file d'attente qui se déplaçait lentement devant un comptoir.

— Vous choisissez ce que vous voulez et on vous le sert à votre table.

Elle porta son choix sur une abondante salade composée et du pain bis; Paul l'imita. Lorsqu'ils furent assis et qu'on eut placé leur commande devant eux, Elizabeth coupa une tartine en deux et en mastiqua une bouchée :

— Avant tout, permettez-moi de vous dire que vous avez un culot insensé. Je suis folle de rage.

— Je suis désolé...

— Gardez donc vos regrets ! Enfin, voyons, si vous me trouvez capable de vous aider à choisir une agence, je peux vous faire votre pub, oui ou non ?

— Écoutez, je vous ai expliqué les raisons de mon refus...

— Oh ! je les ai bien entendues ! Je crois même que vous avez été honnête en me les disant. Il n'empêche que vous vous fourrez le doigt dans l'œil. L'expert en vins, c'est vous. Qui, mieux que vous, connaît la profession ? Pourquoi auriez-vous besoin d'un soi-disant génie du marketing bardé de diplômes bidon pour vous donner des réponses que vous connaissez mieux que lui ? En joignant vos connaissances et mes idées, nous vendrions du pinard comme personne !

— Je croyais que la question était déjà réglée.

— Et moi, je me suis dit : « D'accord, vas-y, déjeune avec cet individu. Tu auras peut-être une chance de le faire changer d'avis. » Tenez, laissez-moi au moins vous parler de notre directeur médias. Il est jeune, c'est vrai, mais sensationnel...

Elle se lança alors dans une tirade longue et embrouillée afin de le convaincre que son jeune prodige non seulement parvenait à économiser des sommes considérables au bénéfice de leurs clients mais, bien mieux, assurait à leurs campagnes un impact exceptionnel. Tout en mangeant sa salade, Paul n'écoutait que les inflexions harmonieuses de sa voix, observait les couleurs qui teintaient ses joues, la lumière qui faisait scintiller ses yeux verts. Son enthousiasme lui rappelait le sien, lorsqu'il n'était encore qu'un jeune représentant ambitieux acharné à créer une affaire de toutes pièces. « C'est quand le client dit non que commence véritablement la vente »... Avait-il déjà oublié ce principe ?

— Voilà pourquoi, conclut-elle, l'expérience ne veut strictement rien dire si elle ne s'applique pas à ce que l'on souhaite.

— Je sais, je sais, dit Paul avec ménagements. Mais vous savez que ma décision est prise...

— C'est bien pour cela que je vous offre une dernière chance de changer d'avis.

— Écoutez, mademoiselle Golden...

— De grâce, appelez-moi Liz ! dit-elle avec impatience. Si je veux pouvoir vous engueuler, servez-vous au moins de mon petit nom.

— Ah... Parce que vous comptez m'engueuler ?

— Plutôt, oui ! Hurler, griffer et donner des coups de pied, par-dessus le marché. Quand je suis lancée, je suis une vraie tigresse.

— Je m'en doutais un peu.

— Je suis combative, je vous préviens, et j'ai horreur de perdre. Cela dit, répétez-moi pourquoi vous ne voulez pas nous confier votre budget.

— Outre l'inexistence de vos services « médias » et « marketing », vous manquez de références. Votre affaire ne tourne que depuis trois ans.

— C'est l'ineptie du siècle et vous le savez très bien ! George et moi sommes au sommet de notre forme. Vous avez vu ce dont nous sommes capables, n'est-ce pas ? Dans la profession, nous sommes des champions, Klein. Nous

153

sommes dans le coup, vous comprenez ? Si vous allez ailleurs que chez nous, vous faites une bêtise grosse comme vous !...

Elle empoigna le couteau à beurre et, l'espace d'un instant, Paul crut qu'elle allait le lui plonger dans la poitrine. Elle se contenta de poignarder sauvagement le beurrier, d'étaler une généreuse portion sur sa tartine et d'avaler le tout avec résolution.

— Tenez, regardez ce que vous me faites faire ! dit-elle entre deux bouchées. Du beurre ! Ce soir, il va falloir que je coure quatre kilomètres au lieu de trois.

— Vous faites du jogging ?

— Non, de la course à pied. Sans parler de la natation et de la gymnastique. Et malgré tous mes efforts, je reste bâtie comme une armoire à glace ! Vous êtes du genre à bouleverser les plus fermes résolutions.

— A votre place, je ne m'inquiéterais pas trop. En fait d'armoire à glace, je vous verrais plutôt mannequin.

— Vous avez l'air de vous y connaître, vous ! répondit-elle avec un ricanement. Et ne cherchez pas à détourner la conversation. Donc, vous voudriez que je vous aide. Pourquoi ?

— Vous m'avez été sympathique. Votre travail m'a fait excellente impression.

— Évidemment. Et encore ?

— Je vous crois sensée, intelligente, honnête. Il y a tellement de frimeurs dans votre profession...

— Dans toutes les professions. C'est tout ?

Paul réfléchit brièvement :

— J'ai également senti que nous avions des atomes crochus. Nous sommes capables de nous parler franchement et j'attache du prix à votre opinion.

— Moi aussi. Mais voulez-vous écouter un peu ce que vous venez de me dire ? Je suis sensée, intelligente, honnête, je fais du bon travail et nous nous entendons bien. Et maintenant, vous prétendez vouloir confier votre budget à quelqu'un d'autre ? C'est complètement idiot !

Paul ne put s'empêcher de sourire :

— Vous ne lâchez pas facilement le morceau !

— Comprenez-vous que vous seriez un de nos plus gros

154

clients ? A ce titre, vous bénéficieriez d'un traitement de faveur. George est un créateur visuel comme il n'y en a pas deux dans le métier. Enfin, quoi, nous sommes faits pour nous entendre !

— Écoutez, Liz, pouvons-nous parler d'autre chose pendant quelques minutes ? Laissez-moi au moins vous dire en deux mots qui sont les deux autres. Ce matin, vous aviez promis que vous me donneriez un coup de main.

— Je ne me suis pas encore décidée... En fait, vous me demandez comment je préfère être exécutée ! La corde ou le poison, le résultat est le même.

— La prochaine fois, ce sera votre tour...

— Ah non ! ça suffit comme ça ! s'écria-t-elle.

Il vit un éclair de fureur dans ses yeux. Elle posa brusquement sa serviette sur la table, décrocha son sac du dossier de sa chaise, se leva et prit la main de Paul qu'elle serra :

— Adieu, Klein. Je vous souhaite beaucoup de bonheur avec votre nouvelle agence.

— Où allez-vous si vite, Liz ? dit Paul sans la lâcher. Rasseyez-vous, voyons, calmez-vous...

— Lâchez-moi ou j'appelle un flic !

Elle se dégagea et partit à grands pas. Médusé, Paul la suivit des yeux, fit un geste pour se lancer à sa poursuite mais se rassit aussitôt. Elle avait pris trop d'avance pour qu'il pût la rejoindre.

Il termina hâtivement son déjeuner, héla un taxi. A quelques dizaines de mètres du restaurant, il avisa l'étalage d'un fleuriste, se fit arrêter devant. Son idée première de lui envoyer des fleurs fit place à une inspiration mieux appropriée. Il sélectionna un superbe cactus fleuri dans un joli pot, se fit donner une carte sur laquelle il écrivit simplement son nom.

Le lendemain matin, elle l'appela à la première heure :

— Dites donc, Klein, qu'est-ce que fabrique ce cactus dans mon bureau ?

— Des fleurs, j'espère.

— A quoi ça ressemble ?

— A vous, c'est pourquoi je vous l'ai envoyé.

— C'est ainsi que vous me voyez, en cactus ?

155

— Absolument. Plein d'épines, redoutable, mais avec une ravissante petite fleur au-dessus.

Paul trouva son rire particulièrement mélodieux.

— Merci, c'est vraiment gentil.

— Je voulais simplement vous remercier de l'inoubliable déjeuner que j'ai failli avoir avec vous. Par le fait, vous m'en devez maintenant un complet.

— Vous êtes un rigolo, Klein.

— Moi ? Jamais. Toujours sérieux comme un pape.

Il l'entendit soupirer :

— Bon, je vous écoute. Parlez-moi de ces deux agences. Cela me ferait de la peine de vous savoir escroqué par des margoulins.

Au bout du fil, Paul fit un large sourire. Il nomma les agences en question, décrivit sommairement leurs propositions.

— D'accord, je m'incline, dit Liz quand il eut terminé.

Elle entreprit de lui expliquer pourquoi elle sélectionnerait de préférence telle agence plutôt que l'autre et conclut par une mise en garde sur certains coûts de production abusifs.

— Merci, Liz.

— De rien, Klein. Vous auriez mieux fait de venir chez nous, mais c'est comme ça, n'en parlons plus. Et puis... Pardonnez-moi pour hier, mais je ne peux pas supporter qu'on me dise « la prochaine fois ». Je vois rouge.

— Je ne recommencerai plus. Merci encore.

— Adieu, Klein. Je vous reverrai sur les écrans de télévision.

Quelques jours avant l'anniversaire de la mort de Jane, sa mère vint s'installer chez eux.

A l'aéroport, où ils étaient allés la chercher, Paul et Bobby retrouvèrent une petite femme tout en os, ridée de la tête aux pieds par l'abus du soleil tropical. Ses premières paroles — « Barbara n'est donc pas venue ? » — les couvrirent de remords et de culpabilité, dont elle déversa ensuite d'épais nuages dans toute la maisonnée comme en se servant d'une bombe aérosol. Elle les étouffa sous une profusion d'embrassades et de caresses, d'exclamations admiratives et d'interminables conversations confidentielles avec les enfants. Logée dans la chambre d'amis, elle se plaignit du froid. Paul fut contraint de rallumer le chauffage. Sa belle-mère n'en continua pas moins à frissonner sous ses tricots tandis que les autres suffoquaient de chaleur.

Son flair infaillible lui permit de découvrir sans délai nids de poussière, casseroles graisseuses et vitres douteuses. D'un ton de conspirateur, elle mit Paul en garde contre l'incompétence de Gemma — comme s'il n'en avait pas été pleinement conscient et n'avait pas fait un choix délibéré en sacrifiant la tenue du ménage à une présence amicale auprès des enfants. Sylvia exigea d'être informée du montant des gages payés à la coupable et, l'ayant appris, leva au ciel avec une mimique horrifiée des yeux où Paul ne pouvait s'empêcher de reconnaître ceux de Jane. Lorsqu'elle s'offrit pour recruter une personne capable, ne dédaignant pas de s'agenouiller pour astiquer le carrelage, Paul dut y mettre le holà, poliment mais fermement.

— Un peu de patience, déclara-t-il à Gemma dont les souffrances faisaient peine à voir. Un peu de patience.

Munie d'une inépuisable réserve de mauvaise conscience, Sylvia en fit elle-même usage en se plongeant dans une débauche de préparations culinaires dont les malheureux enfants étaient, à ses yeux, indignement privés. Des années de repas solitaires, improvisés sur un coin de fourneau ou consommés à la hâte dans des restaurants de quartier, avaient cependant compromis ses compétences dans ce domaine. Non que Sylvia eût jamais porté ombrage aux maîtres de la gastronomie : Paul retrouva, sans plaisir, les cuissons excessives et l'abondance de sel qui avaient jalonné les mois, aujourd'hui lointains, où il courtisait Jane. Les enfants firent malgré tout l'effort de mastiquer en souriant, contents de voir enfin occupée la quatrième place à table — du moins lorsque Sylvia daignait s'y asseoir au lieu de rester debout, comme une servante, à les encourager de la voix et du geste.

Le dimanche suivant son arrivée, ils se rendirent ensemble au cimetière. Barbara avait mis une robe et Bobby un blazer. Tout au long du trajet étouffant et embouteillé jusqu'à Long Island, Sylvia n'oublia aucune des piques dont elle pouvait planter douloureusement la pointe dans l'épiderme de son gendre. Oui, il aurait fallu organiser un service de bout de l'an. Oui, il aurait fallu inviter une foule d'amis et de parents. Oui, il aurait fallu prévoir une collation à la maison pour les proches. Elle versa même quelques larmes à l'occasion d'un bouchon sur la voie express. Lorsque Sylvia pleurait, ce n'était jamais avec discrétion et elle leur fit savoir, dans un concert de gémissements, quelle inconsolable douleur était la sienne : « Elle était si jeune, si jeune... »

Il y avait beaucoup de monde au cimetière. Paul se fraya un chemin à travers un cortège de longues limousines noires et de corbillards et parvint à se garer au bout d'une allée, loin de la tombe où ils durent se rendre à pied. Il tenait la main de Bobby, dont le visage était visiblement marqué par l'angoisse. En dépit des explications et de la préparation psychologique prodiguées aux enfants, la vision de la tombe de marbre gris leur causa un choc. Bobby s'enfouit la figure dans la veste de son père et éclata en sanglots. Paul eut du mal à ne pas succomber à l'émotion et à réconforter son fils.

La tombe était bien entretenue, Dieu merci, couverte de gazon et de lierre sombre — sans plus de trace de la cicatrice de terre ocre encore visible l'an dernier. Paul posa les yeux sur la tombe de ses parents, juste à côté, vécut à nouveau l'arrachement ressenti lorsqu'il les avait accompagnés ici même. La voix de Sylvia le ramena brutalement à la réalité :

— Il nous faut un de ces hommes, là-bas. Pour dire les prières.

Un étranger, un inconnu indifférent comme celui qui avait bredouillé ces paroles incompréhensibles sur la tombe de Jane tandis qu'il était là, au bord du trou béant, à se demander pourquoi le monde s'écroulait autour de lui en menaçant de l'ensevelir... Il fut surpris du son de sa propre voix :

— Non, Sylvia, je m'y refuse absolument. Cela ne veut rien dire.

Elle lui décocha un regard si plein de fureur outragée qu'il dut détourner les yeux :

158

— Vous n'avez pas le droit de m'en priver ! Puisque vous ne voulez pas en chercher un, j'irai moi-même.

Il parvint à la rattraper alors qu'elle s'éloignait déjà. Les rites, la tradition. Oui, il lui fallait cela, à elle comme aux autres... Il confia Bobby à sa grand-mère et se dirigea vers l'allée centrale. Un rabbin, n'importe lequel, pour débiter des prières dans une langue dont il avait tout oublié et que Jane ignorait elle-même — car on peut être juif sans connaître la langue de ses ancêtres. Mais Paul savait aussi qu'on ne peut rejeter son héritage, sa tradition, refuser d'admettre que le sang de Moïse et d'Abraham coule encore dans ses veines; oublier que l'on porte encore dans ses os les meurtrissures des générations ayant survécu à toutes les persécutions, à tous les génocides.

A l'ombre, assis sur un banc, un jeune homme en noir leva les yeux vers lui :

— Vous cherchez un rabbin ?

Derrière la monture d'acier de ses lunettes, il avait un regard bleu comme l'eau de la mer.

Surpris de sa jeunesse — il ne paraissait pas vingt ans —, Paul hocha la tête. Ils se mirent en marche côte à côte. Le jeune homme sortit de sa poche une calotte noire.

— Un être cher ? demanda-t-il.

— Ma femme.

— Ah ! fit-il avec un profond soupir. Et qui sont les autres ?

— Mes enfants et la mère de ma femme.

— Je dirai donc une prière à l'intention de chacun d'entre eux. Désirez-vous aussi...

Il proféra alors quelques mots en hébreu.

— Je ne comprends pas, dit Paul.

— C'est une prière spécialement destinée à la mémoire d'une épouse.

— Entendu. Mais dites-moi, rabbin... Vous êtes bien rabbin, au moins ?

— Oui, oui, absolument, répondit le jeune homme avec un sourire qui dévoila une dent d'or.

— J'aimerais que vous la traduisiez pour que mes enfants la comprennent. Est-ce possible ?

Le jeune rabbin ouvrit le volume relié de cuir qu'il serrait

159

dans sa main et tendit à Paul quelques feuillets imprimés :

— La traduction y est déjà, je vous montrerai l'endroit.

Ainsi, Sylvia eut sa cérémonie, Paul une prière intelligible. Ils lurent tous ensemble les paroles psalmodiées par le rabbin qui, comme convenu, dit une prière pour un enfant, pour une mère, pour une épouse disparue. Il conclut sur l'hymne spécialement dédiée à Jane, qui s'ouvrait par ces mots : « Une épouse parfaite est plus précieuse que le rubis... »

Paul remercia le jeune homme, lui glissa un billet dans la main. Les enfants se comportaient admirablement, graves mais dignes, les yeux secs, plus courageux que Paul ne s'y était attendu. Sylvia s'agenouilla, ramassa un caillou et le posa sur la stèle de marbre. Paul s'éloigna de quelques pas et alla faire de même sur la tombe de ses parents. Reposez en paix, Edith et Herman Klein, leur dit-il silencieusement. Vous me manquez beaucoup.

Lorsqu'il se retourna, il vit Barbara et Bobby placer à leur tour un caillou sur la stèle de leur mère. Au moment où Paul déposait le sien, Bobby se tourna vers lui :

— Je sais pourquoi nous faisons cela. C'est une manière de dire à maman que nous sommes venus la voir et que nous ne l'oublions pas.

Paul hocha la tête en silence. Le mot « maman », sorti de la bouche de son fils, venait de rouvrir la blessure qu'il portait au plus profond de lui et qu'il avait crue cicatrisée. Il se détourna à la hâte et pleura sans bruit, la main devant les yeux. Alors, ce petit Bobby qu'il avait si longuement, si patiemment consolé vint le réconforter à son tour en lui entourant la taille de ses bras menus.

— Vas-y, papa, pleure un bon coup. Cela fait du bien de pleurer, même quand on est un homme.

13

Son anniversaire tombait à la fin de mai. Paul n'avait aucune envie de célébrer la pire année de sa vie mais les enfants ne voulurent rien savoir. Lorsqu'il descendit à la cuisine, ce matin-là, pour préparer le petit déjeuner, il trouva sur la table une carte de vœux avec leurs signatures et une boîte en carton, contenant un superbe cardigan. L'idée venait probablement de Barbara mais, eût-il parié, l'achat avait sans doute été financé par les économies de Bobby. Bobby était le Harpagon de la famille. Ses trois dollars d'argent de poche hebdomadaire étaient à peine écornés par l'acquisition d'une tablette de chocolat de loin en loin tandis que Barbara, entre ses tickets de concert et ses disques, se retrouvait perpétuellement à court d'argent. Ce soir-là, au dessert, les lumières de la cuisine furent éteintes par une main « mystérieuse » pour préparer l'entrée spectaculaire de Barbara porteuse d'un gâteau couvert de bougies. Paul fut touché aux larmes.

Le travail et les soucis dont ses journées étaient remplies débordaient parfois sur ses nuits. L'agence de publicité l'accaparait et bouleversait son emploi du temps. Pourquoi, se disait-il avec agacement au cours d'un de ses innombrables déplacements en métro, pourquoi ces gens de la publicité aiment-ils autant les réunions et les conférences ? Les budgets, révisés semblait-il tous les jours, allaient et venaient des uns aux autres comme des balles de tennis. Cela ne l'empêchait pas de devoir assurer son travail au bureau,

161

de garder le contact avec ses distributeurs, d'animer et de superviser son réseau de représentants tout en trouvant le moyen de faire une tournée de trois jours à Cincinnati et Saint Louis, voyage éclair qui ne fit que grossir la montagne de paperasses menaçant de l'engloutir.

Liz Golden, entre-temps, semblait prendre racine dans sa tête, d'où Paul ne parvenait pas à la déloger. Au beau milieu d'une réunion à l'agence, il se surprenait à penser à elle, à se demander comment les choses se passeraient s'il travaillait avec elle au lieu des autres. Il résistait, cependant, à l'envie de lui téléphoner. Pour lui dire quoi ? « Salut, on dîne ensemble ce soir ? » Cela constituait un pas de géant, un Rubicon que Paul refusait de franchir, de peur de s'exposer à un refus pire qu'humiliant.

Une réflexion de Michael, au cours d'un déjeuner, le fit cependant réfléchir sur sa pusillanimité. « Je vois que tu t'es enfin décidé, lui avait dit Michael. Tu te fais moine hébraïque, avec vœu de chasteté pour le restant de tes jours. » Puis, devant ses protestations, il avait ajouté : « Si ce n'est pas le cas, mon petit vieux, qu'est-ce que tu attends pour te jeter à l'eau ? »

Marion Gerber le harcelait avec détermination et ne lui laissait pas davantage de répit. Un soir que les enfants étaient montés se coucher et qu'ils étaient seuls à table devant les vestiges d'un poulet frit, elle le tança avec amitié :

— Mais, enfin, elle a l'air très bien, cette fameuse Liz. Pourquoi ne sortez-vous pas ensemble ?

— Parce que j'ai peur.

— De quoi, grand dieu ?

— D'un refus.

— C'est idiot, Paul !

— C'est même parfaitement grotesque. Je me retrouve exactement dans la peau d'un gamin de seize ans trop intimidé pour inviter à danser sa jolie voisine du cours de maths. J'ai beau vieillir, j'en suis toujours là.

— Appelez-la. Au pire, elle ne pourra que répondre non.

— Justement ! Adieu mes rêves et mes illusions. En fait, elle vit peut-être déjà avec un autre...

Marion secoua la tête avec commisération et lui éclata de rire au nez.

162

— Comprenez-moi, Marion, elle me fait peur, en quelque sorte. Elle est si différente de toutes les femmes que nous connaissons. Je n'ai pas la moindre idée de la manière dont elle réagirait si je l'invitais à sortir un soir.

— Dans ce cas, Paul, cherchez ailleurs.

— D'accord. Mais où ?

Le jour vint où l'agence lui soumit le découpage des deux premiers films. Paul les trouva à son goût mais préféra réserver son jugement et en prit des photocopies qu'il rapporta au bureau pour en discuter avec Michael. Le lendemain matin, il les contempla pensivement, hésita, décrocha son téléphone et appela Liz Golden.

— Klein ? Pas possible ! Vous avez enfin flanqué ces minables à la porte et décidé de nous engager, c'est bien ça ?

— Bonjour, Liz...

— Vous ne pouvez pas vous passer de nous ? J'en étais sûre.

— Liz, écoutez-moi. J'ai reçu les *storyboards* des deux premiers films et j'aimerais que vous y jetiez un coup d'œil.

— Et pourquoi ça, je vous prie ?

— Parce que votre opinion m'intéresse. Ils me plaisent mais je voudrais savoir ce que vous en pensez.

— Vous vous imaginez que je vais prodiguer mes conseils gratis ?

— Je vous dois toujours un déjeuner...

— Pas si vite ! D'abord, j'ai du travail par-dessus la tête. Ensuite, votre idée ne me paraît pas géniale du tout. Personnellement, cela ne me plairait pas le moins du monde de voir n'importe qui juger mon travail sans que je sois là pour défendre mon point de vue. Et puis, qui vous dit que je ne vais pas m'amuser à démolir exprès les idées de mes chers confrères ? J'ai toujours envie de récupérer votre clientèle, vous savez !

— Vous ne feriez pas cela, Liz. Vous êtes trop honnête.

Il entendit un soupir faire vibrer l'écouteur.

— D'accord, une heure ici, dit-elle enfin. Nous ne

bougeons pas du bureau, apportez votre sandwich. Je ne peux pas faire mieux.

Il arriva à une heure précise, muni d'un sandwich et d'un gobelet de café. Liz mangeait déjà tout en tapant à la machine. A son vif dépit, Paul constata alors que George Chan déjeunait, lui aussi, dans le bureau de Liz. Il avait étalé des croquis par terre, sur les bureaux, les sièges :

— Installez-vous quelque part, si vous trouvez un coin libre, lui déclara Liz.

Paul découvrit un appui de fenêtre encore inoccupé et s'y assit. Pendant qu'il déjeunait, Liz et George poursuivirent leur travail sans s'occuper de lui. Au bout d'une demi-heure, elle se tourna enfin vers lui :

— Vous avez dix minutes. Montrez-moi vos horreurs.

Elle examina attentivement les documents, que George étudiait par-dessus son épaule.

— Pas mal, dit-elle enfin. C'est même plutôt bon. Une seule chose me chiffonne...

Elle expliqua que l'étiquette de la sangria était démodée, sans attrait pour la clientèle jeune à qui la campagne était destinée et conseilla à Paul de la faire redessiner par son agence. Une étiquette moderne améliorerait l'image du produit non seulement sur les écrans mais, et c'est ce qui comptait, sur les lieux de vente.

— Excellente idée, dit-il.

— Évidemment, elle est de nous.

— Merci, Liz...

— De rien, nous vous enverrons notre note d'honoraires... Non, je plaisantais, ajouta-t-elle en souriant. Maintenant, Klein, filez et, pour l'amour du Ciel, ne racontez pas à vos zèbres où vous avez déniché vos idées de génie !

Dûment congédié, Paul resta cependant une dizaine de minutes dans le bureau. Quand Golden-Chan se mettaient au travail, ils abattaient de la besogne ! Impossible de glisser un mot à Liz en présence de George. Pourtant, parce qu'ils ignoraient délibérément sa présence, Paul put observer Liz à loisir. Elle portait encore un jean mais, cette fois, avec un chemisier ivoire qui semblait éclaircir la teinte de ses cheveux blonds. Pas de maquillage, sauf un discret rouge à lèvres, de simples anneaux d'or aux oreilles. Pourquoi avait-il envie de sourire d'aise rien qu'en la regardant ?

Ils ne parurent même pas s'apercevoir de son départ.

Ce soir-là, avant de se coucher, il se soumit à un impitoyable examen devant le miroir de la salle de bain. Était-il trop vieux pour elle ? Allait-elle lui rire au nez ? Courage, vieux frère ! Tu as encore tes dents, tes cheveux, tu n'es pas mûr pour la maison de retraite. Marion Gerber ne t'a pas trouvé gâteux — oui, mais Marion n'est plus une minette. Au fait, Liz Golden ne l'est pas davantage. Il se pencha pour scruter les rides qui sillonnaient son visage. Elles lui donnaient du caractère, de la personnalité, conclut-il. Rien à voir avec la décrépitude. Alors, pourquoi s'affoler ? Tu es ce que tu es, mon bonhomme. Mais suppose que Liz Golden soit une fanatique du disco ? Pas de raison qu'elle ne le soit pas, après tout. Tu aurais l'air malin. La dernière danse que Paul s'était donné la peine d'apprendre avait été le mambo. Il se voyait mal onduler et se contorsionner pour se mettre à la mode...

Du calme ! Pas de panique !

Il lui fallut deux jours pour se donner du courage. Une attaque de front, fini de louvoyer : Tu décroches le téléphone et tu lui donnes rendez-vous. Direct. Tout ce que tu risques, c'est qu'elle te dise non... Alors pourquoi avait-il l'index tremblant tandis qu'il composait son numéro au cadran ?

— Klein ? dit-elle avec surprise.

— Nul autre. Comment va, Liz ?

— Mal. Fatiguée, énervée. Des enquiquineurs de clients toute la matinée. Et vous ?

— Très bien.

— Quel est le problème, cette fois-ci ?

— Pas de problème...

Allons, vas-y ! Dis-le ! Inutile d'avoir la langue en coton :

— Et le cactus, comment va-t-il ?

Espèce de sombre imbécile ! Le cactus... Il ne manquait plus que cela !

— Toujours en fleur.

— Écoutez, Liz... Je voudrais vous voir.

— A quel sujet ?

165

— Oh ! rien ! Je veux dire... Pour sortir ensemble.

— Hein ? Ai-je bien entendu ?

— Oui, j'en ai l'impression.

— Pour une surprise, c'en est une. Un monde nouveau qui s'ouvre à mes yeux incrédules. Vous n'êtes pas marié ?

— Non.

— Bizarre, il m'avait semblé vous entendre parler de deux enfants et d'une maison. Me suis-je trompée ?

— Non. Ma femme est morte l'année dernière.

— Oh ! je suis désolée... Je fais toujours des gaffes.

— Pas du tout. Écoutez, Liz, je vous ai trouvée extraordinaire depuis notre première rencontre et j'aimerais que nous fassions connaissance un peu mieux.

— Je vois. C'est drôle, je vous avais catalogué parmi les clients et relations d'affaires. J'ai du mal à changer ma mise au point.

— Client ou pas, je fais partie de l'espèce masculine.

— Je m'en étais incidemment rendu compte.

— Je voudrais simplement vous inviter à dîner, sans parler d'affaires. Je crois que nous nous entendrions très bien. Et puis, vous êtes... extrêmement séduisante.

— Vous n'êtes pas repoussant non plus. Eh bien, d'accord. Pourquoi pas ?

— Merveilleux !

— La vie est faite de surprises, dit-elle avant de raccrocher.

Ce soir-là, Michael jeta à Paul un regard curieux :

— Qu'est-ce que tu mijotes ? Tu as eu un sourire béat tout l'après-midi. Pas de faux-fuyants, je te connais trop bien.

— Eh bien... J'ai un rendez-vous.

— Hosannah ! Et avec qui ?

— Une femme.

— De mieux en mieux. Quand cela, si j'ose me montrer indiscret ?

— Samedi soir.

— As-tu l'intention de garder ton sourire idiot jusque-là ? Je n'ai pas l'impression que j'y résisterais.

Il rentra chez lui d'un pas aérien. Dans la cuisine, pendant qu'il préparait le dîner, il se surprit à fredonner et plaisanta plus que de coutume avec les enfants.

— Il y a, dans cette pièce, quelqu'un qui a l'air heureux, fit observer Barbara.

— Oui, moi.

— Y a-t-il une raison en particulier ?

— As-tu des projets pour samedi soir ? répondit-il.

— Nous sortons quelque part ? intervint Bobby.

— Non, je sors seul.

— Je suis invitée à une boum avec Peter, dit Barbara.

— Tu seras donc seul à la maison, Bob. Veux-tu aller coucher chez les Berg, ou préférerais-tu Marion ?

— Ni l'un ni l'autre.

— Tu es sûr ?

— Je suis déjà resté seul, je ne suis plus un bébé.

— Tu pars en voyage ? demanda Barbara.

— Non, je sors dîner.

Il leur fallut quelques instants pour saisir les implications de cette réplique.

— Tu veux dire, tu sors avec une fille ? s'enquit Bobby.

— Une femme. J'ai fait sa connaissance dans mes affaires. Elle s'appelle Liz Golden, elle dirige une agence de publicité. Et elle est tout à fait charmante.

— Tu es amoureux d'elle ? insista Bobby.

— Arrête de dire des bêtises ! intervint sèchement Barbara.

— Ce n'est pas une bêtise, dit Paul. Je ne suis pas amoureux d'elle. Nous sortons dîner, un point c'est tout. Inutile d'en faire une montagne. J'ignore même si je lui suis sympathique ou non.

— Évidemment que si, affirma Barbara.

— Tiens, comment le sais-tu ?

— Tu as toutes les perfections, elle sera bien forcée de s'en apercevoir.

— Merci, tu es trop gentille ! dit Paul en riant.

— C'est vrai, tu sais ! Tu es beau, intelligent, modeste, tu sais écouter... Et quand tu veux, tu peux toi aussi être « tout à fait charmant ».

Le samedi soir, Paul prépara le dîner de Bobby avant de monter prendre une douche et se changer. Il se coiffait devant le miroir embué quand il vit le petit garçon apparaître dans la salle de bain.

— Tu as débarrassé la table ?

— Évidemment.

En sous-vêtements, Paul alla fouiller dans sa penderie. Depuis la veille, il hésitait sur sa tenue; maintenant, il fallait se décider. Il passa d'abord une chemise bleue, parce qu'elle allait avec tout. Mais quel costume ? L'anthracite à rayures blanches, le bleu marine trois pièces ? Autre chose ? Il décrocha les deux complets et les posa côte à côte sur le lit.

— Lequel préfères-tu ? demanda-t-il à Bobby.

— Le foncé, le bleu.

— Tu ne le trouves pas un peu trop habillé ?

— Il te va bien, dit Bobby en haussant les épaules.

Paul hésita :

— Non, dit-il enfin. Ce soir, il me faut quelque chose de plus jeune.

Il prit les costumes, les pendit à leur place, choisit un pantalon de flanelle grise et un blazer. Assis au pied de son lit, il enfila ses chaussettes sous le regard concentré de Bobby.

— Quel âge elle a, cette bonne femme ?

— Cette « dame », tu veux dire ? Je ne sais pas exactement. Trente-cinq ans, un peu plus, un peu moins.

— Tu ne le lui as pas demandé ?

— Non. Les dames n'aiment pas qu'on leur pose des questions aussi indiscrètes — surtout quand elles vieillissent.

— Grand-mère a soixante-sept ans et ça lui est égal que les gens le sachent.

— Eh bien, elle constitue une exception. Il faut faire très attention et savoir à qui on s'adresse, les femmes sont susceptibles. Si tu sais t'y prendre, elles te diront peut-être la vérité.

— Papa, je peux te demander quelque chose ? Vas-tu te remarier ?

— Un jour peut-être. Je ne sais pas...

Paul passa en revue ses cravates, en prit une à rayures et alla se planter devant le miroir pour la nouer.

— On habitera quand même toujours ici ?

— Bien sûr.

— Tant mieux.

Paul mit son blazer, le boutonna, tira sur ses manchettes et vérifia sa tenue devant le miroir.

— Comment me trouves-tu ?

— Pas mal.

— C'est tout ?

— Très chic.

— A la bonne heure !

— Tu sais, papa, je ne voudrais pas que nous déménagions. J'aime trop la maison. On y est bien.

— On y est *très* bien, et je l'adore moi aussi. Viens.

Dans la salle de bain, Paul s'aspergea les cheveux et les joues d'eau de Cologne, en mit quelques gouttes sur la tête de Bobby.

— Bon, j'y vais. Descends avec moi, tu fermeras la porte à double tour. Et ne te couche pas trop tard, promis ?

— Oui, ne t'inquiète pas.

Quand Paul se pencha pour embrasser Bobby dans le vestibule, le petit garçon détourna la tête :

— Je préférerais que tu ne sortes pas ce soir, dit-il.

Surpris, Paul interrompit son geste. Bobby avait soudain l'air absent, buté, que Paul connaissait trop bien.

— Qu'est-ce qui ne va pas ? demanda-t-il avec douceur.

— Il faut vraiment que tu sortes ?

— Écoute, Bob, nous en avons déjà parlé...

— Tu n'as pas besoin de sortir. Nous pourrions regarder la télé ou jouer aux cartes.

— Demain, je te le promets. Mais, ce soir, j'ai prévu de sortir et je sors. Allons, mon fils, montre-toi raisonnable. Je ne peux quand même pas rester toujours enfermé ici.

Bobby ne l'écoutait déjà plus. Il s'était esquivé dans le living et allumait la télévision. Paul le héla du vestibule :

— Bobby ! Ne sois pas comme cela, je t'en prie !

Sans daigner se retourner, le petit garçon répondit :

— Vas-y, sors, laisse-moi seul. Amuse-toi bien quand même.

Paul réprima un soupir, sortit et, de l'extérieur, ferma la porte à double tour.

Liz lui avait donné directement rendez-vous au restaurant. Paul gara sa voiture dans un parking, avec une bonne dizaine de minutes d'avance. C'était un élégant restaurant français où il avait emmené Jane pour quelques grandes occasions. Il glissa un pourboire au maître d'hôtel, s'assura qu'on lui avait réservé une table pour deux dans un coin tranquille et s'installa au bar.

Depuis longtemps, des années, il n'avait pas ainsi attendu une femme. En fait, Jane avait été la dernière en date. Ils avaient fait connaissance grâce à un ami commun, installé depuis à l'autre bout du pays. Paul se souvenait parfaitement de cette soirée-là, au plus fort d'un été étouffant, dans une boîte de Greenwich Village où un orchestre de jazz jouait sur une estrade, au fond de la vaste pièce. Jane lui était apparue comme un mirage, menue, exquise dans une robe blanche dont le décolleté dévoilait ses épaules. L'endroit était trop bruyant pour s'entendre et ce ne fut qu'en la raccompagnant chez elle qu'ils purent enfin se parler dans la voiture. Et il y avait eu ce baiser, un seul, inattendu mais passionné, qu'elle lui avait soudain donné au moment de le quitter...

— Je vous appellerai demain, lui avait-il alors dit.

— Bien vrai ?

Ces doux yeux noisette qui brillaient dans la pénombre, cette petite main posée sur sa joue...

— Comment cet individu ose-t-il boire seul ?

Liz venait de surgir à ses côtés et s'asseyait sur le tabouret voisin.

— Vous aviez l'air très loin d'ici, reprit-elle.

— Liz ! Content de vous voir. Vous êtes époustouflante.

Elle portait un tailleur noir, plusieurs rangs de perles roses autour du cou. Dans la lumière tamisée, sa chevelure avait la couleur du champagne.

— Voulez-vous boire quelque chose avant de passer à table ?

— Non, nourrissez-moi d'abord. Je meurs de faim !

Ils furent pris en charge par le maître d'hôtel qui les confia à un chef de rang qui, à son tour, les guida sur de vastes étendues de moquette vers une banquette d'angle à l'autre bout de l'établissement. Tandis qu'il marchait dans le sillage de Liz, Paul vit toutes les têtes se tourner sur leur passage, les regards masculins se poser d'abord sur Liz avec admiration puis sur lui-même avec envie. Il en éprouva un vif plaisir.

— J'ai un aveu à vous faire, lui dit-elle après qu'ils se furent installés. Vous ne m'avez vue, jusqu'à présent, qu'en tenue de travail, c'est pourquoi ce soir je me suis mise sur mon trente et un. Au bureau, je ne porte que des jeans.

— Et moi, répondit-il en souriant, vous ne m'avez vu que dans des complets sombres et sinistres, c'est pourquoi ce soir je me suis habillé comme vous me voyez.

— Encore une confession, j'espère que ce sera la dernière. J'ai perdu votre carte de visite la première fois que vous êtes venu au bureau. Voilà pourquoi je vous ai toujours appelé Klein. J'avais oublié votre prénom — Paul.

— Vous l'avez retrouvé, à ce que je vois.

— J'ai téléphoné à votre secrétaire. Elle a dû me prendre pour une cinglée.

— Elle ne m'en a pas dit un mot.

— Brave fille !

— Cela me plaisait pourtant beaucoup, que vous m'appeliez Klein.

Elle sourit et Paul vit des paillettes d'or danser dans ses yeux verts :

— Alors, allons-nous bientôt dîner... Klein ?

Ils dînèrent, somptueusement. Pour l'impressionner, Paul commanda un Taittinger brut millésimé et se lança dans un cours magistral sur la méthode champenoise jusqu'à ce qu'elle l'interrompe :

— Je n'y comprendrai sans doute jamais rien mais je sais ce qui me plaît. Celui-ci est excellent.

Détendue, visiblement à l'aise en sa compagnie, Liz apprit à Paul beaucoup de choses sur elle-même. Fille d'un urologue réputé, installé dans une banlieue résidentielle chic où elle avait été élevée, elle était diplômée d'études classiques de l'université de Cornell et membre de l'équipe de hockey — « J'étais un vrai garçon manqué, à l'époque ! » Elle avait finalement atterri dans la publicité, l'un des rares domaines où le sexe ne constituait pas un handicap, et y avait fait carrière.

171

— J'avais définitivement compris que je ne serais jamais une lumière de la littérature contemporaine. Pourtant, j'y avais cru ! Je m'étais déniché une chambre de bonne, j'avais installé ma machine à écrire sur une table de bridge, acheté des rames de papier, tout cela finalement pour rien. En fait, j'écrivais comme un pied — tout en croyant souffrir pour l'amour de l'Art ! Très romanesque mais parfaitement idiot. Ma pauvre mère avait presque pris le deuil. A chacune de ses visites, elle m'apportait de l'insecticide contre les cafards et les punaises. Mon père était furieux d'apprendre que je m'étais engagée comme serveuse pour subvenir à mes besoins. Ce qui le vexait plus encore, c'est que je refusais régulièrement l'argent qu'il m'offrait. Il fallait, voyez-vous, que je fasse des sacrifices, que je vive de ma plume, comme la géniale artiste que je m'imaginais être !... Lorsqu'il m'a fallu admettre que je n'avais aucun talent, ce fut une cruelle désillusion.

— Quel âge aviez-vous, à ce moment-là ?

— Vingt-trois ans. J'étais en lutte contre moi-même et le monde entier. Une de mes camarades de classe a réussi un jour à me convaincre de prendre un job de rédactrice dans une grande agence, et c'est ce qui m'a sauvé la vie, en fin de compte. A partir du moment où je me suis mise à écrire de la publicité au lieu de m'obstiner dans le mauvais roman, tout a marché comme sur des roulettes. Je me débrouillais très bien dans ce nouveau métier. Je le trouvais facile, amusant. Apparemment, j'avais un don. J'y suis restée trois ans, en gravissant les échelons. Le seul ennui, c'est que l'échelle était trop haute pour espérer parvenir au sommet.

Elle s'interrompit pour goûter à son café.

— Je crois vous avoir dit que je suis agressive de nature. Eh bien, je voyais autour de moi des femmes réussir brillamment et je me suis dit que je pouvais faire aussi bien, sinon mieux. C'est à ce moment-là que j'ai reçu un conseil précieux d'un type avec qui j'avais une sorte de liaison. Un chef de budget, marié bien entendu. Je croyais l'aimer ! Plus tard, j'ai compris que je n'étais qu'un numéro sur son catalogue. Une femme et trois gosses en banlieue, une petite amie en ville, renouvelée tous les trois mois, la vie rêvée... Bref, rendons-lui justice, Charlie connaissait toutes les

172

ficelles du métier. Au point où j'en étais, m'a-t-il dit, il fallait me faire engager par une mauvaise agence, car c'était ainsi que je me ferais remarquer.

— Comme la crème se sépare du petit-lait.

— Exactement. C'était très amusant ! L'agence était dirigée par des vieilles croûtes, terrorisées par toute idée qui n'avait pas « fait ses preuves » et servi dix mille fois. Et me voilà qui débarque là-dedans à jouer mon rôle de petit génie créatif, absolument odieux et ne voulant rien savoir. Je refusais de traiter avec quiconque sinon le client lui-même, d'accepter moins que la perfection — et féministe à tout crin, par-dessus le marché ! Les malheureux, ils n'avaient encore jamais vu quelqu'un comme moi ! Ils voulaient me jeter à la porte, mais les annonceurs volaient à mon secours, clamaient bien haut que j'étais le cadeau fait par Dieu en personne à la publicité et qu'il n'était pas question de les priver de mes services. Alors, ils ont passé leur temps à m'offrir des promotions, à me couvrir d'or et de responsabilités. En moins de dix-huit mois, je me suis retrouvée directrice de création. C'est là que j'ai fait la connaissance de George Chan et que nous sommes devenus véritablement une équipe.

Le serveur leur apporta de nouveaux cafés.

— Quand nous avons commencé à travailler ensemble, George était directeur artistique et profondément malheureux parce que personne ne voulait le laisser faire ce dont il avait envie. Je n'oublierai jamais la réunion où j'ai découvert George et compris que je désirais continuer à travailler avec lui. Nous faisions une présentation pour un client, un fabricant de ciment. Il y avait une dizaine de projets d'annonces épinglés aux murs et je me livrais à mon numéro, vous savez, pour vendre le concept de la campagne, les idées, tout ça... A la fin, un des types s'est levé, le chef de publicité de l'annonceur je crois, pour déclarer qu'il n'aimait pas du tout la mise en page de George, que le dessin était trop gros, que le texte devrait être plus petit, bref, tout le contraire de ce qu'il fallait. Il s'est ensuite tourné vers George, qui n'avait pas encore ouvert la bouche, et lui a demandé à quoi ressemblerait l'annonce si on la modifiait comme il venait de le suggérer.

173

Alors, George a regardé l'énergumène et a répondu : « Elle ressemblerait, monsieur, à une crotte de chien écrasée sur le trottoir. Faites donc votre métier, qui est de fabriquer du ciment, et laissez-moi m'occuper de la publicité. »

— Vous avez perdu le client, je parie ! dit Paul en riant.

— Au contraire ! Au déjeuner, on m'a fait asseoir à côté du P.D.G. de la boîte et je n'y suis pas allée par quatre chemins : « Soyons francs, lui ai-je dit de but en blanc. Vous voulez faire cette campagne non pas pour vendre du ciment, mais pour vous donner une bonne image de marque à la Bourse, faire grimper le cours de vos actions et, si possible, obtenir des crédits ou émettre des obligations. Le ciment sera toujours le ciment et le vôtre n'est sans doute ni meilleur ni pire que celui de vos concurrents. Alors, laissez-moi vous dire que si votre andouille de chef de publicité veut se rendre intéressant en nous cherchant des poux dans la tête chaque fois que nous enverrons un photographe prendre des vues bizarroïdes d'un barrage ou d'un immeuble construit avec votre ciment, nous allons y perdre *notre* temps et *votre* argent. »

— Vous lui avez vraiment dit tout ça ? s'écria Paul avec incrédulité.

— Évidemment. Ce n'est que du simple bon sens. Ils voulaient des belles publicités qui se remarquent dans *Fortune* et les magazines financiers et je lui faisais comprendre qu'ils avaient frappé à la bonne porte. Cela n'a pas traîné : ils ont mis le chef de publicité sur une voie de garage avec de l'avancement et nommé à sa place un jeune type avec qui nous pouvions travailler. Nous avons transformé l'image de marque de l'entreprise et, du même coup, gagné un tas de récompenses et de distinctions — la publicité en décerne plus encore que le cinéma, je crois ! Bref, George et moi avons eu la haute main sur tout le côté créatif de l'agence pendant deux ans. Nous avons acquis une réputation dans la profession et les grandes agences ont commencé à nous faire des propositions plus alléchantes les unes que les autres. Finalement, nous nous sommes laissé convaincre par une des meilleures boîtes de création qui nous a donné des sommes invraisemblables pour mener précisément le genre de travail qui nous faisait plaisir. Une récréation permanente ! On nous avait installé des bureaux immenses, avec secrétaires, canapés moelleux, moquette épaisse, bar incorporé, tout le tremblement, nous nous amusions comme des petits fous. Si nous décidions un beau matin d'aller tourner un spot sur la plage de Hawaii, nous y partions dans l'heure. Hôtels quatre étoiles, frais de déplacement illimités, on nous dorlotait de façon inimaginable. Nous étions des vedettes, vous comprenez, des stars ! Par moments, je me demande si nous n'avons pas eu tort de les quitter.

— Pourquoi l'avoir fait ?

— C'est une longue histoire.

— Nous ne sommes pas pressés.

Elle but pensivement une gorgée de café.

— C'est en partie à cause de George. Et aussi à cause de Sam.

— Ah ! ah ! Et qui donc est Sam ?

— Qui *était* Sam, vous voulez dire, répondit-elle avec un sourire désabusé. Sam Aaron, un homme adorable. Nous avons vécu ensemble près de trois ans. Sam faisait du théâtre, de la mise en scène à Broadway, *off*-Broadway, un peu partout. Excellent metteur en scène, surtout les comédies. Il y a quatre ans, environ, George s'est mis en tête que nous devions monter notre affaire et a commencé à me harceler. Il en rêvait depuis toujours. Je n'étais pas aussi sûre que lui de vouloir me lancer à mon compte, mais George a de la suite dans les idées et il a fini par me décider, enfin, presque... Pendant ce temps, Sam commençait à travailler pour la télévision. Il réalisait des feuilletons, des dramatiques dont le tournage avait lieu soit ici, soit sur la côte ouest. C'est lorsqu'il a engagé un agent à Los Angeles que sa nouvelle carrière a véritablement démarré, au point qu'il a voulu que nous nous installions à Hollywood. Pour Sam, l'avenir était là-bas. Après avoir fait son trou à la télévision, il comptait s'attaquer au cinéma, au long métrage.

— Et vous n'avez pas voulu le suivre ?

— Je ne savais même pas ce que je voulais vraiment. En fait, non, ce n'est pas cela : j'aurais voulu que les choses restent exactement comme elles étaient. Vivre avec Sam et travailler avec George. C'était impossible. Sam voulait se

175

marier, s'installer à Los Angeles pour avoir des enfants et faire de moi une bourgeoise de Beverly Hills. Je ne me voyais pas du tout vivre sans travailler, je savais que j'en serais trop malheureuse. J'ai donc fait mon choix, j'ai pris George au lieu de Sam, nous avons monté notre agence et je me suis jetée dans le travail à corps perdu. Voilà.

— En un sens, vous êtes mariée avec George.

— Sauf que George a une femme et deux enfants en banlieue et qu'il rentre tous les soirs.

— Le regrettez-vous ?

— Quoi ?

— Sam.

— Parfois, mais de moins en moins souvent. Il m'a fallu du temps pour m'y faire, pour m'habituer... Cela m'arrive encore, c'est vrai. Les dimanches pluvieux où j'arpente l'appartement et où je me retrouve en train de parler au chat. Quand je fais la queue toute seule devant un cinéma. Quand je rentre chez moi avec de grandes nouvelles que je ne peux raconter à personne. Oui, je l'avoue, il m'arrive de me sentir très seule. Mais on ne revient pas sur le passé, n'est-ce pas ?

Le silence dura. Paul avait envie de prendre la main de cette femme belle et émouvante, de lui dire qu'elle pouvait l'appeler si elle se sentait seule, qu'il saurait écouter les grandes nouvelles qu'elle brûlait de partager, qu'il voulait lui offrir son amitié. Il se domina pourtant avec regret, fit un signe de tête au serveur qui revint peu après avec l'addition. Il prit son portefeuille dont il sortit une carte de crédit.

— Pouvons-nous partager ? demanda Liz.

— Il n'en est pas question !

— Mais si ! Dites-moi combien.

Paul la vit ouvrir son sac et fit un geste pour l'interrompre.

— Vous n'y pensez pas ! C'est moi qui vous ai invitée.

— Nous en avons tous deux profité également, pourquoi ne pas payer ma part ?

— La prochaine fois, si cela vous fait plaisir...

Les narines frémissantes, Liz le foudroya du regard :

— Ne me dites jamais : « La prochaine fois », Klein ! Est-ce clair ?

— Ne vous fâchez pas, Liz. Si vous y tenez, invitez-moi à

176

dîner et réglez l'addition quand vous voudrez, mais ce soir je paie. S'il faut vraiment que nous nous querellions, que ce soit au moins pour autre chose que de l'argent, d'accord ?

— D'accord.

Paul vit néanmoins qu'elle restait insatisfaite.

— A votre aise, mademoiselle Golden. Puisque vous insistez, vous me devez très exactement soixante-deux dollars et quarante *cents*, service compris.

— Mais c'est hors de prix ! dit-elle avec un sifflement de surprise.

— Un dîner au champagne dans un endroit comme celui-ci, il fallait vous y attendre. Je ne vous compte rien pour ma conversation, je vous le signale.

Elle fouilla dans son sac, en tira son chéquier :

— Acceptez-vous que je vous fasse un chèque ?

— Avec joie. En ce qui concerne mon parking, considérons qu'il équivaut à votre course en taxi et que nous sommes quittes.

— Cela me paraît honnête.

Elle rédigea son chèque, le tendit à Paul par-dessus la table.

— J'ai l'impression de me faire entretenir, dit-il en le mettant dans sa poche.

— Je ne vous compte rien pour ce privilège, je vous le signale. Une telle sensation n'a pas de prix, dit-elle d'un ton moqueur.

Paul éclata de rire :

— Puisque nous en sommes là, je serai généreux en ne vous faisant pas payer l'essence que je vais consommer en vous raccompagnant chez vous.

— Dans ces conditions, et pour preuve de ma bonne foi, je vous offre gratis le verre que nous allons boire chez moi.

— Ah... Parce que je vais boire un verre chez vous ?

— Bien sûr, Klein. Pourquoi pas, hein ? Pourquoi pas ?...

14

Elle habitait un immeuble immense pourvu d'un parking circulaire. L'ascenseur prit son temps pour les emmener au douzième étage mais leur prodigua de la musique pour leur tenir compagnie. Pourquoi n'éprouvait-il aucune inquiétude, ce soir ? Sans doute parce qu'il se sentait merveilleusement bien avec elle.

Lorsqu'ils entrèrent dans l'appartement, ils trouvèrent un chat roux assis dans le vestibule, qui les dévisagea.

— Marmaduke, je te présente Klein, dit Liz tandis que le chat s'éclipsait. Ne vous vexez pas, il n'est pas très sociable.

Elle lui fit visiter les lieux : une chambre, un grand living avec un coin-repas, une petite cuisine.

— Charmant, commenta Paul. Impeccable.

— J'espère bien, j'ai passé ma matinée à faire le ménage ! Asseyez-vous, mettez-vous à l'aise, dit-elle en quittant ses chaussures et en s'éloignant vers la cuisine. Je prépare le café.

Paul donna un coup d'œil à sa montre : il était presque minuit.

— Liz, puis-je passer un coup de téléphone ?

— Bien sûr. Vous voulez décommander un rendez-vous tardif ? demanda-t-elle ironiquement.

— Si seulement c'était vrai, répondit-il sur le même ton.

Il composa son numéro. On décrocha au bout de trois sonneries :

— L'établissement est fermé jusqu'à lundi, fit la voix de Bobby.

— Dommage. Salut, jeune sot, c'est ton vieux père. Quoi de neuf ?

— Bof ! La fièvre du samedi soir.

— C'est intéressant, au moins, ce que tu regardes ?

— Débile, comme d'habitude. Tu vas être en retard ?

— Oui, un peu. Tu ferais mieux de ne pas m'attendre. Es-tu déjà en pyjama ?

— Ouais. Quand Barbara compte-t-elle rentrer ?

— Son concert devait se terminer vers une heure, elle ne sera donc pas à la maison de sitôt. Mets-toi au lit à la fin du film, d'accord ? Et n'oublie pas de te brosser les dents et de te laver la figure.

— Comment est-elle ?

— Comment est qui ?

— Ta bonne femme. Elle est gentille ?

Paul éclata de rire. De la cuisine, où elle mettait l'eau à chauffer, Liz l'entendit et se tourna vers lui.

— Mon fils veut savoir si vous êtes gentille ! lui dit Paul.

— La confiance règne, à ce que je vois, grommela-t-elle en versant les grains de café dans le moulin.

— Oui, elle est gentille, dit Paul dans le combiné. *Très* gentille, ajouta-t-il en voyant Liz faire une grimace. Elle est en train de préparer le café. Nous allons bavarder un petit moment.

Paul entendit alors un rire sourd qui ne ressemblait en rien à celui du Bobby qu'il croyait connaître :

— Bavarder ? C'est la meilleure...

Là-dessus, Bobby raccrocha. Paul contempla le combiné avec incrédulité :

— Mon fils a l'esprit mal tourné ! dit-il à Liz.

Elle sourit, versa le café moulu dans le filtre :

— Parlez-moi donc de lui.

Paul s'exécuta volontiers. Il continua de parler tandis que Liz servait le café sur la table basse et s'installait près de lui puis, une fois fini avec Bobby, décrivit Barbara.

— Elle me ressemble, dit Liz. C'est tout à fait moi quand je vivais encore chez mes parents, surtout lorsqu'il s'agissait de m'habiller. Je détestais !

179

— Vous avez bien changé.

— Heureusement. Avec l'âge, on s'instruit. Mais cela constituait un éternel sujet de discorde entre ma mère et moi. J'étais la plus jeune, la contestataire de la famille. Ma sœur Diane se posait, bien entendu, comme un modèle de toutes les perfections. Jamais de sa vie elle ne s'est montrée avec une mèche de cheveux de travers.

— Difficile à égaler...

— Impossible, vous voulez dire ! C'est pourquoi j'en ai pris systématiquement le contre-pied. Je refusais de porter le genre de robes bon-chic-bon-genre qu'affectionnait Diane. Il faut dire qu'elle est ravissante.

— Elle ne pourrait pas l'être plus que vous.

— Merci, mais je n'ai rien d'exceptionnel. Diane, elle, était sublime. Obéissante, polie, bonne élève et tout et tout. Elle a été dans les écoles comme-il-faut, elle a épousé un médecin, elle habite un beau quartier, elle a trois beaux enfants. Si vous rêviez d'une fille parfaite, c'est Diane qu'il vous faudrait. Mon père n'avait pas besoin qu'on le lui rappelle ! Tous les dimanches après-midi, nous sortions faire une promenade en voiture et nous dînions dehors. Et tous les dimanches après-midi, Diane était assise à l'avant, avec mon père, tandis que j'étais à l'arrière avec ma mère.

— Je suis fils unique et mes parents n'avaient personne d'autre à aimer que moi. Cela devait être dur, pour vous.

— Justement, laissez-moi vous dire pourquoi je déteste qu'on me dise « la prochaine fois ». Lorsque Diane se faisait offrir des patins à roulettes et que j'en voulais aussi, c'était toujours « la prochaine fois ». Même chose pour tout, poupées, bicyclette, n'importe quoi... J'aurais voulu faire mes études à Los Angeles, on m'a imposé un pensionnat en Nouvelle-Angleterre. Quand j'ai émis la prétention d'aller à l'université de New York et d'habiter Greenwich Village, mes parents me l'ont interdit. Si nous nous parlons encore, c'est un miracle ! Ce sont pourtant de braves gens. Nous n'avons rien de commun, c'est tout. Mon père pratique toujours la médecine et, tous les dimanches après-midi, continue à faire sa promenade en voiture qui se termine par un dîner au restaurant.

180

— Et leur fille cadette est devenue la terreur de la publicité.

— Exact ! dit-elle en souriant. Ma pauvre mère... Elle a du mal à se faire à l'idée que je ne me marierai probablement jamais et que je ne lui donnerai pas de petits-enfants.

— Il ne faut jurer de rien...

— Je vais avoir trente-six ans dans deux mois, Paul. Je dirige une agence. Je me vois mal dans une réunion ou sur un plateau de tournage en train de donner le biberon à un gamin.

— Vous n'êtes quand même pas hostile à la notion même de mariage ?

— J'ai eu ma chance, je l'ai laissée passer.

— Et s'il s'en représentait une autre ?

— Qui sait ?

Leurs regards se croisèrent un long moment. Paul finit par détourner les yeux et consulta sa montre. Il était près de trois heures.

— Déjà ? Il faut que je m'en aille.

— Mon pauvre ami, je vous ai à peine laissé placer un mot !

— Dans ce cas, il faut reprendre cette conversation.

— Pourquoi pas ?

Elle le raccompagna jusqu'au vestibule. Paul hésita :

— Vous êtes sensationnelle, vous savez ? dit-il enfin.

— Vous n'êtes pas trop mal non plus, si cela peut vous consoler.

Il se retourna pour la saluer. Leurs visages étaient proches à se toucher.

— Acte III, scène 5. C'est là où la belle se laisse embrasser, dit-elle.

Il la prit dans ses bras, blottit sa tête contre la sienne. Leurs lèvres se trouvèrent, il la sentit réagir à son baiser, l'entourer à son tour de ses bras, le serrer contre elle.

— J'en rêvais depuis des semaines, murmura-t-il.

Elle se dégagea doucement de son étreinte :

— Allons, Klein, rentrez chez vous.

— Je pourrais peut-être rester ? dit-il en ouvrant la porte.

Gentiment, amicalement, elle le poussa dehors :

— La prochaine fois !

181

En refermant la porte, il ne vit que son sourire. Une fois seul dans l'ascenseur, il se surprit à danser au rythme de la musique.

Le lendemain dimanche, Paul se réveilla à midi pour trouver une superbe journée ensoleillée. Bobby jouait au basket devant le garage. Barbara lisait le journal à la cuisine et leva la tête à l'arrivée de Paul :

— Mon vagabond de père ! A quelle heure es-tu rentré ?

Il fit un vague grognement et se versa du jus d'orange.

— Je suis rentrée à deux heures, reprit-elle, et la voiture n'était toujours pas là. Tu as fait la tournée des grands-ducs ?

— Pas précisément. Nous avons dîné, je l'ai raccompagnée chez elle et nous avons bavardé.

Il glissa deux tranches de pain dans le grille-pain.

— Elle était gentille ?

— Oui, très.

Paul sortit le beurre et les œufs du réfrigérateur, mit la poêle sur le feu. Pendant qu'il cassait un œuf dans le beurre mousseux, il entendit Barbara pouffer de rire :

— Qu'est-ce qu'il y a de si drôle ? Ce n'est pas du tout ce que tu penses ! ajouta-t-il devant la mine trop entendue de sa fille.

Il cassa son deuxième œuf, feignit de s'absorber dans sa tâche.

— Je n'ai rien dit ! protesta-t-elle.

— Ton frère et toi avez vraiment mauvais esprit ! Ce n'est pas obligatoire de coucher ensemble, tu sais. Deux adultes intelligents peuvent parfaitement passer une excellente soirée à se parler.

Le grille-pain éjecta les deux toasts. Barbara se leva pour aller les beurrer.

— Alors, vous aviez vraiment des tas de choses à vous raconter, dit-elle en réprimant mal son fou rire.

Agacé, Paul fit glisser ses œufs sur une assiette :

— Arrête, tu n'es vraiment pas drôle !

182

Il repoussa le journal qui encombrait sa place à table. Barbara prit la cafetière et vint le servir.

— Vas-tu la revoir ? demanda-t-elle.

— Probablement, répondit-il la bouche pleine.

Certainement ! pensait-il. Il imaginait déjà Liz lui versant son café ici même, à cette table, un café fort et parfumé comme elle lui en avait fait la veille. Ils échangeraient quelques mots, se liraient un article, s'amuseraient d'un fait divers, d'une bande dessinée... Pas si vite, vieux frère. Oui, bien sûr, le rêve devient parfois réalité. C'est vrai, Liz était seule, libre; elle l'attirait, il ne la repoussait pas non plus. Tout cela était possible. Probable ?

Peut-être...

Un peu plus tard, il s'occupa du jardin. Il lia les plants de tomates à des tuteurs, constata l'apparition de minuscules fruits verts à la place des fleurs jaunes et donna à boire aux tomates. Vers quatre heures, il se versa une rasade de bourbon et se mit à lire la rubrique littéraire du *New York Times*. Mais son attention errait ailleurs. Il imaginait Liz dans son grand canapé blanc, près de la fenêtre, le chat pelotonné à côté d'elle, en train de lire le même journal, peut-être le même article. Le cliquetis hésitant de la machine à écrire de Barbara lui parvenait par la fenêtre ouverte. Des bruits d'ovations filtraient de la télévision du living, où Bobby regardait un match. Paul décrocha le téléphone et appela Liz.

— Je pensais à vous, lui dit-il.

— C'est gentil.

— Que faites-vous, en ce moment ?

— Je me demande si je vais m'habiller.

— Et que portez-vous ?

— Une vieille chemise de nuit et une robe de chambre.

— Vous êtes sur le canapé ?

— Non, assise à table. Je pèse le pour et le contre pour savoir si j'aurai le courage de sortir me promener.

— A samedi prochain ?

— Avec plaisir.

— Même heure, même endroit ?

— Cette fois, je vous laisserai parler.

183

— Si je ne suis pas mort d'impatience d'ici là.
Son rire sonna différemment, plus jeune, plus cristallin.

Ce soir-là, assis sur le lit de Bobby, Paul attendit que son fils eût terminé la symphonie de gargouillis qu'il exécutait dans la salle de bain en se lavant les dents, puis ils observèrent ensemble le rite du coucher. Premièrement, vêtu de son pyjama préféré, aux jambes et aux manches trop courtes, Bobby disposa soigneusement le réveille-matin pour que son cadran soit exactement parallèle à l'oreiller. Ensuite, il entreprit de placer les divers objets surmontant son coffre à jouets — albums de bandes dessinées, deux modèles réduits de voitures de course, assortiment de crayons, etc. — de telle sorte qu'ils ne produisent pas d'ombres inquiétantes devant la veilleuse. Lorsque Bobby grimpa enfin dans son lit, Paul dut d'abord border l'édredon contre le mur puis recommencer l'opération du côté opposé, en serrant au maximum. Finalement, paralysé entre ses draps, les bras hors de vue, Bobby leva vers son père sa figure étincelante de propreté et encore humectée de l'eau de sa toilette :
— Ça va, mon fils ?
— Ouais.
— Bonne journée, aujourd'hui ?
— Ouais.
— Fin prêt pour en passer une encore meilleure demain ?
— Ça se pourrait...
Paul vit la réticence qui éteignait le regard de Bobby :
— Veux-tu que nous parlions d'hier soir ?
Ce fut comme un rideau de fer qui s'abat :
— Il n'y a rien à en dire.
— Allons, Bob, je connais la musique ! Tu n'es pas content que je sorte avec une femme, n'est-ce pas ?
Le petit garçon l'observa longuement avant de répondre :
— C'est vrai.
— Peux-tu m'expliquer pourquoi ?
Un haussement d'épaules, un battement de paupières. Il

184

faut y aller sur la pointe des pieds, fit une voix à l'oreille de Paul. Surtout ne pas le braquer.

— Cela n'a rien à voir avec maman, tu sais... Écoute, il arrive aux hommes de se sentir seuls. Voir une femme, lui parler, cela fait parfois du bien. Sache que si je le fais, cela ne veut pas dire que je t'aime moins, tu comprends ?

— On peut parler d'autre chose, oui ? dit Bobby d'une voix mal assurée.

Paul battit précipitamment en retraite :

— Bien sûr.

Un baiser sur son front, une pression affectueuse sur l'épaule, sous l'édredon. Un baiser de Bobby sur sa joue. Paul referma soigneusement la porte derrière lui, pour qu'elle ne batte pas dans les courants d'air.

Seul dans la nuit tiède, il alla s'asseoir sur les marches du perron. En face, chez les Dawson, les vitres de la chambre reflétaient la lueur bleuâtre et dansante de l'écran de télévision. Il alluma une cigarette, l'esprit rempli du souvenir de Liz Golden.

Elle débordait de vitalité, d'énergie. Avec elle, ou simplement en lui parlant au téléphone, il se sentait revivre. Elle possédait toutes les qualités qu'il admirait : de l'allant, du courage, la faculté d'encaisser les coups durs sans se laisser abattre. Elle n'avait que six ans de moins que lui, et pourtant elle le rajeunissait. Liz...

Ses cheveux qui dansent au rythme de ses pas. Ce mouvement de tête quand elle rit. Ce geste de la main, sous le menton, son expression attentive quand elle l'écoute.

Était-il encore trop tôt ? Existait-il quelque calendrier auquel conformer le déroulement de sa vie, quelque horloge des convenances ou de la conscience pour lui dire quand faire quoi ? Le vin se bonifie avec l'âge, pas la solitude.

Comment se comporterait-elle avec les enfants ? Serait-elle capable de les accepter ? Sans grand effort d'imagination, il vit Bobby blotti dans les bras de Liz, serré contre sa poitrine, Barbara admirant Liz tandis qu'elle se brossait les cheveux, et les deux femmes se souriant en prononçant des paroles qu'il ne pouvait entendre.

Seul dans la nuit, Paul se surprit à sourire. En ce dimanche soir de printemps, il s'endormit immédiatement d'un

185

sommeil profond et sans rêves — du moins ne se souvint-il pas d'avoir rêvé, le lendemain au réveil.

En se rendant au bureau, il s'arrêta chez un fleuriste et fit envoyer un bouquet à l'appartement de Liz. Il eut du mal à trouver les mots à écrire sur la carte et resta longtemps, stylo levé, à chercher l'inspiration. « Merci pour une charmante soirée » aurait été trop banal. « Je vous aime » trop direct, prématuré surtout. Finalement, il inscrivit en souriant : « Le temps me paraîtra long jusqu'à samedi. »

Le lendemain matin, il reçut un coup de téléphone :

— C'est vous, Klein ? Vous n'êtes pas un peu dingue ?

— Trop aimable, chère amie.

— Vous êtes milliardaire, ou quoi ? Ces fleurs ont coûté une fortune !

— Quand nous revoyons-nous ?

— Samedi — si vous n'êtes pas mort d'impatience d'ici là.

— Cela n'aurait rien d'impossible.

— Dominez-vous, mon vieux. C'est pour votre bien.

Le lendemain, il la rappela de son bureau dans l'après-midi.

— Encore vous ! grommela-t-elle. J'ai une montagne de travail devant moi, un associé de mauvais poil sur les bras, mon gobelet de café vient de se renverser sur mon sandwich et c'est le moment que vous choisissez pour me téléphoner !

— Parlez-moi, dites quelque chose.

— Je ne fais que cela ! Savez-vous à quoi ressemble un sandwich jambon-beurre détrempé, et dans du café froid par-dessus le marché ? Je suis d'une humeur massacrante, Klein !

— Justement, remettez-vous avec un bon dîner. Je pourrais vous retrouver vers sept heures et demie.

— A sept heures et demie, je serai toujours en train de taper ce texte idiot pour une brochure idiote destinée à vanter les mérites d'un laxatif ! Avez-vous idée de ce que les gens deviennent s'ils ne vont pas aux cabinets régulièrement tous les matins ? Pire, savez-vous qu'ils s'habituent à ce truc-là comme à une véritable drogue et deviennent littéralement malades quand on les en prive ? Il y a de quoi sombrer dans la dépression.

186

— Nous pourrions aller au cinéma. Il y a le dernier Truffaut qui passe en ce moment au Paris...

— Je lui parle constipation, il me répond cinéma !

— Nous mangerions un esquimau, nous nous tiendrions la main dans le noir...

— Pas le temps. Si je n'envoie pas ma copie ce soir à la composition, le client sera fou furieux.

— Et quand je pense que j'étais prêt à vous accorder des privautés... Enfin, tant pis. Vous le regretterez.

Le jeudi matin, il pleuvait. Paul rappela Liz à son bureau. La standardiste lui fit savoir qu'elle était en réunion chez un client. Ce fut elle qui lui téléphona en fin d'après-midi :

— C'est gagné ! déclara-t-elle triomphalement. Le monde est enfin sauvé des méfaits de la constipation.

— Dieu soit loué ! Les enfants pourront s'endormir sans crainte dans leurs petits lits douillets. Vous avez l'air enchantée.

— Folle de joie, tout simplement. Ils ont trouvé mon dépliant sensationnel. Le génie finit toujours par triompher.

— Il faut donc arroser cela. Où convient-il, à votre avis, de célébrer une victoire laxative ? Au théâtre du Trône ? Au restaurant du Bien-Assis ?

— Au cinéma Baronet à six heures. Vous aimez Woody Allen ?

— Cela dépend. Cuisiné comment ?

— Assez d'inepties ! Je vous y retrouve à six heures, je m'occupe des billets. Vous aurez le droit de m'offrir un hamburger à la sortie.

Elle l'attendait devant la porte, sous une pluie battante. Elle portait un ensemble vert avec une écharpe jaune vif nouée sur la tête. Paul la trouva si parfaitement adorable qu'il sentit son cœur manquer plusieurs battements. Trempé jusqu'aux os pendant les quelques mètres de sa course folle du parking au cinéma, il faillit se jeter sur elle et la serrer dans ses bras. Il se borna à lui sourire béatement pendant qu'elle le prenait par la main pour l'entraîner à l'intérieur. Ils étaient assis au fond de la salle et se tinrent par la main. Le contact de sa peau empêcha Paul de trouver le moindre intérêt au film.

Ils se rendirent ensuite dans un bistrot bruyant de la

Troisième Avenue. Elle commanda un hamburger saignant, sans garniture. Il s'offrit la variété « de luxe » avec toutes les fioritures. Liz passa son temps à lui chiper des frites sur son assiette, tout en se morigénant sans conviction, à la grande joie de Paul, lorsqu'elle s'aperçut qu'elle avait mangé une bonne moitié de la portion. Avec elle, il se sentait merveilleusement à l'aise; tout en l'écoutant parler, une moitié de lui-même les observait par-dessus son épaule. Il ne se rendit compte de sa distraction qu'au moment où le silence se fit subitement. Elle lui avait posé une question, il ne l'avait pas même entendue :

— Les enfants, répéta-t-elle. Qu'en avez-vous fait ?

— Excusez-moi. Les enfants ?

— Oui, que font-ils pour dîner quand vous ne rentrez pas ?

Il lui expliqua comment il téléphonait à Guido pour commander une pizza et la faire livrer, l'argent liquide dissimulé entre les pages d'un livre, sur l'étagère de sa chambre.

— Bobby aura probablement préparé une salade, c'est sa spécialité, et ils l'auront mangée en attendant Guido. Avec un temps pareil, il va sans doute être en retard. Barbara aura déjà mis le four à préchauffer. Ensuite, Bobby débarrassera la table et Barbara fera la vaisselle pendant que Bobby sortira les ordures. Il n'oubliera d'ailleurs pas de refermer à double tour la porte de derrière — du moins, je l'espère.

— Ils ont l'air de savoir se débrouiller seuls.

— Il leur a bien fallu apprendre. Nous avons tous appris...

Il s'interrompit pour allumer une cigarette. La pluie avait repris et cinglait les vitres.

— Longtemps, l'essentiel s'est borné à ne manquer ni de pain ni de lait, poursuivit-il. Vivre au jour le jour, se raccrocher les uns aux autres. Maintenant, cela va mieux mais Bobby me cause encore des soucis. De nous trois, il est le seul à garder le deuil.

— Il est si jeune.

— Il s'en sortira. Tant que nous vivrons les uns pour les autres, nous surmonterons cette épreuve...

Il s'interrompit, fit une grimace :

188

— Dieu, que cela sonne pompeux ! En fait, nous faisons simplement de notre mieux. Comme moi ce soir, par exemple, dit-il en lui prenant la main. Vous êtes particulièrement ravissante.

— Depuis l'autre jour, je me demandais ce qui me plaisait le plus en vous. Maintenant, je sais : le charme. Des tonnes de charme.

— Évidemment, j'ai passé quatre ans dans une école spécialisée.

— Vous avez également le chic pour trouver le mot juste.

— Ah ! vous avez remarqué que je n'ai pas prononcé une fois le mot « constipation » ?

Son rire dévoila deux rangées de dents éclatantes, fit apparaître des fossettes au coin de ses lèvres.

— J'ai du travail demain, Klein. Vous feriez mieux de me raccompagner.

Il courut chercher sa voiture pendant qu'elle l'attendait sous l'auvent. Arrivé devant son immeuble, il se gara dans le demi-cercle et se tourna vers elle :

— Non ! dit-elle. Vous ne montez pas, c'est défendu.

Elle se pencha pour lui donner un petit baiser chaste sur la joue mais, avant qu'elle ait pu se détourner, il la prit dans ses bras et l'attira vers lui. Elle entrouvrit les lèvres, leurs langues se rencontrèrent, se mêlèrent. Elle se dégagea, tenta de plaisanter :

— Radin, ce type ! Il me paie un dîner et essaie de le récupérer en me pressant comme un tube...

Il la fit taire avec un baiser.

Alors, elle se déchaîna, se jeta sur lui, le repoussa contre la portière et, lui tenant la tête à deux mains, le couvrit de baisers passionnés.

— Voilà pour vous convaincre que vous ne m'êtes pas indifférent, dit-elle en s'écartant longtemps après. A samedi, Klein. Et ne comptez pas aller passer la soirée avec une autre.

— Je m'en garderai bien, répondit-il en souriant. Liz, je vous...

— Chut ! fit-elle en lui posant un doigt sur les lèvres. Pas de précipitation. Nous en reparlerons plus tard.

Elle ouvrit la portière, posa le pied par terre.

189

— Je vous téléphonerai demain ! lui cria-t-il.
Elle courait déjà sous la pluie.

Le vendredi après-midi, dévorée de curiosité, Lillian
Lerner apporta dans le bureau de Paul un paquet livré par un
fleuriste. Paul défit l'emballage qui dévoila un philodendron
dans un pot de cuivre ouvragé. Sur la carte d'accompagnement, il lut ces mots : « Voici un arbuste qui vous
ressemble : agréable d'aspect, résistant, prévisible, mais
ayant besoin de beaucoup de soins. » Et c'était signé : « La
dame au cactus ».

— Un client ? demanda Lillian. Ce serait bien une
première mondiale.

— Non, dit Paul sans pouvoir s'empêcher de sourire.
Une admiratrice.

— *Une* admiratrice ?

Il se contenta de hocher la tête. Moins de vingt minutes
plus tard, Michael Bradie vint à son tour inspecter le
philodendron, perché sur un appui de fenêtre.

— Si j'en crois la rumeur publique, tu aurais reçu cette
chose d'*une* admiratrice ?

— La rumeur publique dit vrai.

— Ah ! ah ! Serait-ce, si je puis me permettre d'être
indiscret, cette personne de la publicité ou s'agit-il d'une
autre ?

— Non, c'est bien de Liz Golden.

— Les femmes te font des cadeaux, à présent ! En
marque de reconnaissance pour quelque service exceptionnel, j'imagine ?

— Michael, surveille-toi !

— Je me surveille fort bien, ce qui n'est apparemment pas
ton cas. Laisse-moi au moins te féliciter.

Là-dessus, Michael s'empressa de raconter une série
d'histoires grivoises qui lui revenaient en mémoire.

Quand il eut enfin quitté le bureau de Paul, celui-ci appela
Liz au téléphone :

— Un philodendron ! Et moi qui me voyais en or-
chidée...

190

— Vous avez de la veine que je n'aie pas trouvé d'orties, c'est ce que je comptais vous envoyer !

Dans le crépuscule bleu sombre, les lumières de Manhattan piquaient des paillettes d'or. S'il avait fait mauvais, Paul aurait quand même jugé le spectacle sublime.

Le portier téléphona pour prévenir de son arrivée et Paul trouva Liz qui l'attendait à la porte de son appartement. Elle portait un long cafetan de soie bleue brochée de fils de la couleur de ses cheveux. « Bonsoir », dit-elle presque timidement en refermant derrière lui. Elle lui posa une main sur la joue, lui donna un baiser hésitant. « Bonsoir », répondit-il. Immobiles, ils se tinrent embrassés, serrés l'un contre l'autre.

— J'ai préparé le dîner, dit-elle lorsqu'ils se séparèrent. J'ai pensé que nous pourrions rester au lieu de sortir.

— Très bonne idée.

Au fond de la pièce, dans le coin-repas, il vit une table dressée, deux bougies allumées qui répandaient une lueur chaude. Ils traversèrent la pièce en se tenant par la taille.

— Je ne suis pas fameuse à la cuisine... commença-t-elle.

— Aucune importance.

— Je ne voudrais surtout pas donner une fausse impression de moi-même. Ce soir, il y a un consommé, une quiche et une tarte aux pommes et le tout sort de chez un excellent traiteur...

— Cela me paraît très bon.

— La seule chose que j'aie préparée moi-même, c'est la salade. Et encore, elle n'est pas particulièrement réussie...

— De grâce, Liz, arrêtez de vous excuser inutilement !

Il l'attira contre lui, huma le parfum frais émanant de ses cheveux, posa une joue contre la douceur de la sienne.

— Je ferai le café, murmura-t-elle. C'est ce que je réussis le mieux.

— Liz... reprit-il.

Sa voix devenait rauque, son cœur battait à grands coups. Il frissonna en la sentant trembler contre lui, la serra plus fort. Le lent baiser profond qu'ils échangèrent les laissa sans souffle. Puis leurs visages s'écartèrent sans que leurs corps se séparent.

Elle sourit, murmura des paroles qu'il n'entendit pas. Étaient-ce des larmes qu'il voyait scintiller dans ses yeux ? Paul la souleva et la porta dans la chambre, où une seule lampe offrait une semi-pénombre. Il la posa sur le lit avec douceur.

Il se déshabilla à la hâte, jeta ses vêtements au hasard. Il trouva la fermeture de la robe, la fit glisser jusqu'au bas en dévoilant ses seins ronds et fermes, roses à la pointe. D'une main tremblante, il ôta la culotte bleue, sentit les bras de Liz se refermer sur lui. Il posa ses lèvres sur les siennes, les fit descendre sur son menton, au creux de son cou, sur le reste de son corps pendant qu'il l'entendait murmurer son nom. Il n'était plus question de « Klein »; c'était « Paul » qu'elle appelait en recevant ses caresses, qu'elle mêlait à ses gémissements de plaisir.

Bien plus tard, elle lui demanda, avec une moue ironique :

— Alors, que voudrais-tu faire d'autre ce soir ?

En riant, il le lui montra.

Il fallut remplacer les bougies sur la table. La quiche, oubliée dans le four, était calcinée; le consommé fut dédaigné. Longtemps après minuit, il ne leur fallut que quelques miettes, quelques gorgées de vin, qu'ils burent avec moins d'avidité qu'ils ne se désaltéraient l'un de l'autre par leurs regards. C'était une jeune, toute jeune fille qu'il contemplait, une promesse de vie nouvelle qu'il lisait dans son sourire.

— Liz... Je t'aime.

Elle marqua une longue pause en lui rendant son regard.

— C'est trop... C'est absurde. Trop soudain. Trop vite...

— Ce n'est jamais trop soudain ni trop vite, dit-il sans vouloir ni pouvoir retenir ses paroles. Je t'aime, Liz. Je veux t'épouser et t'emmener chez moi pour que tu m'aimes comme je t'aime, pour que tu aimes mes enfants et que nous vivions tous heureux ensemble. Heureux, pour toujours...

Y croyait-il vraiment, à ce « toujours » dont la vie lui avait démontré l'inanité ?

— Pas si vite, Paul, dit-elle en lui caressant la main.

— Dis-moi pourquoi.

— Évidemment, je t'aime bien, mais...

Son sourire la trahit, elle pouffa d'un rire nerveux :

— Eh bien, oui, Paul. Autant l'avouer, je suis folle de toi, si tu veux tout savoir. Je brûle d'envie de m'occuper de toi, de faire la cuisine, la couture, le ménage — sauf que je ne sais ni cuisiner, ni coudre, ni tenir une maison. Mais comprends-tu ce que je veux dire ? Bien sûr, j'ai l'air de dire n'importe quoi... Quand tu me regardes comme tu le fais, j'ai la chair de poule.

— Tu t'exprimes très bien, au contraire.

— Veux-tu me dire pourquoi, tout d'un coup, j'ai l'impression d'avoir quinze ans ? Oh ! Paul ! Je voudrais que tu m'écrases dans tes bras, que tu m'embrasses partout, que tu ne me lâches plus jamais...

Elle s'interrompit soudain, frappée d'une idée inattendue, et porta la main à sa bouche, comme prise de panique :

— Seigneur ! s'écria-t-elle. Je vais être mère !

Paul éclata de rire; elle lui décocha un regard furieux qui ne fit que redoubler son hilarité.

— Enfin, c'est vrai ! dit-elle d'un ton outragé. Deux enfants d'un coup, et à mon âge...

— Pas mère, parvint-il à proférer entre deux éclats de rire. Belle-mère.

— Ah non ! Surtout pas ça ! Les belles-mères sont toujours d'abominables marâtres qui battent leurs enfants et leur font balayer les cendres de la cheminée ! Y en a-t-il chez toi, des cheminées ? Où est-elle, d'ailleurs, cette fameuse maison ? Il va falloir que j'y emménage, n'est-ce pas ? As-tu des meubles, au moins ? Bien sûr, quelle question ! Elle doit être bourrée de meubles et de tout ce qu'il faut. Je vais être obligée de résilier mon bail ou de trouver un sous-locataire... Et l'agence ! George va être fou furieux. Nous n'aurons pas le temps de partir en voyage de noces, un week-end à la rigueur — cela te sera égal, au moins ? Oh ! Paul, je suis si heureuse ! Les enfants — comment s'appellent-ils ? — ah oui ! Barbara et Bobby. Je sens que je les aime déjà, tu sais. Mon dieu, et s'ils ne m'aimaient pas ?...

193

— Pas si vite, Liz ! s'écria-t-il en riant de plus belle.

Son cœur débordait de joie. Liz se leva, contourna la table, s'assit sur ses genoux en le prenant par le cou. Elle lui couvrit le visage de petits baisers qu'elle semblait égrener comme des perles.

— Si, Paul, cela arrive, tu sais. Les enfants pourraient très bien me détester.

— Idiote ! Personne au monde pourrait ne pas t'aimer.

15

A partir de ce soir-là, ils se virent ou se parlèrent tous les jours, une fois au moins, souvent jusqu'à cinq ou six. Face à face, rien ne pouvait les retenir de se ruer dans les bras l'un de l'autre. A l'heure du déjeuner, lorsqu'il pouvait se libérer, Paul sautait dans sa voiture, Liz dans le métro et ils se retrouvaient à l'appartement. Leur passion semblait s'exacerber avec les premiers feux de l'été. « On se fait un 12-14 aujourd'hui ? » plaisantait Liz, dans son jargon marqué par la publicité. Paul avait horreur de ce genre d'expression : « Nous faisons l'amour ! protestait-il. Ce n'est pas du tout pareil. » Nue sur le lit, impudique, Liz lui riait au nez : « Tu n'est qu'un affreux puritain, Klein ! On fait un 12-14. » Elle s'amusait à le provoquer, à lui interdire de la toucher tant qu'il n'aurait pas prononcé la formule tant redoutée. Nus tous deux, elle se dérobait à la dernière minute et le forçait à la poursuivre à travers l'appartement, ne se laissant rattraper que lorsqu'il consentait à le dire — puis à le faire. Un jour, à l'issue d'une de ces amoureuses parties de cache-cache ponctuées d'éclats de rire et de cris de plaisir, Paul laissa échapper :

— 12-14 : ça ne serait jamais venu à l'idée de Jane !

Le visage de Liz se rembrunit imperceptiblement :

— Fiche-moi la paix avec ça, Klein. Je ne suis pas Jane. Je suis moi.

Elle l'était, en effet, et c'est pourquoi il l'aimait.

Imprévisible, sujette à de brusques sautes d'humeur, elle

n'obéissait qu'aux désirs de son esprit rebelle. Grande — plus d'un mètre soixante-dix —, les bras déliés mais pleins de force, de longues jambes merveilleusement galbées, un corps ferme aux proportions irréprochables, Paul l'aimait littéralement de la tête aux pieds. Ce n'était pas l'exquise miniature, le jouet attendrissant à serrer contre sa poitrine que Jane avait été; cette femme épanouie, généreuse, débordante de vie, rendait Paul plus grand, plus fort. Dans son lit, dans ses bras, le monde s'estompait, les soucis professionnels s'évanouissaient, les enfants disparaissaient de ses préoccupations. Il ne restait que l'amour et Paul s'y jetait corps et âme.

Bientôt, Liz voulut faire la connaissance des enfants et voir cette maison qui, un jour, deviendrait son foyer. Paul préférait encore rester prudent : il souhaitait avant tout que cette première rencontre se déroulât dans les meilleures conditions, que Barbara et Bobby éprouvent envers Liz l'amour qu'il lui vouait lui-même. Son rythme de travail s'accélérait de jour en jour, aussi repoussait-il plus ou moins consciemment cette confrontation.

Il n'avait pas travaillé avec un tel acharnement depuis des années. Le lancement de deux nouveaux produits aurait suffi à l'occuper amplement. Grâce à l'aide discrète de Liz, il aiguillonnait son agence, lui faisait rechercher et comparer les coûts de production des films selon ce que proposaient les divers studios de la côte est, de la Californie et des États du Sud.

La conception de la nouvelle étiquette pour la sangria aurait pu s'étaler sur un an, si Paul avait laissé faire. L'agence exécuta remarquablement son travail, certes, mais fit savoir qu'elle détestait être harcelée de la sorte. Paul ne souhaitait qu'un bon dessin, accrocheur et moderne; les pontifes de la « création » et autres artistes barbus entendaient traiter leur œuvre comme si elle avait dû, un jour, orner les cimaises du musée d'Art moderne. De leur côté, les oracles du marketing et de la recherche accumulaient les sondages, les études et refusaient d'entreprendre quoi que ce soit sans s'assurer des désirs profonds des masses consommatrices. Paul serrait les dents, se forçait à sourire mais ne relâchait pas sa pression, si bien qu'à la fin juin il obtint son étiquette.

Ce n'était qu'un début ! Il lui fallut encore les faire exécuter en Suisse, par l'imprimeur attitré de Bradie & Klein, Inc., puis les expédier à Barcelone où elles seraient collées sur les bouteilles.

Débordé, surmené, il courait partout. Il fallait sauter en avion pour conférer avec les distributeurs, coordonner les passages à l'antenne dans les stations régionales. Partout, on exigeait davantage : une fois entrebâillée la caverne aux trésors de la télévision, les plus timides, les plus indolents se mettaient à rêver et tendaient des mains avides vers cette manne providentielle.

Un soir qu'ils avaient, une fois de plus, joué les pique-assiette chez Marion Gerber, Paul attendit que les enfants se fussent retirés pour mettre Marion au courant de ses rapports avec Liz.

— Jamais mariée, pas d'enfants et une affaire à diriger, résuma-t-elle. Je ne vous voyais pas finir avec une fille comme cela, Paul.

— Elle est extraordinaire...

— Oui, mais sûrement pas commode à manœuvrer.

— Si tant est que je la manœuvre jamais, dit-il en souriant. En ce moment, je ne sais vraiment plus où j'en suis.

— Connaît-elle les enfants ?

Paul fit la grimace : Marion avait le chic pour trouver le point sensible.

— Non, pas encore. Je voudrais que leur première rencontre se passe bien et les enfants sont loin d'être enthousiasmés de me voir sortir avec elle. Surtout Bobby.

Marion l'observa pensivement par-dessus sa tasse de café.

— Rien d'étonnant, Paul. Réfléchissez une seconde : si vous aimez quelqu'un d'autre, il croira que vous l'aimez moins. Et je ne parle même pas des problèmes et des traumatismes que provoquera nécessairement l'arrivée d'une autre femme dans la maison — une belle-mère !

Elle avala une gorgée de café, s'essuya les lèvres :

— Mes propres filles sont furieuses quand je sors, reprit-elle. Elles espèrent toujours voir Phil reprendre sa place — comme si je pouvais envisager de vivre une seconde sous le même toit que cet individu ! Les enfants sont tous comme cela, Paul, des rêveurs. Si vous les écoutiez, vous resteriez à la maison, seul. Le bon Papa-Paul, toujours disponible, toujours à leur service exclusif. Vous n'auriez pas le droit de mener votre propre vie — comme s'ils n'allaient pas s'empresser de filer et de vous laisser seul, vous, quand ils en auront l'âge...

— En fait, j'ai peur d'amener Liz à la maison.

— Et pourquoi donc ?

— Que faire s'ils ne s'entendent pas ? Qu'arrivera-t-il ?

— Des problèmes, bien entendu. Mais vous êtes assez grand pour y faire face, non ?

— Je ne sais pas. Je voudrais que la mise en scène soit parfaite, que le moment soit favorable, les circonstances idéales.

— Cessez de tergiverser, Paul, faites-le, un point c'est tout. Ce n'est pas eux qui veulent l'épouser, votre Liz, c'est vous. Le moment idéal, les circonstances rêvées n'existent pas. Faites-le.

Paul se rangea à l'avis de Marion et se jeta à l'eau. La rencontre historique aurait lieu un dimanche, à la maison. Il ferait un barbecue dans le jardin. Liz apporterait le dessert : « Du chocolat, bien baveux à s'en lécher les doigts », lui précisa-t-il. Les enfants tueraient père et mère pour un gâteau au chocolat.

Il tint auparavant un conseil de famille pour préparer l'événement, sous forme d'une conversation décontractée qui eut lieu le vendredi soir au restaurant italien du quartier. Bobby s'empiffrait de tagliatelles dégouttantes de sauce tomate, Barbara pignochait une escalope milanaise. Paul s'efforça de ne pas remarquer son jean déchiré au genou, ne fit pas de commentaire sur les lacets rouge vif de ses baskets — son parti pris d'aller à contre-courant de la mode atteignait des sommets, ces temps-ci ! — ni sur sa chemise masculine fripée, ornée d'une grosse tache d'encre à hauteur d'une poitrine visiblement dépourvue de soutien-gorge. Il annonça d'abord son intention de renouer avec une tradition trop longtemps négligée en allumant le barbecue le surlendemain dimanche. Puis, d'un air détaché, il ajouta négligemment :

— Au fait, nous aurons une invitée. Liz Golden.

Barbara sourit d'un air entendu.

— Je peux dire à Peter de venir aussi ? demanda-t-elle.

— J'aimerais autant pas, ma chérie. Je voudrais que vous ayez, ton frère et toi, l'occasion de faire tranquillement connaissance avec Liz. Elle a d'ailleurs très envie de vous rencontrer. Je suis sûr qu'elle vous plaira beaucoup.

— On a le choix ? dit Bobby en ricanant.

— Que veux-tu dire ? Évidemment que tu as le choix ! Mais donne-lui au moins une chance, Bob.

— Alors, pourquoi Peter n'aurait pas le droit de venir ? s'enquit Barbara. Depuis le début des vacances, nous nous voyons toujours le dimanche. Tu sais qu'il est discret, papa, ce n'est pas lui qui te gênera.

Paul préféra lâchement battre en retraite :

— D'accord, d'accord. Mais à condition que vous ne fassiez pas bande à part, tous les deux. Liz est notre invitée et vous devrez aussi la traiter en conséquence, compris ?

Bobby aspira bruyamment une tagliatelle baladeuse :

— Pourquoi toutes ces manières ? On n'a pas besoin d'elle ! On se débrouille très bien seuls — sauf que tu n'es pratiquement plus jamais à la maison.

— Tu sais bien que j'ai du travail par-dessus la tête, Bob !

— Quand tu rentres dîner une fois par semaine, c'est le bout du monde. Nous ne sommes pas allés à un seul match depuis le début de l'été et nous n'avons pas encore mis les pieds à la plage.

— Je ne vous ai jamais emmenés à la plage pendant la semaine, protesta Paul. Rappelle-toi, je laissais la voiture à ta mère et j'allais au bureau par le métro.

— Tu pourrais prendre un jour de congé de temps en temps, dit Bobby avec une moue de défi. Tu pourrais aussi nous y accompagner pendant les week-ends.

La discussion dégénérait et Paul voulut y couper court :

— Nous en reparlerons, c'est promis. Mais pas avant dimanche.

Le dimanche vint enfin. Paul s'installa sur le perron pour l'attendre. Il parcourait distraitement le journal, les yeux plus souvent tournés vers le coin de la rue où elle allait apparaître en venant de la station de métro. Il faisait un beau temps chaud et ensoleillé, la rue étincelait comme si on l'avait fraîchement repeinte. Bobby faisait des paniers de basket devant le garage; Barbara jouait au piano un ragtime, accompagnée à la guitare par Peter Block qui paraissait avoir du mal à la suivre. Non sans mélancolie, Paul avait l'impression de revivre un dimanche de naguère — de jadis, hélas ! — d'autant plus semblable à celui-ci qu'il n'avait jamais changé de place la chaise longue de Jane, comme si le temps se fût arrêté. Une bouffée de nostalgie le saisit à cette évocation; il revit un de ces longs dimanches paresseux de l'été, les enfants absents chez l'un ou l'autre, Jane et lui seuls derrière la balustrade, le tintement des glaçons dans les verres, un voisin qui passe et que l'on salue d'un geste de la main, une voiture de loin en loin qui ralentit avant le carrefour...

Le carrefour. La voici, justement, qui apparaît derrière la haie des Troutman qu'elle dépasse d'une tête. Elle arpente le trottoir d'un pas décidé, comme si la rue, le monde entier lui appartenait, une boîte à gâteau dans une main, un sac coincé sous l'autre bras. Jeans — sans déchirures —, baskets — propres avec des lacets assortis —, un chemisier bleu gonflé d'une poitrine que Paul ne se lasse pas de contempler, des lunettes noires sur son visage frais, de longs cheveux blonds qui brillent sous le soleil. Liz. Paul descend le perron, se porte à sa rencontre en refrénant son envie de courir, son envie de l'embrasser séance tenante à cause des Dawson qui prennent le frais devant chez eux et sont assez capables d'inventer et de colporter par eux-mêmes des ragots sans qu'on leur en fournisse en plus le prétexte.

Paul la rejoignit sur le trottoir, dans le pimpant décor de la rue.

— C'est ravissant, par ici ! dit-elle en souriant. Laquelle est la tienne ?

Il lui montra la maison, essaya de la voir avec ses yeux. Briques jaunes, presque de la couleur de ses cheveux, chaînages ocre autour des fenêtres et du perron.

— Victorien en diable ! déclara-t-elle. Et ces vitraux !...

Affectant l'indifférence, Bobby faisait une exhibition de

200

basket-ball, sautait, plongeait, rattrapait le ballon du bout des doigts avant de dribbler et de lancer un panier spectaculaire.

— C'est Bobby, dit Paul.

Son signe de la main resta volontairement ignoré.

— Viens t'asseoir à l'ombre, reprit-il. Comment s'est passé le trajet ?

— Infernal. Presque une heure.

Elle promenait son regard sur le vert de la pelouse, le pourpre des rhododendrons en fleur.

— Vraiment ravissant, dit-elle. Je comprends pourquoi tu ne veux pas te défaire de cet endroit. Mais le métro ! Abominable.

Sur le perron, à l'abri de la balustrade et des colonnes doriques du péristyle, il se permit d'empoigner un morceau de jean rebondi. *Veuf obsédé violente beauté blonde devant sa porte d'entrée.* Bas les pattes, satyre ! Elle lui tendit la boîte à gâteau pour la mettre au réfrigérateur :

— Les enfants pourront s'en donner une indigestion sans scrupule, lui dit-elle. Chocolat et crème au beurre. Empêche-moi de le regarder tout à l'heure, je t'en supplie !

— Veux-tu boire quelque chose ? Gin-tonic ?

— Avec une rondelle de citron vert, volontiers.

D'instinct, elle se laissa tomber dans sa chaise longue à lui, la mieux située des deux. Hypnotisé, il la contempla un moment avant de s'engouffrer à l'intérieur. Assise là, sous ses yeux, une grande blonde voluptueuse aux longs doigts couronnés de rouge qui posait son sac par terre, aux yeux invisibles, mystérieux derrière les lunettes noires... Vas-tu rester planté à sourire béatement comme un imbécile ? La boîte à gâteau à la main, il héla les duettistes : « Liz est arrivée ! » et disparut dans la cuisine pour préparer à boire.

Oui, il y avait des citrons verts dans le réfrigérateur, parce que Jane lui avait cent fois répété qu'un gin-tonic sans citron vert a un goût de médicament et que, depuis, il n'achetait jamais de Tonic sans penser à prendre des citrons verts. Les beaux grands verres, là, et non les espèces de pots de confiture auxquels il s'était habitué. Paul fit rapidement ses mélanges, posa les verres sur un plateau, ajouta des Coca pour les enfants, une belle tranche de chester sur une planche

201

à découper, un couteau à fromage, un plat de biscuits salés. Dix-huit ans de mariage, on a le temps d'apprendre à devenir parfait maître de maison... Ah ! les serviettes ! Un peu plus, il les oubliait.

Il appela Bobby de la fenêtre de la cuisine, juste au moment où le champion remontait avec virtuosité toute la longueur du stade olympique, en criant d'une voix de commentateur sportif de la télévision : « Il esquive, il dribble, il tire... Panier ! »

Paul s'apprêtait à quitter la cuisine, son plateau à la main, lorsque la musique changea. La guitare de Peter s'était tue, le piano vibrait sous un duo à quatre mains. Ses lunettes noires perchées sur le sommet de la tête, Liz était assise à côté de Barbara et tapait allégrement la partie de basse. Elle se tourna vers Paul en l'entendant entrer :

— Douze ans de leçons de piano, voilà tout ce qu'il en reste !

Pourquoi s'être fait tant de souci ? En cinq minutes, elle avait réussi à conquérir Barbara, sans parler de Peter Block qui la dévisageait, bouche bée. Paul posa son plateau sur la table basse et se joignit à eux, heureux de participer à la gaieté collective, heureux d'entendre Barbara chanter, heureux surtout de voir renaître cette belle pièce dans le bruit et les rires.

Bobby arriva enfin, fut présenté à Liz, lui serra poliment la main et resta dans son sillage pendant que Paul et Barbara la guidaient à travers la maison. Sur le ton d'un conservateur de musée, Paul en récita l'histoire : bâtie en 1905 par un certain M. Lopez, colombien et négociant en café, puis résidence de la famille Bailey de 1910 à 1945 — les Bailey possédaient un chantier naval. Il y eut ensuite des gens nommés Friedberger jusqu'à ce que les Klein en prennent possession, treize ans auparavant. Ils avaient appris tout cela lorsque le quartier entier fut classé « zone préservée » et qu'ils reçurent des brochures explicatives établies par les services municipaux.

— Nous avons même fait la connaissance d'un Bailey, dit Barbara. Un petit-fils du premier propriétaire venu montrer la demeure ancestrale à sa fille. Tu te rappelles, papa ?

— Oui. Il nous a indiqué les changements apportés à la

202

maison depuis le début. Il y avait une cheminée là où se trouve cette cloison et cette poutre, au plafond, marque l'emplacement d'une autre cloison abattue pour agrandir le living.

— Je ne me serais jamais doutée qu'il y eût encore d'aussi grandes maisons à New York, dit Liz. Cette hauteur de plafonds !

— Quatre mètres. Dur à chauffer, mais on a de quoi respirer.

— Un véritable palais !

— On s'y plaît bien, commenta Bobby d'un air blasé qui fit sourire son père.

Barbara insista pour faire visiter à Liz le dernier étage, que Gemma ne se donnait jamais la peine de nettoyer. Paul laissa sa fille montrer les petites mansardes, le débarras rempli de boîtes en carton bien empilées et étiquetées, la pièce où la table de ping-pong se couvrait de poussière parce que les enfants ne s'en servaient presque plus, celle du train électrique, la soupente où la famille rangeait ses valises. Liz semblait sincèrement stupéfaite de trouver tant de pièces.

Une fois redescendus, ils s'attardèrent à la cuisine. Paul sortit la viande du réfrigérateur, Bobby la salade du tiroir aux légumes. Là, au moins, Gemma pouvait être fière de son travail : la hotte en cuivre étincelait au-dessus du fourneau, les vitres des quatre fenêtres laissaient le soleil de l'après-midi pénétrer à flots, le bois des placards luisait de cire. Liz tomba en arrêt devant les étagères :

— Grand dieu, combien avez-vous donc de livres de cuisine ?

— Je ne les compte plus, un tas, répondit Paul.

— Jane devait être bonne cuisinière.

— Parfaite, déclara Bobby en s'emparant du grand saladier réservé aux invités. Un cordon-bleu.

— Je suis au-dessous de tout, je l'avoue, dit Liz. Je ne suis forte que pour manger et apprécier...

Elle s'approcha du plan de découpe où Bobby rinçait les feuilles de salade, les coupait et les mettait dans l'essoreuse.

— Puis-je aider ? La salade, je m'y connais un peu.

Joignant le geste à la parole, elle saisit un couteau et se mit à découper une tomate en rondelles.

— Euh, Liz... commença Bobby.

Après avoir lancé un regard de détresse à son père, il s'enhardit :

— Pour la salade, nous découpons les tomates en quartiers, pas en tranches.

— Bien sûr ! Suis-je bête... Alors, qu'est-ce que je fais ?

— Coupez les tranches en quatre, ça ira quand même.

Elle obtempéra puis voulut s'attaquer à un concombre :

— Comment faut-il faire ? demanda-t-elle à Bobby, couteau levé.

— Vous enlevez la peau, vous le fendez en long, vous ôtez les pépins et vous découpez en tranches. Pas trop fines, surtout.

— Facile à dire !

Elle se mit à peler le concombre à l'aide de son couteau. Sans mot dire, Bobby fouilla dans un tiroir et lui tendit un éplucheur à légumes :

— Tenez, c'est plus commode.

— Merci.

Les lamelles de peau qu'elle enlevait étaient visiblement trop épaisses. Paul sortit pour allumer le feu. Bobby épépinait un poivron dans l'évier tout en l'observant :

— Laissez quand même un peu de concombre, dit-il enfin. Bon, ça ne fait rien, laissez, je le ferai moi-même...

— Mais non, mais non, je vais faire attention.

D'un geste maladroit, elle s'écorcha le pouce. Avec un petit cri de douleur, elle suça son doigt blessé sous le regard franchement désapprobateur du petit garçon.

— Décidément, je ne suis pas bonne à grand-chose dans une cuisine, dit-elle d'un air contrit.

Bobby lui décocha un regard méprisant.

Ils s'installèrent à l'ombre du grand sapin. Pendant le repas, la conversation resta languissante et banale, et Paul en fit presque seul les frais. Les enfants, se disait-il, sont peut-être intimidés devant Liz. L'atmosphère se dégela lorsque apparut le gâteau, sur lequel ils se précipitèrent goulûment. Liz elle-même en accepta une mince tranche. Peter, plus taciturne que jamais, prit congé de bonne heure, de sorte que Liz et Barbara purent se retirer au salon pour

204

bavarder entre elles pendant que Paul et Bobby s'occupaient de la vaisselle.

Il la raccompagna peu avant neuf heures, à cause de la durée du trajet, mais lui fit faire un tour du quartier qu'il était fier de lui montrer.

— Je trouve stupéfiant qu'un endroit aussi ravissant existe encore en pleine ville, lui dit-elle. Cela me rappelle la rue de mon enfance, tranquille, bordée de pelouses vertes et de grands arbres.

— Tu devrais le voir sous la neige. Un vrai décor de carte de Noël.

— C'est quand même bien loin de ton bureau, Paul.

— Le trajet n'est pas si désagréable ! répondit-il sur la défensive. Trois quarts d'heure de métro, pas plus.

— Si tout se passe bien... Et Bobby, combien de temps met-il pour aller à son école ?

— Un peu plus d'une heure.

— N'est-ce pas pénible, à son âge ?

— Il s'y est habitué.

Ils venaient de passer le pont. Paul engagea la Buick sur un large boulevard.

— Alors, dis-moi ce que tu penses de mes enfants.

— Ils sont adorables, Paul. Et déjà si mûrs, si sérieux... Bobby est un brave garçon. Et quels cils, quels yeux ! Je mourais d'envie de l'empoigner et de le serrer bien fort contre moi.

— Tu pourras le faire un de ces jours. Laisse-lui le temps de mieux te connaître.

— S'il veut bien y mettre du sien... Quant à Barbara, elle a beau se donner des airs de vieille dame, elle est restée très petite fille, tu sais. Elle me rappelle exactement ce que j'étais à son âge, à la fois blasée et manquant de maturité, un peu déboussolée, un peu fofolle, prête à faire n'importe quoi pour me différencier des autres... Nous avons parlé de ses études, de l'université. Il lui faut quelque chose de vivant, où elle puisse s'épanouir, pas une de ces sinistres petites boîtes confinées de la Nouvelle-Angleterre, si je puis te donner un conseil.

— Dieu ! que cela fait du bien ! dit Paul. Quel soulage-

205

ment de pouvoir te parler d'eux. J'ai l'impression de respirer enfin.

Liz ne répondit pas. Devant son expression pensive, Paul ne put s'empêcher de lui demander ce qui n'allait pas.

— Tout va bien, mais c'est un peu effrayant, répondit-elle. Tes enfants, cette immense maison, l'idée de t'épouser, de m'engager dans une vie entièrement nouvelle, inconnue. Tout cela me fait peur, Paul. Le comprends-tu ?

— Ce sera merveilleux au contraire, ma chérie, dit-il avec sincérité. Tu n'as pas lieu de t'inquiéter. Je ne serai heureux que le jour où tu t'installeras là-bas. Tout se passera le mieux du monde, tu verras.

A son retour, il trouva les enfants toujours debout qui l'attendaient. Barbara était dans sa chambre, à se sécher les cheveux avec une grande serviette.

— Elle est très gentille, lui dit-elle, mais quel âge a-t-elle ? Elle n'a pas l'air beaucoup plus vieille que moi.

Le bruit des gargouillis de Bobby leur parvenait de la salle de bain.

— Elle a l'âge qu'il faut, répondit Paul.

— Je ne m'attendais pas du tout à la trouver comme cela. Elle est... je ne sais pas. Différente.

— De qui, de quoi ?

— Elle n'a pas la discrétion de maman. Elle n'est pas exubérante non plus. Comment dire ? Elle est plus dynamique, ou quelque chose de ce genre. Tu l'aimes beaucoup, n'est-ce pas ?

— Oui, énormément.

— Elle a un excellent sens de l'humour, comme toi... Tu veux l'épouser, si j'ai bien compris ?

Paul sentit une question informulée dans les paroles de sa fille :

— Oui, ma chérie. Je l'aime, voilà la vérité. Elle n'est pas ta mère, c'est évident. Liz ne lui ressemble pas. Mais elle est bonne, honnête, pleine d'autres qualités et elle est toute prête à vous aimer de tout son cœur. En plus, elle est extrêmement intelligente.

— Qui ça ? intervint Bobby en passant sa tête par la porte.

— Liz, lui répondit Barbara.

206

— Je ne vois pas ce qu'elle a de brillant ! dit Bobby avec un ricanement de mépris. As-tu vu comment elle tient un couteau ? La première chose que maman m'a apprise, c'était de savoir tenir un couteau pour ne pas se couper. Elle s'y prend comme une idiote.

— C'est sans aucune importance, Bob, répondit Paul.

— Alors, elle te plaît ?

— Beaucoup.

— Tu comptes la revoir ?

— Oui, souvent.

Bobby réfléchit longuement :

— Et si elle ne me plaît pas, à moi ?

— Fais au moins l'effort de mieux la connaître, Bob. Elle t'aime déjà beaucoup, elle.

— Et si je ne l'aime toujours pas ?

— J'espère que ce ne sera pas le cas. En fait, je suis sûr du contraire si tu veux bien être sincère.

— Ouais... Tu sais quoi ? Elle est trop grande pour toi. L'un à côté de l'autre, vous faites un drôle d'effet.

— Tu veux dire qu'elle n'est pas comme ta mère ?

— Non, elle n'a rien à voir avec maman.

Il leur faut simplement le temps de s'y habituer, se disait Paul. Tôt ou tard — mon dieu, faites que ce soit le plus tôt possible ! —, Liz saura gagner l'affection des enfants en restant ce qu'elle est. Le mieux, pour y parvenir, consistait à l'intégrer à leurs vies, à agrandir le cercle familial pour y inclure Liz de sorte que, finalement, *eux* se transforme tout naturellement en *nous*.

Les enfants passaient leurs vacances d'été à la maison, car Paul ne pouvait se résoudre à s'en séparer. Barbara insistait pour trouver un job; Paul lui en confia un : surveiller Bobby.

Avec Liz, leur trio devint un quatuor. Paul reprit son rôle de père de famille dans les restaurants, au cinéma, au stade et pendant leurs sorties en ville. Liz et Paul s'accordèrent quelques vendredis de congé pour faire plaisir à Bobby et l'emmener à la plage. La première fois, Liz avait cru bien faire en apportant un élégant repas froid de chez un traiteur. Bobby en fut scandalisé : « Où sont les sandwiches ? » demanda-t-il, avant de bouder pour le restant de la journée. Paul se chargea dorénavant de la préparation des pique-niques.

En citadine impénitente, Liz les entraîna dans les musées et les galeries, les initia aux cinémas d'art et d'essai de la Troisième Avenue; avec elle, ils découvrirent les joyeuses bousculades du samedi après-midi dans les grands magasins où — miracle sans pareil ! — Barbara se laissa convaincre d'acheter une jupe et une blouse dans un tissu qui ne fût pas du *jean*. L'influence bénéfique de Liz se faisait donc sentir.

Son appartement devenait une étape habituelle pour leurs expéditions dans Manhattan. Bobby noua une solide amitié avec Marmaduke, le chat de Liz, et voulut savoir pourquoi ils n'avaient jamais eu d'animal à la maison. Jane était allergique aux chats, expliqua Paul, et avait une peur panique des chiens.

Par un dimanche pluvieux, Marmaduke fut installé dans son panier de voyage et passa la journée chez les Klein. La grande maison intimidait encore Liz, mais le chat y fut immédiatement à l'aise. Il explora tous les étages, fureta dans chaque pièce. Au moment de partir, il était introuvable. Les équipes de recherche fouillèrent minutieusement les treize pièces, sondèrent les moindres recoins, ouvrirent armoires et placards, regardèrent sous les meubles. Marmaduke fut finalement découvert sous le couvre-lit de Barbara, en train de mastiquer paisiblement Remus, l'ours en peluche.

L'été se fit accablant. La campagne de publicité pour la sangria prit son rythme de croisière et Paul put enfin limiter ses déplacements et ne pas s'éloigner de chez lui. Une sourde inquiétude continuait cependant à le ronger. Barbara et Bobby se montraient aimables avec Liz lorsqu'ils la voyaient, amicaux parfois; Paul sentait pourtant qu'ils ne lui ouvraient pas leur cœur. Le temps finirait sans doute par abattre l'obstacle, se répétait-il sans parvenir à apaiser tout à fait ce chagrin qui le tracassait.

Tout au long de cet été, son amour pour Liz se renforça de jour en jour. Il la présenta fièrement à tous ses amis et tira la plus vive satisfaction du regard que lui décerna Michael Bradie, qui les avait invités à dîner, lorsqu'elle se produisit chez celui-ci dans un fourreau de soie verte. Les sourcils broussailleux de son associé ne cessèrent de s'agiter, au cours de la soirée, pour exprimer toutes les nuances de l'admiration.

— Un sacré morceau de femme, dit-il à Paul en aparté. Intelligente et sympathique, en plus. Tu ne méritais pas tant.

— Je ne méritais pas moins, jaloux !

— En tout cas, elle est aux antipodes de Jane. Comment s'entend-elle avec les enfants ?

— Pas trop mal. Mieux avec Barbara qu'avec Bobby, mais leurs rapports semblent s'améliorer.

— Vous comptez vous marier en décembre, m'as-tu dit ? Aux environs de Noël ?

— Si tout va bien, oui.

Michael tira longuement sur son cigare, soudain pensif.

— Tu sais, je songeais à Jane, pendant le dîner. Te souviens-tu comment mes filles descendaient en chemise de nuit pour lui dire bonsoir et se faire embrasser ? Elles l'adoraient. Nous l'aimions tous beaucoup.

— Au début, pourtant, nous avions tous deux si peur que Kathleen et elle ne s'entendent pas. Elles sont devenues amies pendant ce long week-end en Italie, te rappelles-tu ?

Ils évoquèrent le souvenir de ces quelques jours ensoleillés, pleins de gaieté — et déjà si lointains. Le premier, Michael mit fin à l'émotion qui les gagnait et posa la main sur l'épaule de Paul :

— Allons, mon vieux Paul, bonne chance avec Liz. Je te souhaite du fond du cœur de retrouver le bonheur, tu le mérites malgré tous tes défauts.

— Merci, vieux frère.

— Ce qui nous fait marcher, vois-tu, c'est une femme qui nous aime et qu'on aime. Voilà pourquoi la vie vaut la peine d'être vécue.

— C'est vrai, Michael. Encore plus que tu ne le crois.

David et Phyllis Berg organisèrent un barbecue monstre en l'honneur de Liz et invitèrent presque tout le quartier à venir faire sa connaissance. « La nuit des mille regards », la qualifia Liz plus tard, lorsque Paul la raccompagna chez elle.

— Que veux-tu, ma chérie, c'est compréhensible. Ils connaissaient tous Jane. En es-tu contrariée ?

— Un peu, oui. Je me suis sentie comme un pétunia primé que tout le monde a le droit de venir regarder et renifler.

— Tu t'en es admirablement tirée.

— Que veux-tu que ça me fiche ? s'écria-t-elle avec colère. Je n'ai que faire de la bénédiction de tes voisins pour t'épouser. Ils m'ont observée sous toutes les coutures, comme une bête curieuse ! Pour un peu, je les voyais prêts à apporter une bascule et une toise ! « Vous êtes beaucoup plus grande que Jane », me disait l'une. « Jane ne vous ressemblait pas du tout », déclarait l'autre. « J'espère que vous êtes aussi bonne pâtissière que Jane, elle faisait un gâteau au chocolat inoubliable », me susurrait une troisième...

— Du calme, chérie.

— Je ne suis pas Jane, Paul, et je ne serai jamais comme elle ! Tu ferais bien de te l'enfoncer dès maintenant dans la tête. Ce sont tes amis, je le sais...

— Pas tous, réussit-il à placer.

— ... mais je n'ai nullement l'intention d'être à tu et à toi avec tous ces gens-là, comme Jane ! Je veux bien être polie, je veux bien rester amicale avec les Berg, ils sont charmants. Mais ne m'impose pas cette troupe d'énergumènes, je t'en supplie !

Il promit de ne pas imposer — l'une des nombreuses promesses qu'il lui faisait au fil des semaines et qu'il semait aux vents comme l'on souffle sur des fleurs de pissenlit séchées. Il commençait toujours par : « Quand nous serons mariés » pour conclure en affirmant que tout irait mieux une fois installés tous ensemble sous le même toit. « Quand nous serons mariés », formule magique grâce à laquelle Liz et Paul surmontaient victorieusement les mille et un conflits de cette période chaotique leur tenant lieu de fiançailles.

Vint un samedi où Paul embarqua les enfants dans la

Buick et passa prendre Liz pour se rendre chez ses parents — c'était au tour de Paul de subir l'inspection. Tandis que Mme Golden accompagnait les enfants à la piscine, le docteur Golden soumit son futur gendre à un questionnaire serré portant sur son mode de vie, la marche de ses affaires et l'état de son compte en banque. Le père de Liz était un grand homme maigre, à la chevelure clairsemée soigneusement étalée pour dissimuler la nudité de son crâne. Liz tenait ses yeux de lui et Paul se sentait mal à l'aise sous ce regard scrutateur où dansaient des paillettes dorées.

— Bonne chance, dit enfin le docteur en serrant la main de Paul. J'espère que vous rendrez ma fille heureuse.

— Je ferai de mon mieux, répondit Paul en secouant avec conviction les doigts osseux du chirurgien.

— Dieu sait qu'elle ne l'a pas été avec nous. Elle voulait toujours ce que nous ne pouvions pas lui offrir — bizarre que ce soit vous, en fin de compte, ce quelque chose d'inaccessible. Et avec deux enfants. Enfin...

Il secoua la tête, fit un sourire qui rappelait vaguement celui de Liz.

— Ne lui cédez pas à tort et à travers, Paul, reprit-il. Liz peut se montrer très égoïste, parfois. Parfois ! Presque toujours, devrais-je dire. Elle est douée de « caprices de fer », comme disait sa mère. Soyez prudent.

Profondément choqué par cette tirade, Paul sut dissimuler ses sentiments jusqu'à ce qu'il pût en parler à Liz au téléphone, une fois les enfants couchés. Elle fit entendre un éclat de rire sans gaieté :

— Tu as vu la maison, la piscine, la Mercedes. Tu as compris comment ils vivent, n'est-ce pas ? Serais-tu surpris si je te disais qu'il a fallu me battre pour grappiller la moindre chose, pendant que ma sœur obtenait tout ce qu'elle voulait ? Il était comme cela, mon père, et il n'a pas changé. Tu sais ce que nous recevrons de lui comme cadeau de mariage ? Un soupir de soulagement.

Paul pressait Liz d'avancer la date de leur mariage, mais elle esquivait la décision. Ils avaient dit décembre, pourquoi ne pas s'y tenir ? La semaine de Noël convenait parfaitement, les affaires de l'agence ralentissaient traditionnellement en fin d'année. Les enfants seraient en vacances, ils pourraient aller passer une huitaine de jours en Floride, chez leur grand-mère, pendant que Paul et elle feraient un vrai voyage de noces aux Antilles.

— A ce moment-là, protestait Paul, nous serons tous les deux à ramasser à la petite cuiller ! Ces allées et venues de ton appartement à chez moi me tuent. Je veux te serrer dans mes bras toute la nuit, te voir à côté de moi en ouvrant les yeux.

— Et tes enfants ? répondit-elle un jour. Crois-tu qu'ils soient vraiment prêts à m'accueillir ?

— Tu sais bien qu'ils t'aiment, ma chérie ! Ils t'en donnent la preuve chaque fois que tu les vois.

— Bobby adore mon chat. Tu ne vois pas les regards qu'il me jette. Moi, si. Attendons Noël.

— Octobre !

— Voyons, Paul, il y a tant de choses à faire ! Sous-louer mon appartement, décider ce que je vais faire de mes meubles, me libérer quelques jours auprès de George et surtout des clients. Noël ! Je n'y reviendrai pas.

Il aurait voulu l'emmener loin, pour être seuls ensemble pendant une semaine, voire un simple week-end. Il imaginait un chalet isolé au milieu des bois, Liz et lui en train de faire l'amour devant une cheminée où flambait un grand feu de bûches odorantes. En fait, il rêvait avant tout d'une nuit avec elle, d'oublier les enfants une journée entière, de suspendre le temps, pour quelques heures de solitude à deux. Une vague de mauvaise conscience se brisait cependant sur ce souhait : ces enfants étaient les siens. Comment en arrivait-il à souhaiter s'en débarrasser, même pour si peu de temps ?

Un vendredi soir, fatigués et couverts de sable, au retour de la plage, il parvint à persuader Liz de rester coucher chez lui pour s'éviter le long aller retour jusqu'à l'appartement. Assis dans le fauteuil club de sa chambre, il la vit sortir de la douche drapée dans l'une des grandes serviettes roses de Jane. En proie à un désir aveugle, sourd aux gargouillis de Bobby de l'autre côté du couloir et à la stéréo de Barbara derrière la cloison, il saisit Liz dans ses bras et tenta de lui arracher sa serviette. Elle se débattit comme une vierge effarouchée :

212

— Non, Paul, non ! Les enfants...

Avec un gémissement de colère et de douleur, il la lâcha et se laissa tomber sur son lit, seul. Liz alla se coucher chastement dans la chambre d'amis pendant que Paul, solitaire dans son grand lit, tournait et se retournait misérablement en envisageant sérieusement d'aller la rejoindre. Et si Barbara se réveillait, ou que Bobby, insomniaque, se lance dans une de ses expéditions nocturnes ? Enragé, frustré, Paul parvint à s'endormir vers deux heures du matin en se jurant de ne plus renouveler l'expérience.

Les trois Klein étaient à table en train de déjeuner lorsque Liz apparut, fraîche et pimpante malgré ses vêtements de la veille.

— Excusez-moi d'être en retard, dit-elle en souriant. Ce lit est tellement confortable...

Elle ouvrit le placard au-dessus de l'évier et prit un bol au hasard. Le marron, fissuré à l'intérieur. Le bol de Jane... Paul en resta bouche bée de surprise, faillit dire non et s'arrêta à temps, pendant que Liz se servait tranquillement du café et s'asseyait à table. A la place de Jane.

Il surprit le regard qu'échangeaient les enfants, le choc que ce spectacle leur causait. Paul lui-même avait le souffle coupé de voir une autre femme assise à la place de la sienne et boire son café dans le bol de Jane. Il n'en dit rien à Liz en la raccompagnant; mais lorsqu'il rentra à la maison ce soir-là, il prit discrètement le vieux bol de Jane et alla le jeter dans la poubelle.

Vers le milieu de septembre, Liz dut aller passer une semaine en Californie pour affaires et en revint le vendredi soir. Paul avait mal supporté son absence, bien qu'ils se fussent téléphoné trois fois pendant ce temps. Ils étaient convenus de dîner tôt chez elle le samedi afin d'avoir une longue soirée à eux. Barbara et Peter devaient sortir à Greenwich Village, pour assister à un de leurs sempiternels concerts, ce qui laissait Bobby seul à la maison. Le petit garçon prenait très mal la chose et exprimait ses récriminations, mais Paul avait appris à s'endurcir. Il donna deux tours de clef à la porte et s'enfuit pour échapper au regard accusateur de son fils.

Le soleil californien avait avivé le bronzage de Liz, qui lui apparut comme un éblouissement dans sa robe blanche. Leurs mains ne se quittèrent pas sur la table, leurs genoux en dessous. Ils grignotèrent du bout des lèvres tant il leur tardait d'assouvir l'appétit qu'ils avaient l'un de l'autre.

Paul se réveilla en sursaut à deux heures du matin, stupéfait de s'être endormi. Il dégagea doucement ses jambes de celles de Liz assoupie, s'habilla à la hâte et sortit sur la pointe des pieds. Il était près de trois heures lorsqu'il introduisit sa clef dans la serrure de sa porte d'entrée. Deux tours ? Barbara ne se donnait habituellement pas tant de mal quand il lui arrivait de rentrer avant lui. Elle avait pourtant dû s'apercevoir que la voiture n'était pas là.

Paul monta silencieusement l'escalier, tendit l'oreille devant la porte de Barbara. Il se décida à l'ouvrir, passa la tête à l'intérieur. La lueur venant du couloir lui suffit pour se rendre compte tout de suite que le lit n'avait pas été défait. A trois heures du matin, elle n'était pas rentrée !

Il sentit ses cheveux se dresser sur sa nuque. Allons, du calme ! se dit-il. Le métro tombe en panne plus souvent qu'à son tour, les concerts durent parfois plus longtemps que prévu, Barbara et Peter se sont peut-être arrêtés quelque part pour manger une glace avec des copains... Dans sa chambre, il dénoua sa cravate, pendit sa veste à un cintre. Il fuma une cigarette dans le fauteuil club, décidé à attendre une demi-heure. Quelques minutes plus tard, n'y tenant plus, il redescendit à la cuisine et écouta la radio, tourna le bouton pour le régler sur la station qui diffuse des informations vingt-quatre heures par jour. Il entendit parler d'attentats au Proche-Orient, d'accidents de la route. Rien dans le métro, en tout cas. Alors, où diable Barbara avait-elle pu s'éclipser ? Où lui avait-elle dit qu'elle comptait aller, déjà ? Pourquoi ne l'avoir pas écoutée plus attentivement ? A cause de Liz, bien sûr. Ce soir, tu avais la tête ailleurs, avoue.

Il remonta à pas de loup et entra dans la chambre de Bobby, hésita longuement avant de le réveiller et se décida enfin à le secouer doucement par l'épaule :

— Bob ? Non, ne te lève pas, ce n'est que moi.

Il se pencha, l'embrassa sur le front, chassa une mèche de

cheveux collés par la sueur. Malgré la chaleur, le petit garçon restait enfoui jusqu'au menton sous son édredon.

— Dis-moi, te rappelles-tu le nom de la boîte où Peter et Barbara sont allés ce soir ?

— Oui, attends... Le Bottom Line.

— Tu es sûr ?

— Ouais... dit-il en bâillant. Quelque chose qui cloche ?

— Non, rien. Rendors-toi, tout va bien.

En redescendant, Paul entendit le grondement d'une rame de métro. C'était peut-être celle où se trouvaient Peter et Barbara. Dans deux minutes, il allait les voir arriver devant la porte. Il se posta derrière une fenêtre du living donnant directement sur la rue, attendit. Une silhouette se profila sur le trottoir; elle venait du métro. Mais ce n'était pas Barbara.

Il poursuivit son attente, vit à plusieurs reprises les feux de signalisation passer du rouge au vert. Le cœur serré, au bord de l'affolement, il alla dans la cuisine, décrocha le téléphone, parvint à obtenir les renseignements et demanda le numéro de la boîte en question. Huit, neuf sonneries... Plus de doute, elle a été victime d'un accident, d'une agression ! Ma fille chérie gît quelque part dans la nuit, elle souffre... Arrête, imbécile ! Ne te complais pas à imaginer des choses pareilles !

A la douzième sonnerie, on décrocha. Une voix à l'accent portoricain expliqua laborieusement qu'il n'y avait plus personne, qu'il était le balayeur et qu'il avait pris son poste à une heure du matin, à la fin du spectacle.

Une heure du matin ! Longtemps, déjà. Beaucoup trop. Paul resta paralysé, le combiné à la main, le regard fixe. Où était-elle, où diable était-elle passée ? Il ne restait qu'à appeler la police, donner son signalement : dix-sept ans, longs cheveux châtains, jean délavé, déchiré sans doute, T-shirt vert...

Il alluma une cigarette d'une main tremblante. Il avait la gorge sèche, le regard brouillé. Réfléchis, imbécile ! Elle est sans doute sur un lit d'hôpital, blessée — morte, peut-être ! Il ne lui faut pas aussi longtemps pour rentrer de Manhattan, même si Peter et elle se sont arrêtés pour prendre un verre quelque part. Non, mon dieu, non, faites qu'elle ne soit pas morte !... Une idée : appeler chez les Block, voir si Peter est rentré, cela limiterait déjà les recherches. Non, mieux valait y aller. Deux rues, à peine.

Paul sortit en courant, sans refermer à clef derrière lui. Il sauta dans la Buick, cala le moteur dans sa précipitation, jura, pesta, manœuvra en faisant crisser les pneus et grilla le feu rouge en tournant le coin en direction de la station de métro. Il allait au moins attendre l'arrivée d'une nouvelle rame, peut-être deux. Ces sales gamins n'avaient aucune notion du temps, il s'étaient probablement arrêtés chez un copain pour bavarder...

Le préposé bâillait à son guichet en écoutant de la musique disco. Au mur, au-dessus des portillons, l'horloge électrique marquait quatre heures moins deux minutes. Paul se pencha, s'éclaircit la voix :

— S'il vous plaît... Les trains circulent normalement, cette nuit ?

Sans cesser de dodeliner de la tête au rythme de la musique, le jeune employé moustachu leva un regard vide !

— Oui, pas de problème. La prochaine rame arrive dans deux minutes.

Paul hocha la tête en guise de remerciement, s'éloigna de quelques pas en allumant une cigarette. Ses mains tremblaient de plus belle. Il entendait déjà le grondement métallique du convoi sur les rails !

— La voilà qui arrive ! lui cria l'employé.

— Il n'y a pas eu de retards, cette nuit, depuis une heure ou deux ?

— Non, aucun. Pour une fois, tout fonctionne au poil. Vous attendez quelqu'un ?

La gorge nouée, Paul vit la rame s'immobiliser sur le quai. Un jeune couple bien habillé en descendit et commença de gravir les marches, suivi quelques secondes plus tard par un jeune barbu en jeans, une guitare sous le bras. Personne d'autre en vue.

Paul quitta la station derrière eux, remonta en voiture, fit le court trajet jusque chez les Block et stoppa juste devant la maison. Les fenêtres étaient obscures, aucune lumière à l'entrée, pas de voiture devant le garage. Paul pressa le bouton de sonnette, entendit un carillon résonner à l'intérieur, amplifié par le silence de la nuit. Un chien se mit

216

à aboyer chez les voisins. Un instant plus tard, il sonna de nouveau puis, faute de réponse, laissa le doigt sur le bouton. Le carillon tintait sans interruption. Allez-vous vous réveiller, là-dedans ? Votre fils et ma fille sont perdus quelque part dans la jungle de cette ville de fous ! Debout, les Block ! Où sont-ils ? Il n'y a donc personne ? Paul pressa le bouton plus fort, d'un geste rageur. Une lumière apparut enfin dans l'imposte, se réfléchit dans les vitres du living. Un bruit de pieds nus sur le parquet s'approcha derrière le vantail :

— Qui est là ? fit une voix.

C'était celle de Peter !

— Paul Klein. C'est vous, Peter ?

La porte s'entrebâilla pour dévoiler Peter Block vêtu, en tout et pour tout, d'un jean. Il paraissait livide.

— Où est Barbara ? Comment êtes-vous rentré ? L'avez-vous laissée quelque part ? Peter, répondez !

Le jeune homme ouvrit la bouche, la referma, fit un pas en arrière. Paul s'engouffra à sa suite.

— Où est Barbara ? cria-t-il.

Il entendit alors un bruit de pas dans l'escalier, vit apparaître des baskets sales avec des lacets rouges, un jean. Barbara, intacte Dieu merci, le regardait apeurée, les yeux écarquillés :

— Papa ? C'est toi ?

Une sorte de grondement de colère et de soulagement mêlés lui échappa :

— Où étiez-vous passés, tous les deux ? leur cria-t-il.

Peter s'éloignait à reculons à mesure que Paul avançait vers lui, les poings serrés. Il jeta à Barbara un regard chargé de détresse.

— Depuis quand êtes-vous rentrés ? demanda Paul.

— Papa..., commença Barbara.

Elle ne put aller plus loin et baissa les yeux.

— Où sont vos parents ? dit Paul au jeune homme.

Peter haussa les épaules et alla se cacher derrière Barbara.

— Ils sont absents pour le week-end, répondit-elle à sa place. Nous nous sommes endormis là-haut et...

— Vous n'êtes même pas allés à ce concert, je parie ! rugit Paul.

217

Devant son attitude menaçante, Barbara recula précipitamment en bousculant Peter.

— Écoute, papa...

— Vos parents ne sont pas là, la maison est vide et il est quatre heures du matin ! Et moi, pendant ce temps, je la croyais blessée, morte !... Vous étiez tout simplement ici, c'est bien cela ? Allez-vous répondre, à la fin ?

Peter bafouilla :

— Je vous demande pardon, monsieur... C'est vrai, nous nous sommes endormis...

— Tu m'as menti ! cria Paul à sa fille. Il n'y avait même pas de concert ce soir, n'est-ce pas ?

Barbara secoua lentement la tête de gauche à droite, laissa tomber un « Non » étouffé. Débordant de fureur, Paul leva les poings et fit le geste de la frapper. A la dernière minute, il se contint, empoigna Barbara par le bras et la poussa rudement vers la porte.

— File dans la voiture, dit-il en la surveillant pendant qu'elle descendait les marches du perron. Quant à vous, jeune crétin, poursuivit-il en se tournant vers Peter, vos parents vont en entendre parler. Et je vous interdis de remettre les pieds chez moi, vous entendez ?

Là-dessus, Paul claqua la porte et s'éloigna à grands pas.

Barbara était déjà assise à l'avant lorsqu'il monta en voiture. Paul fouilla dans sa poche, en sortit les clefs tout en fusillant sa fille du regard.

— Je suis désolée, dit-elle à voix basse. Excuse-moi, j'ai eu tort.

Il continuait de la dévisager dans la pénombre. Le réverbère laissait filtrer des rayons de lumière à travers les branches d'arbres. Paul sentait sa colère s'apaiser, faire place au soulagement d'avoir retrouvé Barbara saine et sauve.

— Je n'avais pas prévu que cela se passerait ainsi, reprit-elle.

— Je ne t'ai pas trouvée quand je suis rentré. Je t'ai crue morte, blessée, que sais-je ?...

Elle fondit en larmes, s'essuya les yeux d'un poing rageur.

— Je t'interdis de le revoir, dit Paul.

— Peter n'est pas le seul responsable, répondit-elle entre deux sanglots. Je le suis autant que lui.

218

Il la prit dans ses bras, la serra contre lui. Mais s'il l'aimait, il ne pouvait pas encore pardonner :

— Tu m'as menti, voilà ce qui fait du mal.

— Il n'y a plus moyen de te parler, tu ne m'écoutes plus. Tu es toujours parti, toujours en vadrouille depuis que tu l'as rencontrée...

Paul relâcha son étreinte, actionna le démarreur. Il ne mit cependant pas la voiture en marche et regarda Barbara sans mot dire.

— Il n'y en a plus que pour Liz, reprit-elle. Tu **ne** penses plus qu'à elle.

— Ce n'est pas vrai...

— Bien sûr que si ! Tu étais avec elle ce soir, n'est-ce pas ? Liz, Liz, toujours ta chère Liz !...

— Suffit, Barbara !

— Tu n'es plus le même depuis que tu la connais !

— N'importe quoi ! Je fais tout ce que je peux pour vous, et je n'en obtiens pas même de la reconnaissance ! Je t'accorde ta liberté, j'essaie de me montrer compréhensif et tu ne trouves rien de mieux, pour me récompenser, que de me mentir !

La soudaine froideur dans l'expression de sa fille fit à Paul l'effet d'un coup de poing.

— Et ta précieuse petite sainte de Liz, la crois-tu incapable de mentir, elle aussi ? dit-elle avec rancune. Tout ce qu'elle veut, c'est te mettre le grappin dessus. Elle se fiche éperdument de Bobby et de moi.

— Quelle mouche te pique donc ? Cela te chiffonne à ce point que je puisse aimer quelqu'un d'autre ? Estimes-tu que cela te lèse en quoi que ce soit ? Pourquoi diable en souffrirais-tu ?

— C'est un faux jeton, et tu es le seul à ne rien voir ! Demande donc à Bobby, il te dira la même chose.

Paul marqua une pause, serra les dents :

— Considère-toi aux arrêts de rigueur, dit-il sèchement. Tu ne sortiras plus de la maison jusqu'à la rentrée scolaire. Et si je vois Peter rôder aux alentours, Dieu me pardonne mais je le tuerai de mes propres mains. Est-ce clair ?

— Ouais, parfaitement clair.

Barbara se détourna ostensiblement et affecta de regarder

de l'autre côté. Il y eut un long silence tendu; la colère et le ressentiment dressaient entre eux un obstacle infranchissable. Paul ne savait plus s'il avait envie de la gifler ou de la prendre dans ses bras. Il aurait voulu oublier les paroles qu'il lui avait entendu dire.

— Épouse-la donc, dit Barbara sans élever la voix. Tu ne penses plus qu'à ça, alors vas-y. Épouse-la.

— Si seulement tu savais combien elle t'aime, combien elle s'intéresse à toi... C'est Liz qui temporise, pas moi. Tout ce qu'elle vous demande, à tous les deux, c'est de lui rendre un peu de l'affection qu'elle vous porte, un petit effort de compréhension de votre part...

— Inutile de te fatiguer. Épouse-la.

Excédé, Paul enfonça brutalement l'accélérateur.

Lorsque Paul arriva chez elle le lendemain après-midi, Liz vit aussitôt l'expression de ses traits, distingua la tension nerveuse qui lui brisait la voix en lui faisant refuser le café qu'elle lui proposait.

— Écoute-moi, Liz, dit-il. Marions-nous. Je ne peux plus attendre.

— Voyons, Paul...

— Sans toi, je deviens fou, les enfants sont intenables.

— Je croyais que nous étions d'accord pour attendre la semaine de Noël. C'est justement l'époque où...

— Non, en octobre. Avant la fin du mois.

— C'est impossible, mon chéri !

L'éclair de colère qui apparut dans les yeux de Paul lui fit peur.

— Rien n'est impossible quand on y tient vraiment. J'ai besoin de toi, Liz. Demain. Tout de suite. Et les enfants aussi...

Il lui raconta alors les événements de la nuit en ne prononçant le nom de Barbara qu'avec une rage mal contenue — mais sans lui rapporter les propos que sa fille avait tenus sur son compte.

— Quel est ton programme de travail en octobre ? demanda-t-il quand il eut terminé son compte rendu.

220

— Infernal, comme d'habitude. Et je ne te parle même pas de l'appartement, des meubles...

— Ce ne sont que des détails. Je paierai le garde-meuble et je dirai à mon avocat de s'occuper de ton bail. S'il ne s'agit que d'argent, cela ne compte pas. C'est toi qu'il me faut.

Il l'attira contre lui, plongea un regard implorant dans ses yeux verts où dansaient des paillettes d'or :

— Octobre, c'est dit. Les enfants seront rentrés en classe. Je te laisse le choix de la date, tant que ce ne sera pas un vendredi 13 !

— Tu me forces à aller trop vite, Paul...

— C'est exact.

— Tu bouscules également les enfants.

— Vrai encore une fois. Octobre.

— Ils ne me connaissent pas, ils n'ont pas confiance en moi.

— Octobre, j'ai dit.

— Sois raisonnable, Paul ! Tant de précipitation ne servira...

— Qu'à nous faire vivre ensemble un peu plus tôt.

Il lui fit le sourire qui la bouleversait à chaque fois.

— Octobre, reprit-il, ou demain matin. Je te laisse le choix.

Sa protestation s'étrangla dans sa gorge lorsqu'elle sentit les bras de Paul la serrer plus fort.

— C'est mon dernier mot, insista-t-il.

— C'est parfaitement déraisonnable...

— Il est parfaitement raisonnable d'être insensé quand on est amoureux, ma chérie.

A son tour, Liz l'entoura de ses bras, le serra. Elle poussa un soupir :

— Soit, va pour octobre, fou que tu es, murmura-t-elle en lui mordillant l'oreille. Je t'aime trop...

Lorsque leurs lèvres se joignirent, Paul se rendit compte qu'elle pleurait en silence. De bonheur, sans doute. Désormais, plus rien ne les menacerait. Tout s'arrangerait. Tout.

Une larme minuscule humecta la joue de Paul. Elle la sécha d'un baiser.

TROISIÈME PARTIE

16

Liz est dans le métro. Elle rentre à la maison — la maison de Jane. Debout au milieu d'un wagon bondé, elle se cramponne à une barre pour résister aux secousses. En imperméable et chapeau de cow-boy, elle domine de plus d'une tête son voisin, petit brun de type hispano-américain, qui la dévore des yeux. Elle regarde défiler les parois de béton gris, ruisselantes de pluie, voit son reflet dans la vitre et s'examine. Madame Klein — l'anneau de vieil or à l'annulaire de sa main gauche est là pour en témoigner. Cette même main gauche qui s'engourdit sur la barre métallique poisseuse au beau milieu de ce wagon puant à une heure de pointe.

Paul lui avait pourtant décrit cette même ligne en termes délirants; il lui avait conté sa création, l'époque de sa splendeur où, chemin de fer de luxe sillonné de trains de plaisir, ses wagons emportaient dans leurs flancs capitonnés les richards de Manhattan vers les champs de courses et les plages de Coney Island. Aujourd'hui, ce n'était plus qu'un métro, et de la pire espèce. C'était du Paul tout craché, Paul le super-vendeur de charme capable de faire avaler n'importe quoi à n'importe qui. Il n'avait qu'à sourire, plisser ces petites lignes irrésistibles au coin de ses yeux sombres, l'effleurer de ses grandes mains, l'appeler « ma chérie ». Elle sourit en pensant à lui. Son absence lui pesait — même s'il devait téléphoner ce soir.

« L'amour est plus fort que tout, ma chérie. Il faut y croire. » Ouais...

225

La rame stoppa dans des soubresauts et des grincements. Liz se fraya un chemin à coups de coude et sortit du wagon bondé pour émerger dans le froid et la pluie. Elle suivit la foule vers l'escalier, jonglant avec son sac et son porte-documents qu'elle faisait passer d'une main à l'autre. Il était tard, presque sept heures, et — oh ! la barbe ! — elle avait encore oublié de sortir quelque chose du congélateur ce matin. Épouse et belle-mère depuis six semaines, elle en était encore à cafouiller à ce point ! Pendant ce temps, à Miami, Paul était probablement en train de quitter le sable chaud d'une plage inondée de soleil...

En haut des marches, elle marqua une pause, quitta son abri juste au moment où une gifle de vent lui jeta de l'eau glacée à la figure. Comment pouvait-il pleuvoir par un froid pareil ? Tant pis. Cours, ma petite, cours donc. Elle se lança dans un trot rapide qui lui rappela qu'elle n'avait pas mis les pieds au club de gymnastique, ni même couru un mètre depuis la semaine ayant précédé son mariage. Où en eût-elle trouvé le temps, d'ailleurs ? Debout à l'aube pour envoyer Bobby en classe, une douche à la va-vite avant de partir elle-même pour le bureau et avoir le temps de faire quelque chose, si peu que ce soit, avant que ces satanés téléphones ne commencent à sonner. « Amour, amour, tu nous fais faire des folies »... Elle n'avait pourtant guère envie de chanter.

Ce soir encore, au moment de quitter le bureau, George l'avait gratifiée d'une de ses mimiques à fendre l'âme et avait levé au ciel ses yeux en amande. Pauvre cher George, si dévoué... Elle lui avait laissé la copie d'au moins six annonces; à minuit, il serait encore attelé aux mises en page. Seul, bien entendu. Avant, il y avait deux mois à peine, elle serait restée avec lui, moins pour travailler que pour lui tenir compagnie. Sinon, à quoi sert un associé ?

Au coin de la rue, arrêtée en attendant que le feu passe au vert, elle se surprit à haleter. Dix ans de course à pied et d'exercices pour tout ficher en l'air en six semaines de flemme ! Ce soir, après avoir couché Bobby et liquidé le travail qu'elle rapportait du bureau, elle enfilerait son survêtement et son blouson de nylon, ferait trois fois le tour du pâté de maisons, au petit trot, histoire de retrouver le rythme...

226

De qui te moques-tu, ma fille ?

Non, elle ne courrait pas sous la pluie glacée. Elle s'écroulerait dans le grand lit en serrant l'oreiller de Paul contre sa poitrine pour essayer de s'endormir. Peut-être n'oublierait-elle pas, pour une fois, de régler le réveille-matin sur l'heure invraisemblable à laquelle il lui fallait se lever. Rien de pire que de se réveiller en retard en se rendant compte que le réveil n'a pas sonné, de se ruer sur le gamin en catastrophe — « Bob, il est sept heures ! Dépêche-toi ! » — et de faire ensuite une course contre la montre pour l'habiller, le faire déjeuner et l'expédier à l'école avec un sandwich dans son cartable. Après une telle séance, il aurait fallu pouvoir se recoucher pour récupérer, sûrement pas se bousculer de plus belle pour partir soi-même au bureau.

Enfin, le perron, l'auvent qui abrite de la pluie. Par cette nuit noire de la fin novembre, pas même une lumière à la porte. La maison obscure avait l'air inhabitée. Une fois, une seule, elle aurait pourtant aimé arriver dans une atmosphère accueillante, trouver les enfants venus lui souhaiter la bienvenue dans le vestibule — l'un des deux, au moins. Un visage amical, n'importe lequel, quelqu'un qui lui ouvre la porte avec un sourire, lui dise bonsoir. Rien.

A l'intérieur, elle posa son porte-documents en pensant au travail à faire ce soir. Comment imaginer un spot télé de trente secondes, une idée originale et accrocheuse pour des jeans, après tout le battage et les clichés accumulés depuis des années ? Jamais elle n'aurait dû accepter ce budget. Un client de troisième ordre, un de ces chiffonniers de la Septième Avenue profitant d'une mode pour ramasser de l'argent alors qu'il est déjà trop tard. Et ils voulaient « de la classe » !...

— Salut là-dedans ! cria-t-elle à la cantonade. Je suis rentrée. N'applaudissez pas tous en même temps, ajouta-t-elle devant l'absence notable de réaction à sa déclaration.

Elle alla se rafraîchir dans le cabinet de toilette de l'entrée, tenter de se rendre présentable après la pluie et le métro.

Bobby l'attendait à la cuisine, assis sur un des plans de travail.

— Qu'est-ce qu'il y a pour le dîner ? demanda-t-il sans préambule.

227

— Bonsoir quand même.

— Pardon. Bonsoir, Liz. Comment ça va ?

— Mal. Ce métro est un enfer. Comment fais-tu pour y résister deux fois par jour ?

— Bof, on s'y fait, répondit-il avec un haussement d'épaules.

— Qui peut s'habituer à ça ? Des chèvres ?

— Il n'y a pas trop de monde le matin, quand je pars. Et il n'y a personne à l'heure où je rentre.

— Tu as de la chance.

Elle ouvrit le placard aux apéritifs et se versa un scotch. Quand elle ajouta de l'eau du robinet, elle vit se former une sorte de mousse blanchâtre et fit une grimace comique en espérant faire sourire le petit garçon qui l'observait. Visiblement, il en fallait davantage pour le dérider.

— Tu as fini tes devoirs ? demanda-t-elle.

Bobby fit un signe de tête affirmatif.

— Tu ne les oublies donc jamais ?

— Non. D'ailleurs, vous me le demandez tous les jours.

— Désolée...

— J'ai toujours fait mes devoirs, Liz. Même quand ma mère est morte. Vous alliez aussi me demander si j'ai donné à manger à Marmaduke ? La réponse est oui.

— Je manque d'imprévu à ce point ?

— « Tout s'est bien passé à l'école ? » dit-il en l'imitant. Oui, très bien, merci...

Le verre à mi-chemin de ses lèvres, Liz le dévisagea en ne sachant si elle avait plus envie de l'embrasser que de le gifler. Ne relève pas ses impertinences, se dit-elle enfin. Laisse-lui le temps de s'habituer à toi...

— Au fait, dit-elle, où est donc Marmaduke ? C'est mon chat, après tout, il pourrait au moins faire acte de présence quand je rentre.

— Il est dans ma chambre en train de jouer avec une balle. Il m'aime bien.

— Je m'en suis rendu compte.

— C'est sans doute parce que je lui donne à manger et que je change sa litière.

— Peut-être t'aime-t-il aussi parce que tu es gentil. L'avais-tu envisagé ?

228

Bobby fit la moue et haussa les épaules.

— Tu peux en être fier, tu sais. Marmaduke est un chat snob qui n'accorde pas son amitié à n'importe qui.

Elle fit un pas en avant pour l'entourer de ses bras et, avant même de l'avoir touché, le vit baisser les yeux. Elle l'embrassa quand même, le sentit tourner la tête pour éviter le contact de sa poitrine. Un bloc de marbre. Découragée, elle le lâcha.

— A propos de dîner, dit-elle, nous avons un petit problème.

— Vous avez encore oublié.

— Très juste. Rien n'est perdu cependant, reprit-elle avec une bonne humeur forcée. Grâce à mon immense répertoire de miracles culinaires, et compte tenu des ressources dont nous disposons, je puis te proposer le choix entre les délices que voici...

— Ah non ! Encore une omelette ou une pizza de chez Guido ! J'aimerais autant de la soupe chinoise, dit-il en sautant de son perchoir pour inspecter le contenu des placards. Je sais la faire. Avons-nous des échalotes ?

— Naturellement, répondit Liz.

Elle eut un moment de panique : avait-elle pensé à en racheter, samedi dernier ? Pendant qu'elle fouillait dans le bac à légumes, Bobby trouvait un sachet de soupe en poudre et le posait près du fourneau.

— Voici les échalotes ! dit-elle en les brandissant. Veux-tu que je m'en occupe ?

— Pas la peine.

Il leva sa main raidie, assena une manchette de karaté sur le sachet qui se fendit en répandant de la poudre blanche et des vermicelles sur la surface carrelée. Bobby lâcha un juron de détresse et contempla son œuvre bouche bée.

— Ce n'est pas grave, dit Liz aussitôt. On va le récupérer.

— Mais si, c'est grave ! Regardez ce que j'ai fait. C'est idiot ! Je suis au-dessous de tout...

Il criait presque, comme pour ne pas pleurer.

Liz avait déjà saisi une casserole et y ratissait de la main la poudre et le vermicelle.

229

— Qu'est-ce que vous faites ? intervint Bobby. Vous savez bien qu'il faut faire bouillir de l'eau avant d'y jeter le contenu du sachet.

— Eh bien, on mettra l'eau à bouillir dans une autre casserole, voilà tout. Combien en faut-il ?

— C'est pas croyable ! Vous ne savez pas combien il faut mettre d'eau pour un sachet de soupe ? Papa sait mieux faire la cuisine que vous.

— C'est vrai.

— Il se débrouille deux fois mieux que vous, insista-t-il. Barbara elle-même est moins nulle.

— Je ne fais pas aussi bien la cuisine que ta mère. C'est cela que tu veux dire, n'est-ce pas ?

Bobby cligna les yeux, les coins de sa bouche s'abaissèrent :

— Personne ne fait la cuisine mieux que maman !

— Et moi encore moins que les autres. C'est bien ça ?

— Oui, c'est bien ça ! Vous encore moins que les autres.

— Bon. Maintenant, au moins, on sait à quoi s'en tenir. Cela dit, combien faut-il mettre d'eau ?

Le petit garçon tourna les talons et se dirigea vers la porte.

— Bobby ! Où vas-tu ?

— Laissez tomber la soupe, je n'en mangerai pas.

Elle le rejoignit en trois enjambées dans le vestibule et l'empoigna par le bras :

— Suffit comme ça, mon garçon, compris ? Conduisons-nous au moins comme des êtres sensés. Nous ne mangerons peut-être que du pain sec, je m'en moque, mais nous dînerons ensemble, tous les trois. Ce soir, demain et les jours suivants.

— Et si je n'ai pas faim ?

— Tu t'assiéras quand même à table et tu nous tiendras compagnie.

— Et si je ne veux pas vous tenir compagnie ?

— Tu le feras *quand même* parce que je te le dis. En l'absence de ton père, c'est moi qui commande ici, dit-elle en lui rendant son regard chargé de colère. Maintenant, monte prévenir ta sœur qu'elle se magne le popotin et qu'elle vienne nous rejoindre.

— Qu'elle se... quoi ?

230

— Qu'elle se magne le popotin. Inutile de faire cette tête-là, tu peux le répéter si tu veux. Cela ne t'écorchera pas les lèvres et je ne me choquerai pas.

— Alors, qu'est-ce que vous attendez pour vous magner le popotin et quitter cette maison ?

— Désolée, mon petit vieux, j'y suis, j'y reste.

— Si seulement mon père n'avait pas eu l'idée de vous épouser...

— Tu ne m'apprends rien, figure-toi. File chercher ta sœur.

Les yeux de Bobby lancèrent des éclairs mais il s'abstint de répliquer et monta l'escalier. Liz le suivit jusqu'au palier pour s'assurer qu'il exécutait la commission. Elle le vit ouvrir la porte de Barbara qu'il claqua derrière lui à faire tressauter les cadres pendus au mur.

Et voilà, l'ignoble marâtre jette le trouble et la haine dans le foyer heureux. Du vrai mélo... Ce sale gamin a le charme et la tendresse d'un ayatollah, sa pimbêche de sœur la chaleur d'un iceberg.

Liz resta un instant à regarder les photographies accrochées au mur du palier. Jane, menue et brune sous son voile de mariée, l'observait du haut de son cadre. Ce sont tes enfants, ma belle, c'est toi qui les as fabriqués. Et ils ne veulent visiblement pas de moi ici.

Toi non plus, d'ailleurs, je commence à m'en rendre compte.

Le jour du mariage, elle portait une robe de cocktail en soie grège achetée en dix minutes dans une boutique à deux pas de son bureau. Les Bradie avaient insisté pour que le repas ait lieu chez eux : « Cela ne nous dérangera pas le moins du monde, au contraire. Et si vous ouvrez encore la bouche, Liz, je vous bourre de coups de poing ! Croyez-moi, j'en suis capable », avait dit Kathleen.

Pour sa part, Liz se demandait si elle serait capable d'aller au bout de sa folle aventure.

Son appartement, enfin arrangé exactement comme elle voulait, avait été démantelé sous ses yeux. Elle n'avait gardé que quelques objets : sa table basse, verre et acier chromé, pour remplacer la vieille en bois vermoulu devant le grand canapé de Paul — par extraordinaire, les dimensions et le style s'accordaient parfaitement à la pièce. Sa machine à écrire IBM, son instrument de travail, installée dans la chambre d'amis transformée en bureau. Une lampe du living, une autre dans la chambre — elle jurait avec le reste, mais Liz refusait de s'en séparer. Quant à son grand canapé blanc, si moelleux, si confortable, il avait dû partir au garde-meuble avec le reste.

Elle se sentait comme un astronaute débarquant sur une planète inconnue.

Ranger ses affaires dans la commode de la chambre de Paul — la leur, désormais — lui avait fait un drôle d'effet. Ses sous-vêtements allaient sentir la lavande de Jane. Liz en avait trouvé des sachets qu'elle avait discrètement fait disparaître à la poubelle, mais le bois en restait imprégné. Elle n'avait maintenant plus de chez-elle : comme promis, l'avocat de Paul avait réglé la résiliation du bail. Entre-temps, elle avait fait cent aller-retour de l'appartement à la maison de Paul — non, *sa* maison. Le bon docteur Freud en aurait dit long sur la persistance d'un tel lapsus.

Et il y avait eu le mariage.

Pour *Golden, Chan & Associates,* ce fut comme un direct au menton. Les préparatifs, la myriade de coups de téléphone et le travail dont la future mariée devait malgré tout s'occuper. Pauvre George ! « Tu es sûre que tu ne veux pas te marier au bureau, Liz ? lui avait-il demandé un soir avec un sourire contraint. On n'aurait qu'à pousser toutes ces maquettes pour faire un peu de place et tu pourrais continuer à travailler pendant la cérémonie. »

Elle avait finalement choisi la date du vendredi 10 octobre dans l'après-midi, après avoir hésité entre le tournage de deux spots publicitaires et la menace de son indisposition mensuelle, qui tombait avec la régularité d'une horloge. Mieux valait repousser le tournage d'une semaine que risquer de gâter leur voyage de noces. Quel « voyage », au fait ? Tout au plus un week-end prolongé, du vendredi soir au mardi avec retour obligatoire au bureau le mercredi au plus tard. Paul s'était occupé de tout sans lui révéler leur destination. C'était la seule surprise qu'il pouvait encore lui offrir.

Tout le monde s'était montré si gentil avec elle ! Michael avait fourni le juge, un ami habitant au bout de la rue. Kathleen avait réparé tous les oublis, toutes les étourderies de Liz. Les Berg s'étaient chargés des enfants pour le week-end. Et puis, il y avait Paul, toujours lui, Paul seul prétexte à ce remue-ménage. Il l'apaisait lorsque ses nerfs la lâchaient. Quand sa mauvaise humeur bouillonnait, il la subissait patiemment. Il s'était abstenu d'inviter tout le quartier, selon son vœu. Seuls les Berg et Marion Gerber étaient présents, avec deux ou trois personnes du bureau. Sylvia, la belle-mère, n'avait pas fait le voyage — « Dieu soit loué ! » avait commenté Paul.

De son côté, Liz avait limité au maximum la liste des invitations. Ses parents, bien sûr, et sa sœur Diane avec son mari. Les Chan, George et Grace; deux ou trois amies gardées dans les agences où elle avait travaillé naguère, deux ou trois camarades d'université et sa seule amie d'enfance, Susie.

Tout le monde s'était rassemblé dans le vaste living des Bradie, qui débordait de fleurs. Il pleuvait à verse. Seule, Liz se sourit dans le miroir de la coiffeuse. Elle se sentait heureuse comme si le soleil eût étincelé. Pas d'attendrissement, ce n'est pas ton genre ! s'admonesta-t-elle. Kathleen apparut alors afin de l'escorter, comme l'exigeait sa charge de « demoiselle » d'honneur.

— Tout est prêt en bas et personne n'est encore soûl, annonça-t-elle. Un miracle.

— Y compris mon cher mari ?

— Surtout votre cher mari ! Il se cramponne à Barbara et Bobby comme à des bouées de sauvetage. Au fait, votre sœur — Diane, n'est-ce pas ? — est absolument époustouflante.

— Elle l'a toujours été.

— Pas autant que vous, Liz, dit Kathleen en souriant. Pas aujourd'hui, en tout cas.

Elle prit une brosse et en caressa sa longue chevelure :

— Pourquoi ne les avez-vous pas relevés ou arrangés différemment ? demanda-t-elle.

233

— Je n'ai jamais réussi à faire tenir une épingle ou un bigoudi dans cette crinière.

— Et pour ce soir ?

— Qu'est-ce que ce soir a de différent des autres soirs ? répondit Liz avec un clin d'œil qui fit rougir Kathleen. Pardon, je vous ai choquée...

— Bien sûr que non. Nous sommes toutes de grandes filles.

— Il se passera quand même quelque chose d'inhabituel, dit Liz. Paul ne sera pas obligé de se lever au milieu de la nuit pour rentrer chez lui.

— Allons, tant mieux ! dit Kathleen en riant. Vous vous êtes au moins réservé une surprise.

Liz partagea sa gaieté, hésita à poursuivre :

— Dites-moi, Kathleen... Parlez-moi de Jane, voulez-vous ?

— Elle a été une excellente amie — comme j'espère que vous le deviendrez.

— Je suis sûre que nous le serons. Vous faisait-elle ses confidences ?

— Au bout de quelques années, oui.

— Y avait-il chez elle quelque chose que vous n'aimiez pas ? Elle me fait peur, je l'avoue. Ce n'est pas commode de prendre sa succession.

— Ne vous faites pas de souci à son sujet, Liz. Vous n'avez rien de commun avec elle.

— Je sais. Elle était parfaite, comme ma sœur Diane.

— Loin de là ! Elle était trop calme, par moments, trop réservée — renfermée, j'allais dire. Lorsque Michael sortait une de ses grosses gaudrioles et que j'éclatais de mon rire gras, elle souriait à peine. Je m'en sentais toute gênée, vulgaire. Vous voyez ce que je veux dire ?

— Ce n'est pas bien grave.

— Jane était presque toujours ainsi, digne, guindée comme une maîtresse d'école... C'est peut-être pour cela que nous l'aimions, justement. Nous nous amusions à la choquer, à la faire sortir de ses gonds. Il lui arrivait aussi de tomber dans la pédanterie. Elle faisait toujours tout mieux que tout le monde. Elle avait lu ceci ou cela, elle savait tout sur tel ou tel sujet. C'est parfois pénible à supporter.

234

— Et avec les enfants, comment était-elle ?

— D'une patience dont je suis bien incapable, je vous le garantis. Elle ne criait jamais, ne les giflait jamais, quand moi je ne m'en privais pas avec les miens.

— Sainte Jane, autrement dit...

— Quand même pas. Et puis, voyons, vous n'allez pas vous mettre martel en tête pour ce genre de choses cinq minutes avant votre mariage, que diable ! Autant pour les enfants que pour Paul, vous êtes un don du Ciel, Liz ! Ne l'oubliez pas.

— Les enfants n'en semblent guère convaincus.

— Ils le seront. Donnez-leur le temps, ils y viendront.

— Quand j'aurai les cheveux blancs, peut-être...

— Ne dites pas de bêtises, Liz ! Restez vous-même, n'essayez pas de lutter avec Jane et tout ira bien, vous verrez. Vous êtes de taille à mettre ces deux gamins à la raison.

— Nous aurions quand même mieux fait d'attendre jusqu'en décembre.

— Si vous y tenez, il est encore temps de faire machine arrière, dit Kathleen en souriant.

— Non, c'est trop tard...

— Les enfants seront envolés bien plus vite que vous ne le croyez, vous verrez. Barbara à l'université l'année prochaine, son petit frère quelques années plus tard. Le temps passe vite, Liz, beaucoup trop vite, croyez-moi.

— Il y a encore autre chose qui m'effraie, Kathleen. La maison. C'est sa maison à elle, vous savez. Partout je retrouve ses goûts, son style, sa marque. Et c'est là que je vais vivre à partir de la semaine prochaine. Je vais coucher dans *son* lit, m'asseoir sur *sa* chaise, m'adosser contre la tapisserie de *ses* coussins.

— Eh bien, changez la décoration ! Pas tout de suite, bien entendu, cela ferait plus de mal que de bien. Mais commencez au printemps prochain, par exemple. Appropriez-vous la maison, mettez-y votre empreinte. Transformez-la.

— Et sa photo sur le mur, qu'est-ce que j'en fais ? Aurai-je l'audace de la décrocher ?

Kathleen se pencha et lui effleura les cheveux de ses lèvres.

— Allons, il est grand temps de descendre, nous les avons assez fait attendre comme cela. Laissez-moi vérifier votre tenue.

Liz se leva et se soumit à l'examen souriant de Kathleen.

— Pas mal du tout, dit-elle enfin. Venez leur montrer à quoi doit ressembler une mariée idéale.

Liz et Bobby étaient en train de regarder la rediffusion d'un vieux film lorsque le téléphone sonna. Bobby se rua pour décrocher l'appareil de la cuisine, cria : « C'est papa ! » et courut prévenir Barbara. Liz prit l'écouteur :

— Salut, ô ma princesse lointaine ! fit la voix de Paul. Tout va bien au château ?

— Tout va bien... commença-t-elle.

On entendit alors deux déclics consécutifs et la voix des deux enfants disant en même temps bonsoir à leur père.

— Il fait un temps splendide, ici, annonça Paul. J'ai entendu dire qu'il a plu, dans vos parages ?

— Sans parler du froid. La maison est pleine de courants d'air, répondit Liz.

— Emmitoufle-toi dans des tricots. Et toi, Barbara, tout va bien de ton côté ?

— Oui, papa.

— C'est bien. Et toi, Bob ?

— Tout va bien, papa.

— Parfait. Pas de disputes dans l'air ?

Il y eut une brève hésitation avant que les enfants répondent en chœur que l'harmonie régnait.

— Liz a encore oublié de sortir le dîner du congélateur, ajouta Bobby.

— Tant mieux, je ne suis donc pas le seul ! dit Paul en riant.

Liz s'attendait à ce que le petit garçon poursuive l'exposé de ses griefs et rapporte leur querelle de ce soir, mais il n'en souffla mot.

Elle écouta la conversation qui s'engagea ensuite entre eux trois jusqu'à ce que Paul leur dise bonsoir pour parler seul avec Liz. Ils attendirent tous deux d'avoir entendu les déclics correspondants :

236

— Tu me manques, ma chérie, dit Paul.

— Toi aussi.

— Comment les choses se passent-elles en réalité ?

Elle allait répondre lorsque Bobby entra à la cuisine et se planta à quelques pas en la dévisageant avec froideur.

— Ce n'est pas l'idéal, dit-elle enfin.

— Qu'est-il arrivé ?

Sous le regard hostile du jeune garçon, elle s'abstint de répondre.

— Il y a quelqu'un qui écoute ? demanda Paul. Bobby ?

— Oui.

Elle l'entendit soupirer à l'autre bout de la ligne :

— Cela se tassera, dit-il. Ce n'est pas un méchant garçon, tu sais.

— Oui, je sais.

— C'est idiot... Si Michael n'avait pas été obligé de partir pour la France en catastrophe, je serais avec toi en ce moment. Veux-tu que je te rappelle tout à l'heure quand les enfants seront couchés ?

— Tu tiens vraiment à m'empêcher de dormir, Klein ? Bonne nuit, mon chéri.

— Bonne nuit, madame Klein ! Hmm ! **Que** c'est agréable à dire...

Liz raccrocha lentement. Son sourire s'effaça à la vue de Bobby qui faisait un pas vers elle.

— Ce n'est pas très poli d'écouter une conversation privée, lui dit-elle.

— Je voulais simplement savoir si vous alliez raconter à papa ce qui s'est passé ce soir.

— Eh bien, tu as entendu. Je n'en ai pas dit grand-chose.

— Merci, Liz.

Il restait immobile sans la quitter des yeux. Ses longs cils clignaient sous la lumière crue de la suspension.

— Je vous demande pardon pour la soupe, dit-il enfin.

— Et moi, je regrette de m'être emportée contre toi, Bobby.

— Il y a des moments, comme ça, où je me mets en colère.

— Moi aussi. Quand mon sang irlandais se met à bouillir, attention aux dégâts, dit-elle en souriant. Allons,

237

Bob, dis-moi ce qui te chiffonne. Depuis que je vis ici, tu n'es plus le même.

Le petit garçon fit son haussement d'épaules habituel.

— L'incorruptible héros taciturne, hein ! Écoute, je croyais vraiment que nous deviendrions amis, toi et moi. Depuis le jour où tu m'as appris à faire la salade, tu te rappelles ? Mais ces derniers temps... Qu'ai-je donc fait de mal, Bobby ?

— Eh bien, Liz...

Il s'interrompit. La soudaine tristesse de son regard serra le cœur de Liz.

— Je ferais mieux d'aller prendre ma douche, dit-il en haussant les épaules.

Sans rien ajouter, il tourna les talons et quitta la pièce.

Bobby enfin couché, Liz pouvait se mettre au travail. Il n'était pas question pour la belle-mère de vouloir le border dans son lit : ce rituel était réservé au père bien-aimé ! Lui seul savait comment tirer sur l'édredon, embrasser, ébouriffer. Liz souffrait, d'ailleurs, d'être ainsi privée de ces marques d'affection. Comme Paul, elle avait besoin de contacts, de démonstrations physiques. Elle n'avait droit qu'à un baiser furtif sur un front indifférent et son rôle se limitait à allumer la veilleuse et refermer convenablement la porte. Cette froideur la laissait insatisfaite.

Bobby avait complètement adopté le chat. Marmaduke, l'ingrat, couchait sur le lit de son nouveau maître. Liz aurait pourtant eu grand besoin de sa compagnie, ce soir, tandis qu'elle se balançait sur sa chaise, seule dans la chambre d'amis, à faire des efforts désespérés pour concevoir une campagne publicitaire.

La porte s'entrouvrit soudain et Barbara passa la tête par l'entrebâillement :

— Je peux vous parler, Liz ?

— Bien sûr, entre. De toute façon, je n'arrive pas à me mettre au travail.

— Eh bien, voilà. J'ai un petit problème, commença-t-elle en s'asseyant sur un coin du canapé.

— Vas-y, je t'écoute.

— Il y a un garçon, en cours de trigonométrie, qui me fait du plat depuis la rentrée. Marc Becker. Il fait partie de l'équipe de natation mais ce n'est pas du tout la grosse brute tout en muscles. Il est très intelligent et très sympathique.

— Je vois...

— Il me fait tout le temps passer des billets en classe, toujours très amusants, pleins d'esprit.

— Et Peter ?

— Oh ! c'est fini depuis longtemps ! On est restés bons amis, mais plus du tout comme avant.

— Alors, quel est le problème ?

— Eh bien, il y a une épreuve de natation vendredi soir et Marc voudrait que j'y aille pour faire partie de ses supporters. Après ça, on irait tous ensemble boire un Coca ou quelque chose comme ça et il me raccompagnerait à la maison. Ce ne serait sûrement pas tard, Liz. Pas après minuit, de toute façon.

— Mais ton père t'a interdit de sortir le soir, Barbara !

— Je sais, répondit-elle avec un sourire circonspect, mais je me suis dit que vous pourriez peut-être m'autoriser à sortir.

Liz réfléchit avant de répondre :

— Écoute, Barbara, tu as parlé à ton père quand il a appelé, tout à l'heure. Pourquoi ne le lui as-tu pas demandé ?

L'expression de Barbara se figea et elle se leva avec raideur :

— Bon, n'en parlons plus, laissa-t-elle tomber.

— Une minute ! Parlons-en, au contraire.

— J'aurais dû me douter que vous me répondriez ça.

— Tu es injuste, Barbara.

— Vraiment ? Vous n'avez jamais été de mon côté. Tout ce que dit papa, vous le prenez comme parole d'évangile.

— C'est ton père qui t'a punie, pas moi. Lui seul peut lever ta punition.

— Ouais, l'année prochaine...

— Mais non, tu exagères.

— Qu'en savez-vous ? répliqua Barbara en haussant le ton. Il ne sait même plus que j'existe, vous ne vous en étiez

239

pas aperçue ? Il se fiche éperdument de moi ou de Bobby...

— Ce n'est pas vrai !

Barbara se dirigea vers la porte :

— Bonsoir, dit-elle sans cependant faire mine de partir.

— La manière dont nos rapports évoluent ne me plaît pas du tout, dit Liz. Tu n'es pas contente de mon mariage avec ton père, je le sais. Ton frère et toi acceptez mal de voir une autre femme s'installer ici, je m'en rends parfaitement compte et je le comprends. Mais ne m'oppose pas une hostilité systématique, Barbara ! Donnons-nous au moins une chance de faire connaissance. Nous n'avons pas eu une conversation digne de ce nom depuis le jour du mariage ! Suis-je si épouvantable ?

La jeune fille ne répondit rien.

Ce même soir, une fois la lumière de Barbara éteinte depuis plus d'une heure, Liz descendit appeler Paul au téléphone sur l'appareil de la cuisine. Elle lui raconta sa conversation avec Barbara et résuma sa confrontation avec Bobby, sans tout rapporter cependant.

— Ce n'est pas grave, ma chérie, lui répondit-il. Ils appliquent le vieux chantage classique qui consiste à jouer un des parents contre l'autre. Ils l'ont pratiqué bien souvent avec Jane et moi. C'était toujours Jane qui disait non tandis que j'étais le papa gâteau. Alors, ils venaient m'assiéger pour me supplier et obtenir ce qu'ils voulaient.

— Que fais-je, moi, prise entre deux feux ?

— Parce que nous sommes mariés, ma chérie ! dit Paul en riant. Ne prends donc pas au tragique ce genre d'enfantillages.

— Alors, dans ces conditions, pourquoi est-ce que je me sens transformée en une sorte de fée Carabosse ?

— Tu exagères ! Cela leur passera, tu verras. Laisse-moi jouer le rôle du grand méchant loup, d'accord ? Je suis leur père, c'est moi qui fais la loi. Reste à l'écart de la bagarre.

— J'essaierai... Je t'aime, tu sais.

— Je voudrais bien que tu sois avec moi pour m'en

240

donner la preuve ! Maintenant, va dormir, promis ? Et ne t'inquiète pas tant.

Seule dans le grand lit, elle se retourna un bon moment sans trouver le sommeil. La vaste vieille maison était pleine de bruits qui, à une heure du matin, devenaient facilement effrayants en l'absence d'une protection masculine. Les coups sourds qui ébranlaient la cloison, il fallait faire l'effort de se rappeler qu'ils provenaient de Bobby en train de s'agiter dans son lit. Le vent faisait trembler les fenêtres. Le sinistre gargouillis le long du mur extérieur était-il vraiment provoqué par la pluie s'écoulant dans les gouttières ou par quelque monstre nocturne ?

Elle entendit la chaudière, ou plutôt la turbine, se déclencher à la cave, puis le gémissement de l'air pulsé passant dans les conduites et s'échappant par les grilles. Cette mécanique provoquait une série d'autres bruits, que Paul lui avait appris à identifier. Le métal des conduites se dilatait sous l'effet de la chaleur, se contractait en se refroidissant. Il n'empêche que chacun de ces grincements, de ces cliquetis et de ces tintements prenait, dans le silence de la nuit, des proportions inquiétantes.

Incapable de dormir, Liz se releva, enfila une robe de chambre et descendit se faire du thé à la cuisine. Un courant d'air glacé sur ses pieds lui fit regretter de n'avoir pas mis de chaussettes. Assise devant la table, pendant que son thé infusait, elle regarda autour d'elle. La maison de Jane. Le décor de Jane. Les paniers d'osier pendus au mur, à côté du fourneau. Les plantes en pot sur l'appui de fenêtre — elle n'en connaissait même pas les noms ! Deux cocottes sur l'étagère. Le papier peint assorti au revêtement de sol dans une symphonie de briques ocre. Le tout d'un goût parfait, il fallait rendre justice à Jane. Liz prit un classeur à anneaux sur l'étagère derrière elle, l'ouvrit au hasard. Des recettes, les unes découpées dans des journaux et collées sur des feuilles perforées, d'autres recopiées d'une petite écriture nette et lisible. A l'intérieur de la couverture, une signature bien propre, elle aussi : *Jane D. Klein.*

N'as-tu jamais eu peur de rien, Jane D. Klein ? se demanda Liz. N'as-tu jamais trouvé en travers de ton chemin quelque chose de trop gros, de trop difficile à surmonter ? As-tu jamais douté de toi ? Avais-tu des défauts ? Étais-tu un être humain, super-femme, super-maman, super-sainte ?

Au plus profond d'elle-même, Liz sentait monter une vague d'appréhension. Avec les enfants, elle était partie du mauvais pied. La maison la mettait mal à l'aise. Et quoi que lui affirmât cet homme beau, adorable, intelligent et foncièrement bon dont elle était devenue la femme, elle avait cent bonnes raisons de se faire du souci.

Elle n'était pas seule, ici. Quelque part, dans l'ombre, Jane était toujours présente. Son souvenir imprégnait la maison. Et nul au monde ne parviendrait jamais à effacer sa mémoire, encore moins à l'égaler.

Sous ses pieds, le chauffage se remit en route. Une bouffée d'air froid, chassée par le flux d'air chaud, s'échappa de la grille au ras du plancher et lui glaça les chevilles. Dans le silence, elle crut entendre un gémissement.

17.

— Tu sais quoi ? dit George Chan en esquissant quelques croquis pour illustrer la copie qu'il lisait à mesure. Je crois que ça pourrait marcher.

— Évidemment que ça marchera, répondit Liz. C'est moi qui l'ai conçu, oui ou non ?

— Tu finiras par nous faire vraiment croire que tu as du génie, dit George en souriant.

— Ce n'est que la stricte vérité. Et en plus, n'oublie pas que je suis modeste. Tu as fait quelque chose pour l'affiche ?

Elle prit l'ébauche que lui tendait George et la regarda à bout de bras, les yeux à demi fermés pour mieux en distinguer les grandes lignes, éliminer les détails. Pendant ce temps, George mordait dans le hamburger qu'il s'était fait apporter.

— Veux-tu du hamburger froid ? Un vrai délice.

Liz posa la maquette et fourragea dans sa salade, dont elle mastiqua consciencieusement des feuilles.

— Non, merci.

— Tu préfères brouter comme un lapin ? Je ne te comprends pas. Il fait trop froid pour ne te nourrir que de salades.

— Une femme est censée avoir une forme, figure-toi...

Elle s'étira, fit quelques pas dans le bureau en se tordant le cou de gauche à droite pour détendre ses muscles noués.

— Je ne cours plus, je ne vais plus au gymnase, reprit-elle. Et pour tout arranger, je suis tombée dans une

243

famille de goinfres. Il faut que je me surveille, George, pour ne pas devenir une grosse dondon.

— Toi, grosse dondon ? dit-il en riant. En fait, je crois que Paul ne verrait aucun inconvénient à ce que tu prennes quelques kilos.

— Possible, répondit-elle avec un sourire. C'est moi qui ne serais pas contente, en tout cas.

Elle poursuivit sa marche hygiénique pendant que George avalait son sandwich avec des grimaces.

— Au fait, avant que j'oublie, dit-il. Un de mes amis m'a appelé tout à l'heure pour signaler un fabricant de montres qui voudrait changer d'agence. Nous aurons peut-être une présentation à prévoir d'ici après-demain.

— C'est bien, c'est bien...

Liz n'écoutait plus. Debout devant la fenêtre, elle regardait distraitement les embouteillages de la Troisième Avenue.

— George, dit-elle en se retournant soudain. Parle-moi un peu des enfants. Que sais-tu sur la question ?

— Eh bien, c'est petit, ça pleure beaucoup. Il y en a quelques-uns de mignons, mais peu.

— Que ferais-tu si tes gosses ne t'aimaient pas ?

— J'irais les noyer, je crois... Ils se montrent toujours réservés, si je comprends bien ?

— Disons franchement hostiles, ce serait plus réaliste.

— Sales gamins ! gronda George. Comment font-ils pour ne pas être en adoration devant toi ? Donne-leur le knout !

— Ça, c'est du domaine de Paul. Et il refuse de lever le petit doigt sur eux.

— En ce qui me concerne, je ne vois même plus les miens, si tu veux tout savoir. Je suis affligé d'une associée irresponsable qui disparaît tous les jours à 17 heures très précises en me laissant du travail jusque-là, si bien que je ne rentre pratiquement plus chez moi de la nuit. J'ai complètement oublié ce que c'est que d'avoir des enfants.

Liz lui fit la grimace.

— Bon, je n'ai rien dit, reprit George avec un geste conciliant. Les enfants, voyons... Faute de bâton, essaie la méthode de la carotte. Tu pourrais les soudoyer, cela

244

marche quelquefois. Quand mon Timmy refusait d'aller sur le pot, ma belle-mère a eu un trait de génie. Elle est venue à Pâques, chargée de petits lapins en chocolat, et en a promis un à Timmy chaque fois qu'il irait sur le pot. En quarante-huit heures, il n'y avait plus moyen de l'en faire lever. Depuis, il n'a plus eu besoin de couches.

— Tiens, tiens...

Liz réfléchit à la suggestion de George. Elle dut lui trouver des mérites car elle se précipita soudain sur son associé, lui ébouriffa les cheveux en éclatant de rire et empoigna son sac :

— Merci. Je file.

— Eh ! pas si vite ! cria George quand elle était déjà à la porte. Où t'en vas-tu ?

— Faire le tour des grands magasins.

— Tu es folle ? On a du travail !...

Son appel resta sans écho. Liz était dans l'ascenseur.

Ce soir-là, elle rentra à la maison d'un pas conquérant. Plutôt que de se servir de sa clef, elle sonna à la porte en sachant que Paul était déjà de retour. Il n'avait pas plus tôt ouvert qu'il la prit dans ses bras, sans lui laisser le temps de se débarrasser de son porte-documents et du gros sac de chez Bloomingdale's dont elle avait les mains encombrées.

— Pas si fort ! dit-elle en riant. Tu vas abîmer la marchandise.

— Une marchandise comme cela, ce serait dommage, répondit-il en l'embrassant.

Comment avait-il eu la chance insensée de trouver une femme si belle et si pleine de vie ? Dieu la lui avait-il envoyée pour se faire pardonner les épreuves qu'il lui avait précédemment infligées ? Il la lâcha à regret, l'aida à ôter son imperméable.

Une fois dans la cuisine, il lui prépara un scotch pour faire pendant au bourbon qu'il était déjà en train de boire, prit soin de le noyer d'eau comme elle l'aimait. Liz leva son verre :

— Je n'ai pas accordé une seule pensée au dîner, dit-elle avec désinvolture.

— Je m'en étais déjà douté, répondit-il en montrant avec un sourire les sacs posés près de l'évier. Tu vois, je reprends mes bonnes habitudes. Ce soir, tu n'as rien d'autre à faire que d'être belle...

— C'est à ma portée.

— ... et de me prodiguer tes félicitations sur mes dons de cuisinier — félicitations amplement méritées, d'ailleurs.

— Elles te sont d'avance acquises. Où sont les enfants ?

Paul fit un geste d'ignorance :

— Là-haut, sans doute. Qu'y a-t-il dans ce gros sac ?

Sans répondre, Liz entreprit d'en vider le contenu. Elle disposa à chaque place, sauf la sienne, des paquets en emballages cadeaux, se posta au bas de l'escalier pour appeler les enfants et attendit leur arrivée. Devant la mine perplexe de Paul, elle se contenta de sourire sans consentir à s'expliquer davantage.

Barbara descendit la première :

— Il n'est pas un peu tôt pour dîner ? grogna-t-elle.

Puis, avisant les paquets sur la table, son visage s'éclaira :

— Des cadeaux ?

— Le dernier méfait de la Femme Mystère, dit Paul.

— Patience, vous deux, leur dit Liz. Attendons Bobby.

Il se montra enfin, visiblement grognon et mécontent de voir tout le monde les yeux braqués sur lui :

— Qu'est-ce qui se passe, encore ?

— Une fête, déclara Liz. Moi, Elizabeth Klein née Golden, décrète cette journée fériée...

L'expression stupéfaite des assistants la fit éclater de rire.

— Ce n'est qu'un caprice, je l'avoue, reprit-elle. Mais les cadeaux sont bien réels, eux. Ne faites donc pas cette tête-là ! Je suis heureuse, voilà tout, et j'avais envie de vous faire une surprise.

Bobby la dévisageait comme si elle était devenue folle.

— Allez, n'ayez pas peur, ouvrez-les ! Vous n'avez donc jamais reçu de cadeaux sans motif valable ?

Barbara se décida la première. A la vue d'un sweater en grosse laine orné de boutons de bois, elle poussa un cri d'extase et se jeta dans les bras de Liz :

246

— Oh ! je l'adore !

— C'est péruvien. Quand je l'ai vu, je me suis dit que vous étiez faits l'un pour l'autre.

— Fabuleux ! Je peux le porter au lycée ?

— Bien sûr. Tu le mettras quand tu voudras.

Bobby avait défait son paquet et brandissait un livre sur son champion de base-ball favori.

— Eh ! c'est sensass ! Merci, Liz. Mais je ne comprends toujours pas pourquoi nous avons droit à des cadeaux ce soir.

— Parce que nous sommes en novembre, est-ce que je sais ? Amuse-toi bien avec ton bouquin, Bob.

Paul sortait de son paquet un pull-over en motif écossais. Il le tint contre sa poitrine avec un large sourire :

— A la bonne heure ! Je vais enfin me faire remarquer, avec ça !

— J'espère bien, répondit Liz. Je vais finir par te rendre voyant, tu verras !

— Alors, et toi ? lui demanda Paul. Tu t'es acheté quelque chose, j'espère.

— Pas de danger que je m'oublie ! Je l'ai laissé dans le sac.

— Montre ! Qu'est-ce que c'est ?

— Ce qu'il est convenu d'appeler un article de lingerie. Tu auras l'occasion de l'admirer en temps utile, rassure-toi, dit-elle avec un clin d'œil complice.

L'expression de Paul la fit éclater de rire.

— Maintenant, cuistot, à tes fourneaux ! Je meurs de faim.

Lorsque Liz monta se coucher, Bobby était plongé dans sa lecture. Elle entra dans sa chambre et s'assit au bord du lit.

— Il te plaît, ton livre ? lui demanda-t-elle.

— Ouais ! J'en avais envie depuis des mois. Comment le saviez-vous ?

— J'ai mes sources de renseignement.

— Papa ?

— Droit au but ! Il se trouve que je suis également une fana de base-ball.

— Pas possible ?

— Tu veux des preuves ?

Elle se lança dans une récitation de scores et de classements d'équipes et de joueurs individuels qui laissa le petit garçon bouche bée.

— Alors, tu me crois maintenant ? conclut-elle.

Peu convaincu, Bobby lui posa des colles. A la dernière, elle dut admettre son erreur :

— Je n'étais quand même pas si loin du compte ! dit-elle pour se défendre.

Bobby fit une moue dubitative :

— Comme expert, on fait mieux, dit-il sans méchanceté.

— C'est vrai, mais la partie n'était pas égale. C'est toujours toi le champion. Il n'empêche que j'aime bien le base-ball. Cela te dirait d'aller à des matches, l'été prochain ?

Cette fois, Bobby ne chercha pas à dissimuler sa joie :

— Et comment !

— Bon, je vais m'attaquer à ton père. Bonne nuit, champion.

Elle était presque à la porte lorsque Bobby la héla :

— Liz !... Merci encore pour le livre.

Adossé aux oreillers, Paul regardait d'un œil le dernier journal télévisé et, de l'autre, Liz en train de se déshabiller. Il se rappelait Jane dans la même situation. Quelle différence entre les deux femmes ! Jane la pudique, vierge d'âme sinon de corps, n'avait jamais perdu une timidité innée au sujet de son propre corps. Au bout de dix-huit ans de mariage, elle répugnait encore à se mettre nue devant lui; elle lui tournait le dos pour ôter son soutien-gorge, enfilait sa chemise de nuit avant d'enlever ses bas. Quel contraste avec Liz, nue comme à l'heure de sa naissance, qui ne baissait pas les yeux sous son regard et soutenait la conversation le plus normalement du monde ! Tous les soirs, Paul avait droit au spectacle de cette beauté blonde aux charmes déployés devant la commode — et il ne s'en lassait pas.

Il la vit ranger son paquet-cadeau dans le tiroir du milieu.

248

— Vas-tu me dire ce que c'est, cette lingerie ?

— Une chemise de nuit.

— Affriolante ?

— Scandaleuse.

Ils échangèrent un sourire.

— Tu ne veux pas la mettre ? demanda-t-il.

— Pas ce soir. Je la tiens en réserve.

— Pour quelles occasions ?

— Notre premier vrai week-end d'amoureux, peut-être. Ou pour te remonter le moral quand tu en auras besoin.

En se rendant à la salle de bain, elle fit halte devant l'un des tableaux en tapisserie accrochés au mur.

— J'ai vraiment horreur de ce truc, Paul. De l'autre aussi, celui pendu au-dessus de la télévision.

— Les tapisseries, tu veux dire ?

— Oui. Je préférerais les remplacer par mes reproductions de tableaux rangées au grenier.

— Que reproches-tu à ces cadres ? Ils sont dans cette chambre depuis dix ans.

Liz revint sur ses pas et s'assit au pied du lit :

— Eux, peut-être, mais pas moi, Paul ! Ils ne sont pas à moi, ils ne me disent rien, comprends-tu ? Je regrette mon Renoir, les deux fillettes au piano. Il serait parfait au-dessus de la commode et nous en trouverons un autre qui convienne pour le coin...

Elle s'interrompit pour observer sa réaction :

— Tu t'inquiètes de ce que diront les enfants ? demanda-t-elle.

— Oui, un peu.

— Ce n'est pas leur chambre, Paul. C'est la nôtre.

— D'accord. Fais comme tu voudras...

Il lui prit la main avant de poursuivre :

— Je me rappelle Jane en train de travailler à ces tableaux, sa passion pour la broderie. Elle a commencé par mettre des coussins sur tous les meubles, au point qu'on ne pouvait plus s'asseoir nulle part. A peine installée devant la télévision, elle tirait l'aiguille sans même lever les yeux de son ouvrage. Nous nous moquions d'elle en disant qu'elle avait inventé le moyen de transformer la télévision en

249

radio... Excuse-moi, ma chérie. Bien entendu, tu peux changer tout ce que tu voudras.

— Votre photo de mariage, sur le palier. Je ne veux plus la voir, déclara Liz.

— Quand tu t'y mets, tu ne fais pas le détail !

— Non. J'ai les clichés que George a pris de nous, devant la cheminée de Michael. Il y en a un que j'aime beaucoup et que je pourrai faire agrandir pour tenir dans le cadre.

— D'accord, dit Paul d'un ton conciliant.

— J'y pense depuis un certain temps, tu sais.

— Et moi, je n'y ai jamais réfléchi, je l'avoue. Pardonne-moi, ma chérie. J'ai toujours cru que tu avais la force d'âme pour résister à toutes les épreuves et je ne me suis jamais inquiété de tes sentiments.

— Puisque tu abordes le sujet, j'ai en effet l'impression d'avoir été victime d'un enlèvement. Je range mes affaires dans la penderie de Jane, je couche dans *son* lit, avec *son* mari... Mais rien de tout cela ne compte vraiment, Paul. Du moins, tant que nous resterons sur la même longueur d'onde. J'arriverai à me faire accepter par les enfants telle que je suis, et non comme quelque pâle imitation de leur mère.

— Ils t'accepteront, sois-en certaine.

— Peut-être...

— Dois-je comprendre que les festivités de ce soir constituent le début de ton offensive ?

— On ne peut rien te cacher ! As-tu vu comment Barbara a réagi ? Elle était sincère, j'en suis convaincue. Avec Bobby, j'ai eu ce soir une conversation amicale, la première depuis des semaines. D'une manière ou d'une autre, je me les rallierai, tu verras — même si je dois les acheter pour y parvenir !

— Tu n'as pas eu besoin de m'acheter pour me séduire !

— Toi ? Ce n'était même pas drôle, tu as capitulé sans condition !

Le samedi suivant, après le déjeuner, Paul paraissait perplexe.

— Qu'est-ce que cette histoire de courses urgentes ?

— On va acheter des chaussures, répondit Barbara, la mine peu enthousiaste. Une idée de Liz. Il paraît que je dois avoir l'air chic pour me faire inscrire à l'université.

— Je n'ai pas dit « chic », précisa Liz qui entrait à la cuisine à ce moment-là. J'ai simplement suggéré que tu te présentes correctement. Il lui faut des chaussures habillées sans l'être tout en l'étant pour aller avec sa jupe et le chemisier qu'elle portera.

— Habillées sans l'être tout en l'étant ? Tu t'exprimes en code, maintenant ?

— Les clefs de voiture, SVP, dit Liz en tendant la main. Paul lui donna le trousseau.

— Nous allons au centre commercial, Barbara connaît le chemin. Si nous ne sommes pas revenues dans trois heures, préviens les pompiers.

— Sois prudente...

— Exactement ce que me disait mon père quand il me prêtait la voiture ! protesta Liz.

— La barbe ! intervint Barbara. Mes chaussures chinoises sont très bien...

— Avec un jean mais pas avec une jupe. Allons, en route.

En cette fin d'après-midi, le centre commercial était bondé. Liz dut parcourir tous les étages du parking et finit par se garer sur le toit du bâtiment. Elles empruntèrent un escalator pour redescendre au niveau principal et examinèrent sans succès une demi-douzaine de boutiques pleines de monde. Liz savait exactement ce qu'elle cherchait, un modèle d'escarpin à talon bas pour s'accorder à la stricte jupe bleu marine de Barbara, mais les recherches restaient infructueuses. Barbara se laissait traîner avec une répugnance marquée. Si cette petite cruche lève encore une fois les yeux au ciel, se dit Liz exaspérée, je la gifle devant tout le monde ! Elle s'en abstint, naturellement, et ne fit rien pour provoquer des hostilités ouvertes. Liz avait déjà concédé à la jeune fille une victoire facile en n'insistant pas pour qu'elle mette sa jupe avant d'aller faire ses achats, ce qui se révélait une erreur. Il restait cependant un combat à mener, autrement important : lui faire raser ou épiler les jambes poilues qu'elle entendait exhiber sous la fameuse jupe.

251

— C'est un complot phallocrate ! déclara Barbara péremptoirement tandis qu'elles attendaient un vendeur harassé. Les hommes nous imposent de nous épiler les jambes et nous, comme des idiotes, nous leur obéissons.

— Les hommes n'ont rien à voir là-dedans, même s'ils aiment se rincer l'œil. Pour ma part, je trouve simplement cela plus esthétique. Je ne me vois pas non plus exposer des aisselles chevelues !

— Moi, en tout cas, je refuse de m'épiler les jambes ou les aisselles pour une entrevue avec un universitaire ravagé. Pas question !

— Rassure-toi, l'examen des dessous de bras ne fait pas encore partie des formalités d'inscription, dit Liz en faisant malgré tout sourire Barbara. A Yale, du moins.

La bonne humeur de Barbara fit aussitôt place au sourire exaspérant de la prosélyte distillant la Vérité à ses sœurs ignorantes :

— Vous n'avez pas encore compris que c'est un truc du système phallo-macho-média-publicitaire de la société mercantile ? Evidemment, vous ne pouvez pas comprendre, vous y êtes plongée jusqu'au cou...

— Pas si vite, ma petite ! l'interrompit Liz en s'échauffant. Que tes jambes et tes aisselles aient l'aspect de la Forêt Noire, je m'en fiche éperdument. Je tiens seulement à te rappeler que je me bagarre toute seule, depuis que j'ai vingt et un ans, dans la jungle de la publicité et de la société mercantile, comme tu dis ! Je ne permets à personne de mettre en doute mes états de service et j'ai largement payé ma part à la cause du féminisme.

Barbara n'insista pas. Liz en profita pour faire signe au vendeur qui passait à ce moment-là. L'infortuné lui décocha un regard terrorisé et disparut dans l'arrière-boutique.

— On ne pourra jamais se faire servir, déclara Liz en se levant. Veux-tu venir boire un soda ? Je meurs de soif.

Elles avisèrent une brasserie au bout d'une galerie marchande et parvinrent à se glisser sur une banquette.

— Nous avons eu tort de venir ici, dit Liz. Si tu m'avais rejointe à mon bureau à ta sortie de classe, nous aurions trouvé tes chaussures dans le quartier en cinq minutes.

Barbara haussa les épaules avec indifférence et chassa du

252

revers de la main une mèche folle tombée sur son front :

— J'ai horreur d'acheter des fringues, déclara-t-elle.

— Il y a des femmes qui passent leur vie à cela.

— C'est révoltant. Par moments, je me dis qu'on devrait nous distribuer à tous des uniformes. Comme ça, on pourrait peut-être juger les gens pour ce qu'ils sont et non sur l'allure qu'ils se donnent.

— Avec ma veine, je toucherais un uniforme bleu, répondit Liz. Je suis horrible en bleu... Garçon !

Elle parvint à passer la commande dans le vacarme.

— A ton âge, reprit-elle, j'avais moi aussi horreur de m'habiller. Naturellement, j'étais affligée d'une sœur aînée qui paraissait née pour porter la toilette. Maintenant, j'aime cela, je l'avoue sans honte.

— Moi, je ne m'y ferai jamais...

Le serveur les interrompit en apportant leurs consommations.

— Je voudrais te poser une question, Barbara. Réponds franchement : est-ce après le monde entier que tu en as, ou simplement après moi ?

Barbara se raidit :

— Que voulez-vous dire, au juste ?

— Depuis que je me suis installée dans cette maison, tu as l'air d'avoir avalé un parapluie. Est-ce ton état normal ou bien ai-je fait quelque chose pour le provoquer ?

— Je n'ai pas avalé un parapluie, grommela Barbara en aspirant son Coca à travers une paille, les yeux baissés.

— Allons, sois franche ! Tu n'es pas précisément folle de joie de ma présence, ton frère non plus d'ailleurs.

— Bobby ne tourne pas rond, ce n'est pas pareil, répondit-elle sans relever les yeux. Moi, vous ne me gênez pas, si c'est ce que vous voulez dire.

Le silence s'éternisa. Barbara refusait encore de lever les yeux vers Liz.

— Je ne comprends vraiment pas ce que vous voulez, dit-elle enfin. Qu'est-ce que vous attendez de moi ? Vous avez mis le grappin sur mon père, ça ne vous suffit pas ?

Liz sursauta, les joues rouges comme sous l'effet d'une gifle.

— Qu'est-ce que je suis censée faire, maintenant ?

poursuivit Barbara en posant sur Liz un regard chargé de colère. Vous mentir, bêtifier, faire croire que nous sommes amies ? Vous n'êtes pas mon amie, vous ne le serez jamais. Vous êtes la femme de mon père, un point c'est tout. Bobby et moi figurons là-dedans à titre d'excédent de bagages.

— Absolument pas !...

— Vous m'avez demandé d'être franche, je le suis. Si vous ne l'aviez pas rencontré, lui, vous ne sauriez même pas que j'existe. Comment voulez-vous me faire croire que vous vous intéressez à mon sort ? Est-ce que je sais, d'ailleurs, si vous l'aimez vraiment ?

— Paul ? Évidemment que je l'aime ! Aurais-je accepté de bouleverser ma vie entière si je ne l'aimais pas ? Et je vous aime, Bobby et toi, parce que vous faites partie intégrante de lui, que tu le croies ou non. De toute façon, avant même de déménager, je t'avais tendu la main et offert mon amitié.

Les yeux de nouveau baissés, Barbara tripotait son verre et y faisait tournoyer les glaçons.

— Je croyais sincèrement que nous pourrions nous entendre, reprit Liz. Parfois, en te regardant, je me vois au même âge. Tu me crois embourgeoisée, récupérée par le « Système » alors qu'au fond je suis restée la même, toujours prête à me révolter contre les absurdités de la société. Ma jeunesse n'a pas été heureuse, tu sais. Je n'ai pas cessé de me battre contre mes parents, j'étouffais, je ne voulais que me libérer. Aussi, je me crois capable de comprendre ce par quoi tu passes...

— Certainement pas, déclara Barbara froidement. Nous commencions tout juste à retomber sur nos pieds quand vous avez surgi dans notre vie. Maintenant, je ne sais plus où nous en sommes. Tout mon amour pour maman, je l'avais reporté sur papa et lui s'est détourné de nous pour ne plus s'occuper que de vous... Je ne suis même plus sûre de mes sentiments, de mes pensées. J'ai cru que j'aimais Peter. Quand je le revois, je me demande comment j'en étais arrivée là... Je voudrais ne plus aimer personne pendant un bon moment, vous comprenez ? Je ne souhaite plus que me mettre en vacance de sentiments. Je veux tout bêtement passer mes examens, partir toute seule pour l'université et qu'on m'y laisse tranquille. Mon affection, mon cœur, tout ça, je n'ai plus envie de les donner n'importe comment à n'importe qui, comprenez-vous ? Je voudrais à partir de maintenant ne m'occuper que de moi-même.

Barbara avait achevé sa tirade avec tant de véhémence que Liz baissa instinctivement le ton pour lui répondre :

— Oui, je comprends, Barbara. Ne t'occupe que de toi-même, tu as cent fois raison.

— Si seulement vous n'étiez pas si jolie, pas si drôle, pas si jeune... Si papa avait mis la main sur une vieille idiote, j'aurais compris que ce n'était que pour tenir la maison et lui repasser ses chemises. Je l'aurais admis...

— Faut-il que je me fasse pousser des boutons sur la figure, que je m'habille avec des sacs de pomme de terre ?

— Il serait quand même amoureux de vous...

— Et toi, toujours aussi rancunière ?

— Oui.

Elle tortillait nerveusement sa paille, la faisait rouler sur la table.

— Qu'allons-nous faire, Barbara ?

— Je ne sais pas.

— Je ne peux pas vivre avec un ennemi sous mon toit. Dans les affaires, ça ne me dérange pas, je sais comment m'y prendre. Mais pas chez soi, Barbara.

— Je ne me conduis pas en ennemie. Je veux simplement rester en dehors du coup.

— Mais tu es dedans, Barbara ! Nous y sommes tous. Tu ne vas pas partir de sitôt pour l'université. Il devrait y avoir moyen de conclure un armistice entre nous, tu ne crois pas ?

— Je n'en sais rien. Cela dépend si je peux vous faire confiance... Par exemple, qu'est-ce qui me dit que vous n'allez pas courir raconter à papa tout ce que nous venons de nous dire ?

— Évidemment que non. Pas un mot.

— Qu'est-ce que j'en sais ?

— Rien. Fais-moi confiance, justement. J'ai toujours tenu parole, je n'ai jamais menti à personne.

Barbara se plongea dans une longue réflexion. La paille était presque entièrement déchiquetée.

— D'accord, dit-elle enfin. Mais je ne promets rien. Il faudra que je voie d'abord si ça tient.

— De ton côté, tu agiras de même, n'est-ce pas ? Pas de complots ni de chuchotements derrière mon dos. Tu agis à découvert avec moi et je te le revaudrai.

Barbara acquiesça. Au bout d'un long silence, elle reprit la parole :

— Expliquez-moi encore pourquoi il faut acheter des chaussures.

— Pour aller avec ta jupe, pour te donner l'allure de quelqu'un qui sait se présenter en fonction des circonstances et pour faire valoir tes jolies jambes.

Un bref sourire apparut sur ses lèvres :

— Alors, allons-y et qu'on en finisse !

Le distributeur de Philadelphie ayant exigé que Paul lui consacre une journée pleine, celui-ci avait été obligé d'y partir la veille au soir et de coucher à l'hôtel. Liz voua à toutes les flammes de l'enfer les sauvages et les imbéciles qui la condamnaient à se retrouver seule dans son lit. Elle entendit un coup sourd contre la cloison, derrière l'armoire. La chair de poule hérissa sa peau. Pas de quoi s'affoler, bien entendu, encore un de ces innombrables bruits dont la maison la régalait tous les soirs. Malgré tout, elle se surprit à tendre l'oreille en retenant sa respiration.

Qu'est-ce que c'est ? Un gémissement ?

Pas de doute ! Une sorte de mélopée aiguë s'éleva de nouveau dans la nuit. Soudain, l'obscurité se fit menaçante. Liz alluma à tâtons la lampe de chevet, se leva en cherchant ses mules du bout du pied, fit quelques pas. Frissonnante autant de peur que de froid, elle resta immobile au milieu de la pièce. Un autre bruit. Cela provenait de la chambre de Bobby.

Elle jeta sa robe de chambre sur ses épaules et alla dans le couloir, stoppa un instant devant la porte. Elle entendit distinctement la voix du petit garçon : « Non, non... » Elle tourna la poignée, entra silencieusement, l'observa à la lueur diffuse de la veilleuse. Bobby avait les bras et les épaules sortis de dessous l'édredon. Elle le vit se retourner brusquement, heurter la cloison d'un geste spasmodique du bras. Il avait les traits déformés par la souffrance, un œil ouvert et criait encore « Non ! » comme pour repousser un ennemi invisible.

Liz s'assit au bord du lit, posa une main sur son front trempé de sueur et, de l'autre, le secoua doucement par l'épaule :

— Bobby... dit-elle à voix basse. Bob, réveille-toi...

Elle le sentit se raidir, se détendre. Il ouvrit péniblement les yeux, la regarda encore en proie à la terreur.

— Ce n'est qu'un mauvais rêve, mon chéri. Ce n'est rien, voyons, ce n'est rien.

Bobby ouvrit la bouche pour lui répondre. Un sanglot lui échappa.

— C'est fini, reprit-elle d'un ton apaisant. Voilà, tu as rêvé. C'est fini... Tout va bien, maintenant...

Pelotonné au pied du lit, Marmaduke ronronnait paisiblement. Le petit garçon retrouvait peu à peu son calme.

— C'était affreux... commença-t-il.

— Vas-y, raconte.

— Ils étaient... Ils voulaient... Je ne pouvais rien faire.

A demi assoupi, il semblait encore en proie à la frayeur.

— Veux-tu me le raconter ? demanda Liz.

— Non.

— Tu sais quand même que ce n'était qu'un rêve, n'est-ce pas ?

— Oui...

Il frissonna, leva les yeux vers elle :

— Il faut que j'aille aux cabinets.

Liz l'aida à s'extirper de son édredon et à mettre ses pantoufles. En le suivant des yeux, elle avait la gorge nouée par la pitié. Quelles terreurs indicibles restaient donc tapies en lui pour surgir dans le noir et troubler ainsi son sommeil ? Elle alluma la lampe de chevet, se pencha pour reborder l'édredon contre le mur. En soulevant l'oreiller pour l'arranger, elle eut l'impression de découvrir six pierres tombales alignées sur le matelas. Six photos promues au rôle de mausolée.

Elle les étudia avec attention. Bobby, tout petit et édenté, dans les bras de Jane. Jane encore, en lunettes noires et costume de bain, son petit garçon dans les bras. Jane et Bobby, Bobby et Jane... Le sujet restait identique. Voici donc comment il s'endort, se dit-elle, et les cauchemars le visitent quand même...

Elle entendit le bruit de la chasse d'eau, celui du bouton de porte et remit rapidement l'oreiller en place. Bobby revint dans sa chambre à pas lents.

— Tu vas mieux ? lui demanda-t-elle.

— Oui, je crois...

Il se remit au lit, tira son édredon jusqu'au menton et lui fit un pâle sourire. Liz se pencha pour l'embrasser sur le front.

— Liz... Merci.

— De rien, gros bêta ! Si tu as besoin de moi, je suis juste à côté, tu sais.

Elle borda l'édredon, le tendit comme il était de règle.

— Je regrette de vous avoir fait lever.

— Aucune importance, je ne dormais pas. Veux-tu que je reste pour te tenir compagnie jusqu'à ce que tu te rendormes ? demanda-t-elle en éteignant la lampe de chevet.

— Ce n'est pas la peine.

— Tant pis, j'en ai quand même envie. D'accord ?

— D'accord. Bonsoir, Liz.

Elle alla s'asseoir sur une chaise et attendit. La respiration de Bobby reprit son rythme régulier. Quand elle se pencha pour le regarder une dernière fois avant de partir, il dormait à poings fermés.

Cette nuit-là, elle pensa longtemps à lui avant de trouver elle-même le sommeil.

18

La Buick roulait à bonne allure sur la voie express. A cette heure matinale, la circulation était encore clairsemée. Paul et Bobby braillaient une chanson entremêlée de couacs, Liz faisait de son mieux pour y mêler sa voix. Seule Barbara participait du bout des lèvres à l'euphorie générale. Bientôt, elle se tut tout à fait.

Assise à l'avant, Liz se tourna vers elle :

— Tu m'as l'air verdâtre. Ça va ?

— Oui, répondit-elle sans conviction.

— Inquiète ?

— Oui.

— Ne te frappe pas, ce n'est qu'un entretien préliminaire. Ils vont regarder tes notes, les recommandations de tes professeurs...

— Il s'agit quand même de Yale ! Ma demande d'inscription et mon dossier ne leur parviendront qu'en janvier. Je vais me couvrir de ridicule, je le sais.

— Pas de panique. Quand je me suis présentée à Wellesley, j'ai tout fait pour me faire jeter dehors et ils m'ont acceptée quand même. Sois naturelle, Barbara, détends-toi, c'est tout ce qui compte.

— C'est bien ça qui m'inquiète. Je ne sais plus comment être naturelle...

Il faisait froid mais beau, le soleil brillait. Le campus était presque désert, en ce samedi matin. En attendant Barbara, ils arpentèrent les pelouses, manteaux boutonnés, cols relevés. Paul tenait Liz par la taille, Bobby les suivait en bâillant d'ennui. L'expression de Barbara en montant les marches du grand bâtiment gris leur avait rappelé celle du condamné à l'échafaud.

Au bout d'une heure, elle réapparut en bondissant et en agitant les bras. Elle traversa la pelouse en courant, le visage rayonnant de joie.

— Un type sensass ! annonça-t-elle avec un large sourire. Tu sais ce qu'il fait, en temps normal ? Il dirige la classe de mime !

— L'entrevue s'est donc bien passée ? dit Paul.

— Ce type, papa, si tu l'avais vu ! Il a été si gentil, je ne me suis même pas énervée, dit-elle en sautant au cou de son père. Regarde l'endroit ! Tu me vois suivre des cours ici ? Ce serait fabuleux !

— Oui, je t'y vois très bien. Ma fille à Yale...

— Filons à Brown, maintenant. Je sens que je vais faire un malheur, là-bas.

En cours de route, Paul fit une halte devant un petit café au bord de la route. Liz et Barbara disparurent aussitôt vers les toilettes. Paul et Bobby restèrent debout devant le comptoir en commandant des Coca. Bobby fit des dessins sur la buée qui couvrait les vitres.

— Comment est-il, le motel où nous devons coucher ce soir ? demanda-t-il.

— Confortable, j'espère. Pas loin de la mer, je crois.

— Est-ce qu'il y aura un golf miniature ?

— Voyons, Bob, nous sommes en plein mois de novembre ! Il fait beaucoup trop froid pour jouer au mini-golf. D'ailleurs, il fera sans doute nuit quand nous arriverons.

Le jeune garçon regarda défiler les voitures sur la route.

— Tu te rappelles ce motel de Santa Barbara, pendant nos vacances en Californie ?

— Oui, je m'en souviens. Celui avec le golf miniature.

— Ce sont les dernières vacances que nous ayons prises tous ensemble. Avec maman

260

— C'est vrai.

Bobby leva vers Paul un regard angélique :

— On avait formé des équipes, tu te rappelles ? Maman et moi contre Barbara et toi. Nous vous avions battus à plate couture. C'étaient de belles vacances...

Bobby s'essuya les lèvres du revers de la main. Paul le voyait prêt à fondre en larmes.

— Elle était si drôle, quand elle voulait nous faire rire. Tu te rappelles les grimaces qu'elle nous faisait quelquefois ?

Il se plongea un moment dans la contemplation du cuisinier qui retournait des hamburgers sur le gril.

— Je ne vais pas pleurer, reprit-il. Maintenant, je suis capable de penser à maman sans pleurer.

— Moi aussi, tu sais.

— Tu penses quand même à elle ?

— Oui, souvent.

— Tout à l'heure, en voiture, je me rappelais les jeux qu'elle inventait, avec les numéros d'immatriculation, les panneaux indicateurs... Pendant les longs voyages, elle venait à l'arrière avec moi, elle me tenait dans ses bras. Elle sentait bon. Le savon, les fleurs, des lotions. J'aimais bien me blottir contre elle, même quand je ne dormais pas. Je me sentais bien.

Paul avait la gorge serrée et préféra ne pas répondre.

— Tu sais, papa, reprit Bobby avec sérieux, j'ai eu longtemps quelque chose de... de pas bien, je ne sais pas comment te dire. Au sujet de la mort de maman. J'avais honte, je m'en sentais coupable. Je croyais que c'était de ma faute, que j'aurais dû faire quelque chose pour l'en empêcher, ou bien que j'avais fait quelque chose de très mal et que c'était pour cela que... C'était idiot, je sais bien.

— On n'est jamais bête quand on souffre, Bob.

— Peut-être, mais c'était quand même complètement idiot.

Il entoura Paul de ses bras et se serra contre lui.

— Je suis content de t'avoir, toi, papa. J'espère que tu ne mourras jamais.

— Moi aussi, figure-toi ! répondit Paul en se forçant à rire. Pas d'ici très, très longtemps, du moins.

L'entrevue de Barbara avec les gens de Brown se déroula pour le mieux, pas aussi bien cependant qu'à Yale, estimait-elle. Ils quittèrent Providence en fin d'après-midi. Paul avait le soleil dans les yeux et dut rouler moins vite. Après avoir déposé leurs bagages au motel, où Paul avait retenu deux grandes chambres non communicantes, ils allèrent dîner dans un restaurant du voisinage. Barbara était d'excellente humeur, fière d'avoir franchi des obstacles qu'elle avait crus insurmontables. Paul commanda un bon bourgogne, qu'il eut la surprise de voir figurer sur la carte des vins, et en versa cérémonieusement la première gorgée à Barbara, dont il affecta de solliciter le jugement. Elle entra dans le jeu, se conforma au cérémonial de la dégustation et laissa tomber d'un ton doctoral :

— Hmm... Fruité, du corps, du bouquet. Peut-être pas très long en bouche. Un peu jeune, sans doute...

Là-dessus, elle éclata d'un fou rire communicatif.

En fait, elle rayonnait. Elle se lança dans un bavardage ininterrompu pour décrire et juger tout ce qu'elle avait vu ce jour-là. Oui, Yale lui conviendrait à merveille si on voulait bien l'y accepter. L'endroit n'était pas aussi intimidant qu'elle se l'était imaginé. En tout cas, elle s'y voyait presque comme chez elle. Leurs cours d'art dramatique étaient réputés. Brown, par ailleurs, ne manquait pas d'un charme un peu décadent où mener sans complexe une vie de bohème. Les cours d'art dramatique jouissaient d'une réputation sans égale — à moins qu'elle ne décide, en fin de compte, de poursuivre des études de philosophie. Elle n'était pas très sûre de ce qu'elle voulait faire. Heureusement, elle avait encore le temps d'y réfléchir.

A la voir si exubérante, Paul se demanda avec inquiétude si le vin ne lui montait pas à la tête.

— Là où je devrais vraiment aller, déclara-t-elle d'un ton sans réplique, c'est à Reed.

— Pas question ! lui dit Paul. Nous en avons parlé tant et plus, tu connais mon sentiment là-dessus.

— C'est une excellente université...

— Cite-moi une seule personne qui en soit sortie. De toute façon, c'est dans un trou perdu de l'Oregon et il y pleut tout le temps.

— Il n'y a pas d'inconvénient à ce que ce soit loin, répondit Barbara en le regardant dans les yeux. De là-bas, je ne pourrais pas revenir pour les week-ends. Liz ne s'en plaindrait pas, j'en suis persuadée.

Liz interrompit d'un geste la protestation de Paul :

— L'essentiel, c'est que Barbara soit heureuse là où elle va, quel que soit l'endroit. J'ajoute que je suis toujours contente de t'avoir à la maison, Barbara, contrairement à ce que tu penses.

— Il n'est quand même pas question que je la laisse partir si loin, dit Paul.

— La démocratie triomphe ! ricana Barbara.

— Non, l'application brutale de mon droit de veto. Je crois surtout que tu as beaucoup trop bu, ma fille.

— *In vino veritas...* Prends-le comme tu veux, je ne retire rien de ce que j'ai dit.

— Dans ces conditions, présente tes excuses à Liz.

— Inutile, Paul, dit cette dernière, Barbara est sincère.

— C'est exact, Liz, et vous savez que j'ai raison, dit-elle. Vous vous sentirez plus à l'aise si je m'éloigne — toi aussi, papa, même si tu refuses de l'admettre. Non, n'essaie pas de me faire taire, poursuivit-elle avec un geste péremptoire. Je sais ce que je dis et cela me soulage de dire ce que j'ai à dire. Il me faut un nouveau départ, un nouveau cadre de vie. Non seulement je travaillerai mieux, mais, en prime, je te débarrasserai le plancher. Moi aussi, je serai ravie de ne plus t'avoir sur le dos... Pardon, je me suis mal exprimée. Écoute, papa. Depuis la mort de maman, tu n'arrêtes pas de me couver. Tu m'étouffes, tu m'empêches de bouger. Si maman était encore là, je me battrais contre elle aussi. J'ai besoin d'air. Comme elle n'est plus là, c'est Liz qui me tombe dessus à sa place et je le supporte encore plus mal parce qu'elle n'est pas ma mère... Tu comprends ce que je veux dire ?

— En partie, répondit Paul.

— Je me sens trop vieille pour le lycée, je suis trop jeune pour l'université, je suis mal à l'aise dans ma peau et je

263

trépigne d'impatience. En deux mots, c'est là tout le problème.

— Je te comprends tout à fait, dit Liz. Tu dis ce que tu penses et tu penses ce que tu dis. Bravo.

— Un triple ban pour la belle dame que voilà ! s'écria Barbara.

Elle leva son verre, le vida d'un trait :

— C'est bien ce que je disais. Fruité, du bouquet. On en commande une autre bouteille ?

Plus tard, ce soir-là, Liz était assise sur le bord du lit et s'épilait les sourcils pendant que Paul tripotait les boutons de la télévision.

— Faut-il demander qu'on nous réveille demain matin ? lui dit-elle.

— Non, répondit-il en coupant le contact. Nous nous lèverons tard, du moins aussi tard que les enfants nous le permettront.

Dans le petit sac de voyage où il cherchait son pyjama, il trouva la mystérieuse chemise de nuit de Liz et la tint à bout de bras en poussant un sifflement appréciateur :

— Rien que de la regarder, je me sens tout excité !

— Et moi, je claque des dents. Tant pis, je l'aurai voulu.

La chemise à la main, Paul vint s'asseoir auprès d'elle et l'observa :

— C'est barbare de s'arracher des poils, lui dit-il.

— Il faut souffrir pour être belle...

— Je t'aimerais tout autant avec des sourcils broussailleux.

— Pas moi.

— Quand mettras-tu cette chemise ?

— Patience, satyre ! Va donc plutôt faire ta toilette.

Avec un grognement de dépit, Paul se laissa tomber dans un fauteuil et commença de délacer ses chaussures.

— Es-tu contrariée de la tirade de Barbara, tout à l'heure ?

— Pas du tout. Elle était parfaitement sincère et elle avait raison. Elle se sentira effectivement beaucoup mieux en

264

prenant du large. J'ai l'impression qu'elle commence à me faire confiance, c'est déjà cela de gagné. Si seulement je pouvais en dire autant de Bobby...

— Cela viendra, ma chérie. Je trouve qu'il s'améliore.

— J'espère que tu dis vrai. Mais il a encore l'air si malheureux, par moments...

On entendit frapper à la porte, la voix de Bobby retentit dans le couloir. Paul alla ouvrir :

— Qu'y a-t-il ?

— Je ne trouve pas mon pyjama ni mes pantoufles.

— Tu es sûr ?

— Oui, j'ai bien regardé dans la valise, Barbara aussi. Rien.

Paul se tourna vers Liz, la consulta du regard.

— J'ai dû les oublier quand j'ai fait les bagages, dit-elle.

— Alors, qu'est-ce que je fais ? demanda Bobby.

— Eh bien, couche-toi en sous-vêtements, répondit Paul.

— Ah bon... Ceux d'aujourd'hui ou les propres pour demain ?

— Ceux que tu as en ce moment, bourrique ! Garde les autres pour les mettre après avoir pris ta douche demain, voyons !

— D'accord. Pour les pantoufles, tant pis, il y a de la moquette.

— Tu as du linge ?

— Oui, intervint Liz. J'ai même mis une chemise propre, si celle d'aujourd'hui avait des taches.

Bobby leva enfin les yeux vers elle :

— Je n'ai encore jamais été obligé de dormir en slip, dit-il d'un ton de reproche.

— Il faut un début à tout, intervint Paul.

— Elle aurait pu faire une liste, reprit Bobby comme si Liz n'était pas là. Maman faisait toujours une liste et n'oubliait jamais rien.

— Ce n'est pas grave ! lui dit Paul. Allez, Bob, va te coucher. Essayez de dormir tard demain, Barbara et toi. Pour le petit déjeuner, appelez-nous par téléphone, d'accord ?

— Veux-tu venir me border, papa ? S'il te plaît ?

Avec un soupir, Paul acquiesça. Il fouilla dans le sac de

voyage, en sortit sa trousse de toilette, celle de Liz, un pull-over, finit de le vider et le retourna :

— Pas de pantoufles, dit-il. Tu as aussi oublié mes pantoufles.

— Excuse-moi, répondit Liz.

— Tant pis...

Il glissa ses pieds nus dans ses chaussures et sortit en compagnie de Bobby. Quand il revint quelques minutes plus tard, Liz était assise sur le canapé, les genoux pliés sous le menton, la mine irritée.

— La marâtre sème encore la discorde ! dit-elle pendant qu'il refermait la porte.

— Aucune importance, Liz. N'y pense plus, je t'en prie.

— Tu peux être sûr que Bobby ne l'oubliera pas de sitôt, lui.

Elle se pencha pour attraper le paquet de cigarettes sur la table de chevet et en alluma une. Ses mains tremblaient.

— Que vois-je ? s'écria-t-il. Tu ne fumes pas, d'habitude !

— Un paquet par an, quand je suis dans tous mes états.

— Calme-toi, voyons, dit-il en s'asseyant près d'elle.

— Jane faisait-elle vraiment des listes pour tout ?

— Oui.

Paul posa la main sur le genou de Liz, tenta un geste apaisant qu'elle fit mine d'ignorer.

— Allons, ma chérie, ne gâchons pas notre soirée pour si peu.

— Ce n'est pas si facile, Klein ! Tout est nouveau : vie, maison, mari, enfants... Ce que je ne m'explique pas, c'est pourquoi et comment je persiste à faire tout de travers. Je me croyais pourtant capable de faire face à n'importe quoi...

— Tu es sensationnelle.

— La semaine où tu étais absent : catastrophe sur catastrophe ! Et cela ne va pas beaucoup mieux quand tu es là. Vous avez des règles, des habitudes, tous les trois, dont je ne sais rien et auxquelles je ne comprends rien ! Par moments, j'en arrive à me demander si vous ne communiquez pas en code. Toujours des petits secrets, des mots à double sens, des plaisanteries qui m'échappent. Mais si les choses vont mal à la maison, c'est de pire en pire au bureau !

266

Nous sommes enfoncés jusqu'aux yeux, les retards s'accumulent ! Nous arrivons à peine à assumer le quotidien, il n'est bien entendu pas question de prospecter pour trouver d'autres clients. Tout cela parce que je ne peux plus rester tard au bureau, ni travailler pendant les week-ends. Il faut que j'aie la tête partout...

Liz écrasa rageusement sa cigarette pendant que Paul en allumait une.

— As-tu jamais envisagé de laisser tomber ? demanda-t-il.

Liz sursauta, ses yeux lancèrent des éclairs :

— Quoi ? Ce n'est pas un emploi qu'on quitte du jour au lendemain, Klein ! C'est *mon* affaire, je l'ai créée, j'y ai investi mon temps, ma sueur !

— Tu pourrais quand même revendre ta part et te faire engager dans une agence. Cela te donnerait plus de liberté...

— Jamais de la vie ! J'ai un associé, une douzaine d'employés qui dépendent de moi. Me vois-tu tout plaquer... et pour quoi faire ? M'enfermer à la maison et jouer les bobonnes ? Jamais !

— Bon, bon, d'accord...

— Sans compter que tu seras toujours meilleur que moi dans ce domaine-là. Tu fais mieux la cuisine, le ménage...

— Ça va ! dit Paul en riant. J'ai compris, inutile d'insister.

Il se pencha pour poser un léger baiser sur son front. Elle réagit en se jetant dans ses bras, se serra contre lui avant de l'embrasser fougueusement sur la bouche.

— Dans ce domaine-là, murmura-t-il quand ils se séparèrent, tu restes inégalable.

Elle n'eut l'occasion de mettre sa scandaleuse chemise de nuit que beaucoup plus tard lorsque, les lumières éteintes, ils furent prêts à s'endormir. Elle se blottit contre lui sous les couvertures, se laissa caresser le dos en ronronnant de plaisir.

— Je suis un homme comblé, murmura Paul.

— J'espère bien ! dit-elle.

Elle joua un instant avec une mèche folle sur la nuque de son mari, hésita :

— Paul, parle-moi de Jane.

— Hein ? Que veux-tu que je t'en dise ?

— Était-elle toujours parfaite ?

— Bien sûr que non.

— Raconte-moi.

Paul poussa un grognement, se redressa pour s'adosser aux oreillers :

— Comme tout être humain, elle avait des défauts. Trop stricte avec les enfants, avec Barbara surtout. Bobby obtenait d'elle tout ce qu'il voulait, ou presque. Non, ma chérie, Jane n'était pas parfaite. Elle commettait des erreurs, comme tout le monde.

— Comment était-elle avec toi ?

— N'insiste pas, Liz, c'est absurde.

— Est-ce qu'elle t'aimait ?

— Voilà une question idiote !

— Réponds ! Elle t'aimait ?

— Bien sûr, dit-il avec agacement. Sans arrêt. En dix-huit ans de mariage, du premier au dernier jour, il ne s'est pas écoulé une heure sans que je sache combien elle m'aimait...

Il tâtonna sur la table de chevet, trouva ses cigarettes et fuma quelques instants en silence. Liz observait son visage grave que le rougeoiement éclairait de brèves lueurs.

— L'aimais-tu autant ? demanda-t-elle enfin.

— Oui, répondit-il aussitôt.

— Vous êtes-vous jamais querellés ?

— Oui, dit Paul avec un rire de gorge. Deux fois, je crois. Elle a gagné les deux fois, si mes souvenirs sont bons. Elle ne supportait pas les disputes et les éclats de voix. Quand les enfants se tenaient mal, elle commençait toujours par leur dire de baisser le ton. C'était son style...

— Et comment était-elle... au lit ?

Paul émit un long soupir en rejetant sa fumée :

— Parlons d'autre chose, veux-tu ?

— Je te pose une question, sans plus.

Elle lui caressa doucement la poitrine, observa son visage à la lueur de la cigarette et s'efforça de deviner ses pensées. Pourquoi cette curiosité malsaine ? se demandait-elle. Pourquoi ai-je tant besoin d'une si pauvre victoire ?

268

— Pas aussi douée que toi, répondit-il enfin. C'est bien la réponse que tu espérais ?

— Seulement si elle est vraie.

— Cela ne te ressemble pas, Liz.

— Je sais.

— N'aurais-tu pas confiance en toi ?

— Je me sens plutôt chancelante, si tu veux tout savoir.

— Toi ? répondit Paul en riant. Pas possible !

— Je sais, c'est difficile à croire. C'est pourtant vrai.

— Je t'avais toujours prise pour une cariatide, dit-il en lui serrant affectueusement l'épaule. Un roc de fermeté.

— Écoute, Paul, et ne te moque pas de moi. La maison me fait peur. J'en arrive à la prendre en horreur.

— Tu plaisantes !

— Je n'y suis pas chez moi, Paul. Elle me rejette. C'est la maison de Jane. Dès le premier jour, je me suis sentie comme une intruse. Nous devrions vivre dans un endroit bien à nous.

— C'est hors de question ! Bobby y est né, il n'a jamais vécu ailleurs. C'est son seul foyer. Et Barbara...

— Je sais ! Vous y êtes tous chez vous, c'est bien là le drame. Mais si tu me répètes encore une fois : « Patience », je te bourre de coups de poing !

Paul étouffa un juron et écrasa sa cigarette dans le cendrier :

— Écoute, déraciner les enfants après le choc qu'ils ont subi serait criminel. Je suis désolé, Liz, mais tu ne me feras pas changer d'avis. Je sais que tu n'es pas encore installée comme il faut dans cette maison, mais cela viendra. Tu t'y plairas, j'en suis sûr. Attends la fin de l'hiver. Au printemps, avec le retour des beaux jours, tout t'apparaîtra sous un éclairage différent. Nous remettrons le jardin en état, nous arrangerons l'intérieur. Tu verras comme c'est agréable, le soir, de prendre le frais dehors. Tu y seras très heureuse, je te le promets.

— Comme Jane l'était, n'est-ce pas ? Pour que je remplisse enfin comme elle mes devoirs de bonne maîtresse de maison et que je te rende heureux ?

— Tu es méchante.

— Essaie de comprendre, Paul ! Vivre chez elle, dans *sa*

269

maison, c'est comme si... je portais ses robes !

— Me crois-tu aveugle ? Je sais combien tu es différente d'elle. Je connais tes qualités, je sais qu'elles sont inimitables. C'est pour cela que je t'aime, pour ce que tu es ! Comment peux-tu avoir le moindre doute là-dessus ? Allons, dit-il en la prenant dans ses bras, ressaisis-toi ! Reprends confiance, grosse bête que tu es !

Son baiser parut brûlant aux lèvres de Liz.

— Est-ce vrai que je fais mieux l'amour qu'elle ? lui murmura-t-elle. Bien vrai ?

— Peut-on dire qu'une pomme soit meilleure qu'une orange ? répondit-il en l'embrassant de plus belle.

Dans la tiédeur des bras de Paul, Liz se sentit enfin apaisée. Son haleine lui caressait l'épaule. Oui, se dit-elle, tous ces problèmes se résoudront un jour. Nous sommes trop intelligents, nous nous aimons trop pour échouer. Elle saurait se faire sa niche dans la maison, gagner sans réticence la confiance et l'affection des enfants. Elle était née bagarreuse, elle avait trop l'habitude de gagner. L'image de Bobby, endormi dans la pièce voisine, vint la visiter; il était encore si fragile, si vulnérable, il avait tant besoin de soins maternels. Un jour, il se laisserait embrasser lui aussi; un jour, il partagerait avec elle ses craintes et ses souffrances, il lui permettrait de les guérir. Ce jour viendrait, même s'il se montrait encore inflexible, hostile. Il fallait donner son amour, continuer jusqu'à ce qu'il soit payé de retour — sans tenir compte des mots blessants, des regards qui font mal. La plaie enfouie au plus profond de cet enfant était encore trop douloureuse, sa présence à elle un rappel trop cuisant de la mère qu'il n'avait plus. A la fin, à force de patience et de bonté, elle saurait en faire un ami. Un fils.

Un jour viendrait...

19

Le surlendemain, elle déclencha son offensive de charme. Bobby ne s'en aperçut même pas — ou ne daigna pas en faire état.

Tous les jours, à l'heure où il rentrait de l'école, elle lui téléphonait. Le plus souvent, il faisait répondre par Gemma ou Barbara qu'il était trop occupé avec ses devoirs pour se déranger et parler à Liz. Lorsqu'il lui arrivait de décrocher lui-même, elle faisait seule les frais de la conversation :

— Tout va bien à l'école ?

— Oui.

— Pas de problèmes ?

— Non.

— Tu as mangé ton goûter ?

— Oui.

Un samedi, au supermarché, elle acheta un paquet de six tablettes de chocolat et lui en glissa une tous les jours dans le sac de son déjeuner. Bobby fit comme s'il n'avait rien remarqué. Au bout de trois jours, n'y tenant plus, Liz lui demanda si cela lui faisait plaisir :

— Ouais, c'est pas mauvais, répondit-il en ouvrant la porte pour partir. Mais je préfère celui sans noisettes.

Un autre jour, en revenant du bureau, elle s'arrêta chez un pâtissier réputé et en rapporta, pour Bobby et Barbara, de savoureux gâteaux au chocolat. Lorsque Liz déballa son paquet au moment du dessert, elle vit les yeux de Bobby s'allumer de gourmandise. Mais à peine y avait-il mordu qu'il repoussa son assiette avec une grimace de dégoût :

— Il y a du rhum dedans. J'ai horreur du rhum.

Elle dévora elle-même le gâteau, tout en se maudissant à la pensée des calories et de l'effet qu'elles ne manqueraient pas d'avoir sur sa ligne.

Une autre fois encore, Bobby n'ayant qu'une demi-journée de classe, Liz lui proposa de venir la rejoindre à son bureau et de déjeuner avec elle. Elle lui avait donné des instructions détaillées pour le parcours en métro et commença de s'affoler en ne le voyant pas arriver à temps. Un quart d'heure plus tard, Bobby se présenta à sa porte en pestant contre les correspondances mal signalées et l'attente interminable entre les rames. Non, il n'avait aucune idée particulière sur l'endroit où il souhaitait déjeuner. Quand Liz lui eut énuméré des restaurants plus tentants les uns que les autres, il déclara ne vouloir, tout compte fait, qu'un simple hamburger et elle l'emmena au *MacDonald* le plus proche, croyant lui faire plaisir. Elle le regarda grignoter son *Big Mac* du bout des dents et fit, une fois de plus, tous les frais de la conversation.

Après cela, toujours animée des meilleures intentions, elle l'entraîna faire des achats dans les grands magasins — grave erreur de jugement, comprit-elle, en voyant la mine excédée de Bobby essayant son cinquième blue-jean. Les garçons sont différents des filles, ils se moquent éperdument de leur tenue, se reprocha-t-elle. Avisant alors, au rayon des sports, de superbes T-shirts ornés d'emblèmes d'équipes de football, elle voulut se racheter en lui en offrant un. Définitivement buté, Bobby refusa même de l'essayer et Liz passa outre. La chemise se révéla trop petite d'une taille. Témoin cuisant de son incompétence, elle resta pliée bien en vue dans le tiroir de Bobby et Liz, tous les matins, la retrouvait sous ses yeux comme un reproche muet.

Un après-midi, enfin, elle craqua sous la provocation. En guise de conclusion à l'un de ses appels téléphoniques, fait de questions rituelles ponctuées de réponses monosyllabiques, Bobby lui jeta :

— De toute façon, qu'est-ce que ça peut vous faire ?

— Tu ne comprends donc pas que je m'intéresse à toi, petit monstre ? hurla Liz dans le combiné.

— Vous n'êtes pas ma mère.

— Je t'aime pourtant comme un fils ! Cesse de te montrer odieux avec moi, Bobby.

— Vous en faites trop, ça ne prend plus.

Et il raccrocha sans lui laisser le temps de répondre. Elle entendit le déclic, le retour de la tonalité. Elle finit par reposer brutalement le combiné en lâchant une bordée de jurons. Quand George, inquiet, vint s'enquérir des causes de cet éclat, il la trouva en larmes :

— Ce n'était pas un client, j'espère ? demanda-t-il.

— Non, un sale gosse. Rien qu'un sale gosse.

Au cours d'un de leurs déjeuners, Michael Bradie demanda à Paul si tout allait bien — question à laquelle son sourire béat tint lieu de réponse.

— A merveille. Barbara et Liz se réconcilient, je suis aux anges. Bobby pose encore un problème, mais cela se tassera.

Tout, cependant, n'était pas aussi rose que Paul le prétendait. Il traversait lui-même des moments difficiles. Ainsi, le matin, encore couché pendant que Liz s'affairait à la cuisine, il entendait les bruits familiers qui le ramenaient dans le passé et s'imaginait Jane encore parmi eux. Il se faisait mal au spectacle de Liz émergeant de la penderie de Jane. Un matin, à demi conscient, il entendit couler la douche, ouvrit les yeux au bruit de la porte et sursauta à la vue de Liz drapée dans un peignoir. Il s'était attendu à voir Jane et son regard s'était porté d'instinct à hauteur de son visage — celle de la poitrine de Liz.

Quinze jours avant *Thanksgiving**, à l'heure du dîner, Paul reçut un coup de téléphone de Phyllis Berg. Quand il eut raccroché, il se retourna en souriant :

— Devinez ! Cette année, nous allons reprendre la

---

* *Thanksgiving* (littéralement : journée d'action de grâces) : fête célébrée en Amérique du Nord au mois de novembre pour commémorer la première récolte opérée par les colons au XVIIe siècle (N.d.T.).

tradition de dîner les uns chez les autres pour les fêtes.

— Chic ! s'écria Barbara.

— Ce sera exactement comme avant, dit Paul.

— Non, pas exactement, déclara Bobby d'un ton sinistre.

Paul se tourna vers Liz, qui écoutait avec étonnement :

— C'était Phyllis Berg, expliqua-t-il. Elle nous invite à dîner chez eux pour *Thanksgiving* et je les ai invités à venir ici pour Noël.

— C'est très gentil, répondit Liz en s'efforçant de dissimuler la terreur que cette perspective lui inspirait.

— Nous l'avions fait tous les ans depuis notre installation ici, reprit Paul. Si nous allions chez eux pour *Thanksgiving,* ils venaient chez nous à Noël et vice versa.

— On pourra rouvrir la salle à manger et sortir le beau service de porcelaine, dit Barbara.

— Tu t'arrangeras avec Phyllis, dit Paul à Liz. Quand nous allions chez eux, nous n'apportions habituellement que le dessert, mais nous pourrions peut-être innover cette année.

— Tu sais que je ne suis pas fameuse pour la pâtisserie, répondit-elle. Quel genre de gâteau ?

— Une tarte au potiron, évidemment, déclara Bobby. C'est la tradition. Maman faisait aussi une tarte aux pommes.

— Oh oui ! s'écria Barbara. La tarte au potiron de maman, c'était toujours la meilleure !

— C'est vrai, renchérit Paul.

— Sa tarte aux pommes n'était pas mauvaise non plus, précisa Bobby. J'en mangeais toujours un gros morceau avec de la crème fouettée et vous vous demandiez comment je faisais après un dîner aussi copieux, vous vous rappelez ?

— Oui, dit Paul. Jane disait que tu mangeais assez le jour de *Thanksgiving* pour tenir jusqu'à Noël... et plus qu'assez à Noël pour tenir jusqu'au Nouvel An.

— Décidément, on ne pense qu'à manger, dans cette famille ! dit Liz. D'accord, j'achèterai les tartes chez un excellent pâtissier dans mon ancien quartier...

Sa déclaration tomba dans un silence glacial.

— Mais si, je vous assure, leurs gâteaux sont délicieux.

274

— Parfait, parfait, dit Paul.

Sous le regard de Barbara et de Bobby, Liz se sentit mal à l'aise. Elle y lisait trop clairement ce qu'ils pensaient, ce qu'ils ressentaient — et qui ils auraient préféré voir assise à sa place.

Sans mot dire, Barbara se leva pour prendre un livre de cuisine sur l'étagère. Elle le feuilleta en se rasseyant.

— Voilà sa recette, dit-elle. Et celle de sa tarte aux pommes.

Elle la lut à mi-voix pendant que les autres l'observaient.

— On pourrait essayer, reprit-elle enfin. Ça n'a pas l'air trop difficile.

— Je te donnerai un coup de main, proposa Bobby.

— Toi ? dit Paul en pouffant de rire.

— Je peux au moins peler les pommes ! Ce n'est pas sorcier.

— Je m'y mettrai aussi, dit Barbara. On peut tous s'y mettre, papa ? Dis oui, je t'en prie !

— Ce n'est pas si commode... commença Paul.

La joie des enfants, le plaisir qu'ils anticipaient éclataient sur leurs visages et Paul se laissa gagner par leur prière muette :

— Bon, dit-il, je mettrai moi aussi la main à la pâte. Qu'est-ce qu'on risque, après tout ? De rater deux tartes, ce n'est pas un drame.

Les deux enfants poussèrent des cris de joie, Barbara se jeta au cou de son père. Personne ne remarqua le départ silencieux de Liz.

Plus tard, ce même soir, Paul entrouvrit la porte de la chambre d'amis. Liz était assise à son bureau et lui tournait le dos. Il la vit qui écrivait furieusement sur son bloc.

— Tu viens bientôt te coucher, ma chérie ?

— Oui, répondit-elle sans se retourner.

Paul hésita à se retirer. Liz avait passé toute la soirée seule en haut; il la sentait tendue, énervée, sans discerner la cause de sa contrariété.

— Je regarderai les nouvelles en t'attendant, dit-il.

Comme elle ne répondait pas, il referma la porte. Il suivit d'un œil distrait le journal télévisé de 23 heures, se déshabilla et se mit au lit.

Longtemps après minuit, il l'entendit pénétrer silencieusement dans la chambre, décrocher sa chemise de nuit de la penderie et se rendre dans la salle de bain. Étendu dans le noir, les yeux ouverts, il attendit son retour.

— Quelque chose qui ne va pas ? demanda-t-il lorsqu'elle revint.

— Non, rien.

Elle se glissa sous les couvertures et se coucha sur le côté en lui tournant le dos.

— Réponds-moi, Liz. Qu'est-ce qui te chiffonne ? insista-t-il en lui massant doucement le dos.

— Rien, te dis-je.

— Tu es restée enfermée toute la soirée. Il y a quelque chose qui te tracasse, je le sens bien. De quoi s'agit-il ?

— De tout, si tu veux savoir.

Elle eut un geste d'impatience, comme pour lui signifier de ne plus la toucher. Ils restèrent étendus côte à côte, dans le silence nocturne où s'amplifiaient les bruits de la maison.

— Comment as-tu pu me faire une chose pareille ? dit-elle enfin.

— Te faire quoi ?

— Les gâteaux ! Tu n'as même pas vu mes signes de détresse... Tu ne m'as pas entendue proposer de les acheter ?

Paul resta un moment interloqué :

— Je ne comprends pas. Quel drame cela représente-t-il de les faire nous-mêmes ?

Liz fit entendre un rire sans gaieté :

— Ne comprends-tu pas qu'ils veulent me faire passer un examen ? « Vas-y, Liz, essaie donc de faire des gâteaux aussi bons que ceux de maman ! On te met au défi ! » Comme si je pouvais me mesurer à Jane dans sa propre cuisine...

— C'est donc ainsi que tu l'as pris ?

— Pourquoi n'as-tu pas immédiatement arrêté les frais ? J'avais pourtant bien dit que je me chargeais de les acheter, ces fichues tartes ! Tu n'as donc rien vu, rien compris à ce qui se passait ? « Ramenons notre chère maman sur terre en faisant ses merveilleux gâteaux ! Qu'elle soit l'invitée d'honneur à ce repas de fête et que sa mémoire soit bénie ! » Et toi, tu les y as encouragés !...

— Je n'en crois pas mes oreilles ! Les as-tu regardés, au

276

moins ? As-tu vu leur expression, senti leur joie ? Comment aurais-je pu m'y opposer ?

— En me soutenant, pour une fois ! Mais tu ne faisais même pas attention à moi. Alors, que dois-je faire, maintenant ? Suis-je censée apprendre d'ici jeudi comment confectionner une mirifique pâte à tarte ? Faut-il m'inscrire à un cours de cuisine ?

— Ce sont les enfants qui s'en occuperont eux-mêmes, Liz. Tu n'as rien à voir dans cette affaire.

— J'ai *tout* à y voir, au contraire.

— Non. Ils s'en chargeront et je les aiderai de mon mieux, un point c'est tout. Tu n'as pas besoin de t'en mêler, à moins que tu n'y tiennes absolument...

— Et pour que vous me laissiez juste le petit détail qui flanque tout par terre à la dernière minute ? Merci bien !

Paul ouvrit la bouche pour répondre, elle le prit de vitesse :

— Je ne veux plus parler de cette histoire. Le réveil doit sonner à six heures et demie.

Elle se retourna, envoya des coups de poing dans son oreiller et s'installa pour la nuit. C'était la première fois que Paul laissait Liz s'endormir encore fâchée contre lui.

Quelques jours plus tard, Liz appela Phyllis Berg pour coordonner leur participation respective au fameux dîner. Phyllis insista alors pour que Liz vienne prendre le café avec elle :

— Montrez-vous un peu, que diable ! Je ne vous ai pas vue depuis des éternités !

Une fois dehors, dans la fraîcheur du soir, Liz sentit son moral remonter. Elle retrouvait ses impressions passées, lorsqu'elle sortait marcher après le dîner — ou courir, se dit-elle avec regret. L'exercice lui avait toujours fait du bien et lui permettait de redonner aux problèmes leurs justes proportions.

Phyllis l'accueillit à la porte, l'entraîna à la cuisine où elle lui versa un café fraîchement passé. Puis, assise auprès d'elle, elle l'examina d'un œil critique à travers ses verres épais :

— Vous avez mauvaise mine, Liz. Prenez-vous des vitamines ?

— Non.

— Vous devriez. Vous mangez n'importe quoi, je parie. Les problèmes s'accumulent, votre aspect ne trompe pas. Paul ?

— Non, tout va bien avec Paul, répondit Liz en tournant pensivement son sucre dans sa tasse.

— Les enfants, alors ?

— Tout, dit Liz avec un soupir de lassitude. Les enfants, la maison, le travail, ma vie quoi... Rien de bien grave, en somme.

— Vous vous êtes mis sur le dos des responsabilités que je ne vous envie pas, Liz. Ce doit être écrasant. Bobby vous donne du fil à retordre ?

— Comment avez-vous deviné ?

Phyllis tendit une boîte de biscuits à travers la table. Liz refusa d'un geste de la main.

— Ce n'est guère difficile. Bobby n'a pas encore amorti le choc. En sera-t-il jamais capable ? Mon Billy et lui étaient inséparables. Depuis la mort de Jane, Bobby n'est plus le même. Il ne met presque plus les pieds ici.

— Bobby ne se montre plus guère à personne, à vrai dire. Il passe plus de temps avec mon chat qu'avec moi. Il ne peut pas me souffrir et ne fait même pas l'effort de me le cacher.

— C'est normal, vous n'êtes pas Jane. Jane représentait tout l'univers de Bobby, vous le savez. En dehors d'elle, il ne voyait rien. Rien d'autre n'existait. Nous l'avions surnommé « l'ombre de Jane ». Il est impossible, je crois, qu'une mère et son enfant aient été aussi proches l'un de l'autre.

— Je ne peux pas percer sa carapace, Phyllis. Je ne peux pas communiquer avec lui.

— Laissez-moi vous dire ceci, Liz : ils m'inquiètent tous les trois. Nous étions très intimes. Après la mort de Jane, j'allais jeter un coup d'œil chez eux tous les jours ou presque, ils venaient dîner ici deux, trois fois par semaine. Et puis, il est survenu je ne sais quoi — je paierais cher pour le découvrir. Du jour au lendemain, je ne les ai pratiquement plus revus. Ils m'ont donné l'impression de se replier

278

sur eux-mêmes, de se couper du monde. Voilà pourquoi, en partie du moins, j'ai voulu reprendre l'habitude de nos dîners les uns chez les autres pendant les fêtes. Nous étions vraiment bons amis, voyez-vous. Nos enfants s'entendaient à merveille. A la belle saison, nous nous retrouvions dans le jardin des uns ou des autres, nous sortions ensemble, nous allions au cinéma, au théâtre... Maintenant, c'est fini. S'ils n'avaient pas été victimes d'une telle tragédie, j'en aurais été mortellement vexée.

— Vous avez très bien connu Jane, n'est-ce pas ?

— Amies d'enfance, répondit Phyllis en grignotant un biscuit. C'est moi qui leur ai trouvé la maison.

— Était-elle aussi parfaite que tout le monde le prétend ?

Phyllis pouffa de rire :

— Presque ! C'était précisément son plus gros défaut. Il est difficile, pour ne pas dire impossible, de se sentir proche de quelqu'un ayant des idéaux aussi peu à la portée du commun des mortels. Chez Jane, il n'y avait jamais un grain de poussière; ses enfants étaient impeccables, son jardin une merveille, sa cuisine délectable. Pourtant, même si elle connaissait tout le monde dans le quartier — elle était enseignante, vous le savez —, elle n'avait que très peu d'amis. Moi, Marion Gerber, une collègue je crois, Kathleen Bradie, c'est tout. Il lui arrivait de prendre des airs supérieurs absolument insupportables. Si tout le monde avait aimé un film, par exemple, Jane trouvait le moyen de le critiquer. Nous sortions dîner dans un grand restaurant, et Jane y découvrait des négligences dans le service. On aurait été tenté de la traiter de snob, si elle n'avait pas eu raison la plupart du temps. Personnellement, j'ai toujours refusé d'aller courir les magasins avec elle. Dans tout ce qui me plaisait, tout ce que j'essayais, il y avait régulièrement un défaut ! Je n'ai jamais acheté une robe, ni même une simple paire de bas en sa présence.

Liz aborda alors le sujet du repas de *Thanksgiving* et raconta la dispute qui avait éclaté à propos des tartes.

— Je me demande où Paul peut bien avoir la tête, par moments ! s'écria Phyllis. C'est impardonnable de sa part.

— Le pire, c'est de me trouver au beau milieu de cette histoire.

— Ne vous en mêlez pas, Liz.

— Je fais de mon mieux...

— Les recettes de Jane, je les connais. Chaque fois que j'en ai suivi une, le résultat n'était jamais aussi brillant que le sien. J'ignore comment, pourquoi, mais c'est ainsi. Ces fameuses tartes n'auront rien de commun avec celles de Jane, je vous le garantis. Mais quelle importance, je vous le demande ? Ce qui compte, c'est d'être ensemble, de partager, pas le goût de ce que nous mangerons.

Liz approuva avec chaleur. L'amical bon sens de Phyllis lui mettait un baume sur le cœur.

— Que pourrais-je faire de plus pour ce dîner, Phyllis ? Celle-ci lui décocha un regard sceptique :

— Savez-vous au moins faire la cuisine ?

— Franchement, non.

Phyllis accueillit cet aveu avec un éclat de rire :

— Voilà qui est net ! Alors, ne vous inquiétez de rien, Liz. Venez, je ne vous en demande pas davantage.

— Merci, Phyllis, répondit-elle en riant à l'unisson. Je suis quand même paniquée en pensant au dîner de Noël. Comment vais-je me débrouiller pour tout ce monde ?

— Je vous aiderai. Vous n'aurez qu'à faire rôtir la dinde, préparer une farce toute simple... Ne faites pas cette tête-là, voyons ! Il suffit de mettre la volaille au four avec beaucoup de beurre. Quant à la farce, c'est enfantin, je vous montrerai. Venez donc jeudi, pendant que je serai à la cuisine. Je vous enseignerai toutes les ficelles du métier, elles n'ont rien de mystérieux.

Réconfortée, Liz se laissa aller à l'euphorie jusqu'à dévorer un biscuit.

— J'espère que nous deviendrons amies, Phyllis, dit-elle en prenant congé.

— Je suis sûre que nous le serons, Liz. Vous en aurez grand besoin, je le sens.

Tout s'arrangea finalement fort bien pour Liz. Tandis que Paul et les enfants s'agitaient à la cuisine au milieu d'un indescriptible fouillis, elle se rendit chez Phyllis Berg et

280

passa deux heures en sa compagnie. Phyllis se révéla excellent professeur. La dinde était déjà au four lorsque Liz arriva, mais Phyllis lui décrivit en détail les étapes de sa préparation.

— Et maintenant, passons à la farce.

Elle donna ses instructions à Liz mais la laissa les exécuter elle-même. En très peu de temps, la farce fut prête.

— C'est vrai ! s'écria Liz. Ce n'est pas difficile du tout.

— Vous voyez ? Je ne vous ai même pas aidée.

Elle lui montra ensuite comment préparer la sauce, puis l'amena insensiblement à la cuisson des légumes. Liz était stupéfaite de s'instruire aussi facilement.

— C'est enfantin quand on sait ce qu'on fait, dit Phyllis.

— Alors pourquoi ai-je encore si peur ? Je me sens comme une jeune mariée sans expérience.

— Tout simplement parce que vous l'êtes, ma chérie !

Quand elle retourna chez elle pour se changer avant le dîner, Liz trouva les trois Klein à la cuisine, plongés dans la contemplation morose des deux tartes en train de refroidir. On sentait le brûlé jusqu'au vestibule. Les plans de travail étaient couverts de pelures de pomme et de farine, l'évier débordait d'ustensiles sales. Quant aux tartes elles-mêmes, elles faisaient peine à voir.

— Comment vous en êtes-vous tirés ? demanda Liz.

— Pas trop bien, répondit Paul. La tarte au potiron est trop cuite, je ne me la rappelais pas de cette couleur.

Elle était, en effet, d'un beau marron foncé presque noir.

— La tarte aux pommes a explosé, annonça Barbara.

— Mais non ! protesta Bobby. Elle a simplement débordé.

— J'espère qu'elle est quand même mangeable, dit Paul.

— En un jour comme aujourd'hui, l'essentiel c'est d'être ensemble, déclara Liz. Peu importe ce que nous mangeons.

Elle ne pouvait cependant s'empêcher de sourire en nettoyant de son mieux les dégâts infligés à la cuisine.

Le dîner fut détendu. Paul et les enfants se réjouissaient de retrouver des amis dans un cadre familier; Bobby lui-même semblait s'amuser. Pour sa part, Liz se trouvait plus à son aise chez les Berg que dans sa maison. Une fois que tout le monde fut servi, Phyllis annonça que la farce et la sauce étaient l'œuvre de Liz. Celle-ci préféra ne pas relever l'exclamation stupéfaite de Paul à cette nouvelle :

— J'avais un bon professeur, dit-elle simplement.

Le repas terminé, elle voulut accompagner Phyllis à la cuisine pour l'aider à laver et ranger la vaisselle. Celle-ci s'y opposa :

— Je ne fais pas le ménage chez vous, il n'y a pas de raison que vous le fassiez chez moi. C'est à prendre ou à laisser.

— Je prends !

— Ce n'est pas tout : chacun garde ses restes, d'accord ? Ma famille va manger de la dinde pendant huit jours, tant pis pour eux. Quand votre tour viendra, vous en ferez autant.

Plus tard, lorsque Liz rejoignit Paul au lit, il lui demanda :

— Tu n'es plus fâchée contre moi ?

— Je ne l'ai jamais vraiment été, dit-elle en se reprochant son mensonge.

— Tu as pourtant été revêche, distante toute la semaine.

— Pardonne-moi, mon chéri, mais au bureau, nous sommes fous. Cela devient impossible...

— Moi aussi, je deviens fou ! dit-il avec un sourire. Viens vite, sinon je ne réponds pas de ce qui peut se passer !

Le lendemain matin, en descendant déjeuner, Paul trouva Liz au téléphone en grande conversation avec George Chan. Bobby était assis dans un coin, en train de jouer avec le chat. Paul se versa un bol de café.

— D'accord, George, dit Liz avant de raccrocher. Je t'y rejoins dans une heure. Bonjour, mon chéri, poursuivit-elle en se tournant vers Paul. Une nouvelle sensationnelle : le fabricant de montres dont je t'avais parlé nous confie probablement son budget !

Elle embrassa Paul avec fougue.

— J'en suis ravi pour toi, dit-il en souriant.

— Le seul ennui, c'est qu'il faut préparer un avant-projet pour lundi.

— Tu plaisantes !

— Je le voudrais bien. Je vais retrouver George au bureau dans une heure. Pendant ce temps, il va essayer de mettre la main sur nos gens et d'en faire venir le maximum.

— Mais on est samedi...

— Je le regrette autant que toi, tu sais, dit-elle en se levant.

— Hé ! pas si vite ! s'écria Paul. Tu sais bien que nous devions dîner en ville et aller voir un film. Et dimanche...

— Je sais, mon chéri. Mais que veux-tu que je fasse ? C'est une chance unique, un de nos plus gros budgets.

Paul devint rouge de colère :

— Depuis quand es-tu au courant ?

— George y travaille depuis un mois, mais nous venons de recevoir la confirmation.

— Charmant ! Un beau week-end en perspective !

— Ne crie pas comme ça, chuchota-t-elle en désignant Bobby d'un mouvement de tête. Écoute, mon chéri, il faut que j'aille travailler. Je suis désolée, crois-moi, mais il n'y a pas moyen d'y échapper. Je te téléphonerai tout à l'heure.

— Trop aimable ! dit Paul d'un ton sarcastique. Vas-y, ne t'occupe pas de nous. On se débrouillera sans toi.

— Prends du café, cela te calmera...

— Je viens d'en prendre, je suis parfaitement lucide et je vois trop clairement les choses, Liz. Ton travail nous empêche de mener une vie normale.

— Je m'y attendais, dit-elle sèchement. Puisque tu refuses d'entendre raison, tant pis. Je n'ai pas le temps de me lancer dans une discussion.

Elle fit de son mieux, en se préparant, pour se calmer et ne pas se laisser emporter par la colère. Comment Paul pouvait-il la traiter avec tant d'injustice ? Ne comprenait-il pas comme elle se surmenait, à jongler avec les heures, à courir du bureau à la maison et de la maison au bureau ? Les journées étaient beaucoup trop courtes. Si quelque chose ou quelqu'un devait céder, pourquoi toujours *elle* ?

Enfin prête, elle descendit rapidement l'escalier, jeta un coup d'œil à la porte pour voir le temps qu'il faisait. Le soleil semblait vouloir briller toute la journée. Au moment où elle ouvrait la penderie pour y prendre son manteau, elle entendit la voix de Bobby.

Il se tenait derrière elle, Marmaduke dans les bras :

— Liz, est-ce que je peux vous demander quelque chose ?

— Pas maintenant, Bobby...

— Pourquoi Marmaduke ne sort-il jamais ?

— C'est un chat d'appartement, répondit-elle en enfilant son manteau. S'il se retrouvait dehors, il se perdrait, il n'a plus aucun des instincts d'un chat de gouttière.

— Pourquoi ne l'avez-vous jamais laissé sortir ?

— Il faut que je me dépêche, Bobby. Pouvons-nous parler de cela plus tard, quand je rentrerai ?

Pendant ce temps, Paul écoutait la conversation et héla Bobby depuis la salle à manger :

— N'importune pas Liz en ce moment, Bob, dit-il d'un ton glacial. Tu vois bien qu'elle est pressée.

Liz se força à contenir son impatience et prit la peine d'expliquer calmement à Bobby que le chat ne pouvait pas sortir sans surveillance et qu'il faudrait l'y habituer progressivement.

— Justement, je peux jouer avec lui dans le jardin, s'entêta Bobby. Je le surveillerai de près, il ne risquera rien.

— Non, Bobby, il pourrait prendre peur, s'enfuir. Il n'est encore jamais sorti.

— Il ne franchira pas la haie, je fermerai la barrière...

La discussion s'éternisait. Toujours sur le seuil de la salle à manger, Paul intervint :

— Tu as entendu ce que t'a dit Liz, Bobby. Non, c'est non. De toute façon, Marmaduke est *son* chat.

Liz ne put s'empêcher de réagir :

— Non, c'est *notre* chat et il ne quitte plus Bobby !

— Eh bien, dans ces conditions, pourquoi refuses-tu de lui faire ce petit plaisir ? dit Paul avec aigreur. Il a l'âge de prendre des responsabilités, il surveillera le chat comme il faut.

Et voilà, se dit-elle, il prend une fois de plus le parti de Bobby ! Comme s'il n'y avait pas déjà trop de choses pour nous séparer... Refusant de capituler, elle chercha une excuse :

— Il n'a pas de collier à puces.

— Je lui en achèterai un tout à l'heure, dit Paul.

Le sourire qu'elle vit se former sur ses lèvres la glaça. Il cherchait à se venger, c'était évident. Mais pourquoi entraîner son fils dans une querelle où il n'avait pas sa place ?

— Bon, d'accord, dit-elle enfin. Fais comme tu veux.

Ce ne fut pas vers elle que le petit garçon dirigea son regard plein de gratitude, mais vers son père. Deux contre une, comment espérer vaincre ? Elle empoigna son sac, franchit la porte. Paul ne lui dit pas même au revoir.

Il faisait un beau froid sec, le vent ne soufflait pas. Au carrefour, Liz s'arrêta pour attendre le feu vert. Il fallait ne plus penser à cette mesquine escarmouche, refouler sa peine. Pour faire du bon travail, elle avait besoin de tout son calme.

De loin, elle se retourna pour regarder la maison. Elle vit la tourelle se détacher sur le bleu du ciel, les ardoises rosies par le soleil, la lucarne. C'était une belle maison, vaste. Accueillante d'aspect, où il n'y avait pourtant pas de place pour elle.

20

La limousine de la production déposa Liz au Beverly Wilshire peu avant 17 h. Non, pas de messages, lui dit le réceptionniste en lui tendant sa clef. Elle le remercia d'un signe de tête et s'engouffra dans l'ascenseur.

Elle n'avait envie que d'une douche chaude et d'une boisson bien fraîche. Un réveil matinal à la suite d'un vol de nuit pour la côte ouest, voilà le plus sûr moyen d'être sur les genoux. Il avait fait une chaleur effroyable pendant le tournage dans le faux village western où l'on avait filmé le spot publicitaire pour les montres. Toute la journée au soleil, c'en était trop.

Liz se contempla dans le miroir au-dessus de la commode. Qui donc était cette femme qui la regardait ? Elle avait les cheveux ternes, poisseux, des cernes sous les yeux. Toi, ma fille, tu n'es pas heureuse, se dit-elle.

Elle aurait pourtant dû triompher.

Ils avaient emporté haut la main cette campagne sur la présentation des projets conçus par George et elle pendant ce fameux week-end de *Thanksgiving*. Les clients avaient affirmé que c'était exactement le genre de travail qu'ils exigeaient vainement de leur autre agence, celle qui détenait la plus grosse partie de leur budget publicitaire. Il était trop tôt pour prendre des engagements fermes, bien entendu, mais l'issue finale ne faisait aucun doute. Une fois confirmé le succès de cette campagne, Golden, Chan & Associates se verrait attribuer l'ensemble.

Une fois de plus, le talent se trouvait récompensé. Pourquoi, dans ces conditions, Liz persistait-elle à se sentir abattue ?

Paul était persuadé qu'elle n'avait entrepris ce voyage que pour fuir la maison. Il n'éprouvait aucun intérêt pour les affaires de Liz, ses projets, ses succès. Elle avait eu beau lui expliquer que le thème de la campagne était le western et que, par conséquent, le tournage devait avoir lieu dans les décors de Hollywood, il avait fait mine de ne rien comprendre.

En fait, il ne voyait et ne comprenait que ce qu'il voulait bien voir et comprendre, ces derniers temps.

Liz commanda par téléphone un gin-tonic et se laissa tomber sur son lit. Elle n'avait même pas le courage de prendre une douche. Il serait bientôt l'heure de téléphoner à la maison. Avec le décalage horaire, il était 20 h là-bas; ils seraient encore à la cuisine, probablement en train de retrouver des habitudes, de faire des choses que sa présence à elle leur gâchait à tous trois. Non, ils étaient quatre, enfermés dans cette maison. Quatre, parce que Jane y vivait toujours. Elle leur tenait perpétuellement compagnie, sainte Jane, présente dans leurs cœurs, dans leurs têtes, dans leurs mémoires; incrustée dans chaque lame de parquet, dans chaque centimètre de mur, dans toutes les pièces, tous les meubles. Et toi, ma fille, tu n'es ni ne seras jamais capable d'arriver à la cheville de cette bonne vieille Jane...

Le serveur qui lui livrait sa consommation la força à se lever pour ouvrir. Elle avala une longue gorgée de la boisson glacée et se rassit à côté du téléphone. Elle appela la compagnie aérienne pour confirmer sa réservation du lendemain après-midi. Le matin, elle devait passer trois heures au studio d'enregistrement pour la post-synchronisation. Bien sûr, elle aurait dû prévoir une journée de plus, rester sur place pour faire face aux problèmes éventuels, surveiller toutes les opérations en détail. Elle ne pouvait pas se le permettre : Paul ne l'admettrait pas.

Alors, pourquoi, bon sang, avait-elle mauvaise conscience ? De quoi était-elle coupable ? De bien faire son métier ?

Elle se décida à composer l'indicatif puis le numéro. Il y

eut une succession de déclics et de bourdonnements avant qu'elle entende la sonnerie. On décrocha la troisième fois :

— Allô ! fit la voix de Paul.

— Bonsoir, mon chéri. C'est moi ! dit-elle avec une gaieté forcée.

— Ah oui ! La Dame de Californie, répondit Paul avec froideur. Nous nous connaissons déjà, je crois ?

— Je l'espère bien ! Comment va tout le monde ?

— Bien. Bobby éternue un peu, rien de grave. Nous nous en tirons le mieux du monde.

Sans toi, appelait la fin de la phrase. Liz l'entendit aussi clairement que si Paul l'avait effectivement prononcé. Elle attendit un instant qu'il lui demande des nouvelles de son tournage. Il n'en fit rien et elle meubla le silence en lui en parlant.

— Tant mieux, dit-il quand elle eut terminé. J'en suis content pour toi. Tu reviens à l'heure prévue ?

— Oui.

— Alors, à demain.

Le silence, cette fois, dura davantage. Liz eut envie de hurler pour briser tant de froideur et d'indifférence.

— Qu'est-ce qui ne va pas ? demanda-t-elle enfin. Tu n'as pas l'air dans ton assiette.

— Moi ? Je vais très bien.

— Pourquoi es-tu fâché contre moi, Paul ? Je t'aime.

— Je t'aime aussi. Tu imagines je ne sais quoi... Je ne supporte pas de te savoir si loin, c'est tout. Je me sentirai mieux en te revoyant.

— Moi aussi, tu sais.

— Bon, eh bien... à demain, dit-il en raccrochant.

Liz avait gardé l'écouteur à l'oreille. Elle entendit le déclic, la tonalité. Lorsqu'elle reposa le combiné, elle ne put retenir plus longtemps ses larmes.

— Il est l'heure de dormir, Bob !

Paul borda soigneusement l'édredon, bien tiré jusqu'au menton du petit garçon. Marmaduke l'observait, sous la table où il était couché en boule. Pendant la nuit, il irait

288

probablement s'installer au pied du lit de Bobby où Paul l'avait trouvé ce matin.

— Nous avons inventé un nouveau jeu, tu sais ? dit Bobby. Nous jouons tous les deux au train électrique, là-haut. Le chat se met au milieu du circuit et s'amuse à sauter par-dessus les trains en marche. Quelquefois, il fait exprès de faire dérailler la locomotive.

— Décidément, il t'aime beaucoup, ce chat.

— Et il est si drôle...

— J'ai hâte de jouer avec lui, moi aussi. Mais pas maintenant. Allez, au lit. Bonne nuit, mon garçon.

— Dis, papa... Je peux te poser une question ?

— Je t'écoute.

— Pourquoi as-tu épousé Liz ?

— Parce que je l'aimais et que je voulais vivre avec elle. Et aussi parce que c'était le meilleur moyen de la faire venir ici pour vivre avec nous, pour que Barbara et toi l'aimiez aussi.

Bobby réfléchit un moment avant de poursuivre :

— Tu l'aimes encore ?

— Bien entendu. Je l'aime beaucoup. Elle t'aime beaucoup toi aussi, tu le sais, j'espère ?

Bobby fit un geste évasif.

— Dis, papa, aimes-tu encore maman ?

— Oui, mon chéri, bien entendu.

— Alors, comment peux-tu aimer Liz ?

— C'est parfaitement possible, voyons ! On peut aimer beaucoup de gens à la fois. Je t'aime, j'aime Barbara, et j'aime Liz.

— Penses-tu encore à maman ?

— Quelquefois, oui.

— Moi, je pense tout le temps à elle. Je ne veux pas l'oublier, jamais.

Paul lui serra affectueusement l'épaule sous l'édredon :

— Je sais que tu ne l'oublieras jamais, Bob. Mais maman fait désormais partie du passé, mon petit. Elle sera toujours avec toi par la pensée, mais plus dans la réalité. Tu devrais être capable de t'ouvrir à ce qui t'entoure, d'aimer d'autres personnes. Si tu le fais, cela ne veut pas dire que tu oublieras ta mère ni que tu seras infidèle à sa mémoire.

— Toi, je t'aime, évidemment. Et Barbara, bonne-maman aussi. Et Marmaduke, naturellement...

Paul attendit, mais Bobby ne voulut pas poursuivre.

— Essaie d'aimer Liz aussi, Bob.

Il haussa les épaules, de ce geste bien à lui, qu'il faisait lorsqu'il ne voulait pas ouvertement contredire son interlocuteur.

— Elle ne ressemble pas à maman, dit-il. Elle ne pourra jamais devenir comme elle ni la remplacer.

Douchée, réconfortée, Liz quitta sa chambre et descendit explorer l'hôtel. Les sons stridents d'un orchestre *mariachi* dans le restaurant du rez-de-chaussée lui firent prendre la fuite. En face, sur le boulevard, elle avisa une sorte de café et s'assit au comptoir pour manger un hamburger insipide. Elle se sentait moins déprimée qu'énervée, solitaire. Elle regrettait que Paul ne fût pas avec elle pour la distraire, comme il savait si bien le faire.

Dans le crépuscule vite assombri, elle fit quelques pas dans une rue de boutiques élégantes. Elles étaient fermées, les passants se faisaient rares. Liz poursuivit cependant sa promenade, amusée par la conjonction inattendue de la douceur de l'air et des décorations de Noël dans toutes les vitrines. Noël à Beverly Hills !... Avec les prix qu'ils pratiquaient, ils auraient pu faire venir de la neige pour en tapisser les rues... Liz pensa malgré elle au dîner de Noël, fit taire ses inquiétudes. Si ce qu'elle leur préparerait ne leur plaisait pas, tant pis pour eux. Quand on fait de son mieux, on doit avoir la conscience tranquille.

Avait-elle commis une erreur ? Pourquoi était-elle tombée dans les bras de cet homme si plein de charme, de qualités réelles ? Parce qu'elle était seule, dut-elle s'avouer, seule et vulnérable. Et parce qu'il était effectivement digne d'être aimé. Mais ce qu'elle ignorait alors, ce pour quoi elle n'était nullement préparée, c'était le reste, tout ce qu'il fallait accepter en prime : un garçon, une fille, une maison. Et un fantôme.

Sans réfléchir, elle héla un taxi qui passait et se fit

conduire à Westwood, le quartier universitaire. Un film, voilà ce qu'il lui fallait pour s'arrêter de penser dans le vide. N'importe lequel, pourvu qu'il lui procure deux heures d'oubli. Elle entra au hasard dans une salle qui affichait un policier, vit des voitures se poursuivre sur l'écran, entendit crépiter des fusillades. Mais elle ne parvenait pas à sortir de ses pensées.

Que serait-il arrivé si elle avait épousé Sam Aaron, quand il le lui avait demandé ? Elle serait déjà mère de famille, habiterait non loin d'ici, ne vivrait qu'à travers la carrière de Sam. Elle serait vraisemblablement malheureuse, se disputerait avec lui parce qu'elle voudrait se remettre à travailler, dans une agence de Los Angeles par exemple, et qu'il s'y opposerait.

De retour dans sa chambre d'hôtel, elle essaya de regarder la télévision, l'éteignit au bout de cinq minutes. Sam Aaron... Elle n'avait plus pensé à lui depuis longtemps. Un homme charmant, lui aussi, facile à vivre — sauf quand il s'agissait de sa carrière. Pour lui aussi, sa carrière comptait avant tout. Toujours.

On ne pouvait même pas le comparer à Paul — du moins, en tout ce qui touchait à la tendresse, aux sentiments, à la compréhension de l'essentiel. Alors, pourquoi Paul se montrait-il incapable de comprendre, sinon d'admettre, le besoin qu'elle avait de travailler, de bâtir quelque chose de ses mains ? Jane travaillait, elle aussi; Paul aurait dû avoir l'habitude d'une femme indépendante.

Liz consulta l'annuaire dans le tiroir de la table de chevet. Il y avait deux colonnes d'Aaron, mais un seul prénommé Sam avec une adresse à Beverly Hills. Elle hésita et composa le numéro.

— Liz ? s'écria-t-il avec un plaisir évident. Quel bonheur d'entendre ta voix !

Il lui demanda ce qu'elle était venue faire ici, elle le lui expliqua brièvement puis s'enquit de ce qu'il devenait :

— Marié, comme tu le sais déjà. Nous avons deux garçons...

Puis il entreprit de lui décrire ses activités, combien les conditions de travail différaient de celles de New York. Il

291

avait déjà tourné un long métrage, une comédie, que le producteur s'obstinait à ne pas distribuer.

Au bout de dix minutes, au bord de la crise de nerfs s'il lui fallait encore subir le récit des méfaits d'un producteur insensible au talent de son metteur en scène, elle entendit Sam changer de sujet et s'intéresser enfin à son sort à elle.

— J'ai entendu dire que tu étais mariée. Raconte, comment est-il ?

— Merveilleux. Beau garçon, drôle, plein de charme. Il s'appelle Paul, il est importateur de vin, et veuf avec deux enfants et une énorme maison.

— Des enfants ? dit Sam en éclatant de rire. Toi belle-mère ? Oh non, Liz ! C'est trop drôle !

— Cela n'a rien de comique.

— Pour moi, si.

— Et toi, Sam ? Es-tu heureux ?

Elle perçut instantanément son changement de ton :

— Oui, bien sûr, répondit-il sur la défensive. La vie conjugale, c'est tout autre chose, tu le sais toi-même. Très différent de celle que nous menions, toi et moi. Oh ! je l'avoue, on n'y trouve pas les moments d'intensité que... Mais c'est plus enrichissant, si tu vois ce que je veux dire. C'est la vraie vie, Liz, pas le simulacre auquel nous avons joué. Avoir des enfants vous pousse à réfléchir... Dis-moi, cela me ferait tant plaisir de te revoir ! Si nous déjeunions demain ? Hein, qu'en dis-tu ?

Elle lui parla de son avion de 14 h 30, de sa matinée dans le studio d'enregistrement, des catastrophes de dernière minute toujours à redouter. Il eut l'air déçu :

— Tu es descendue au Beverly Wilshire, m'as-tu dit ? Je peux t'y retrouver dans cinq minutes.

— Non, Sam, il est tard. Je dois me lever de bonne heure...

— Mais si, je peux venir, pas de problème, Un verre, Liz, un seul. Je serais si content de te revoir, de te toucher...

— Non, Sam, surtout pas ça !

— Il y a des moments où tu me manques terriblement, tu sais. Même au bout de tout ce temps. Tu étais sensationnelle, tu sais, aucune femme ne t'arrive à la cheville, tu sais...

Oui, je sais, se dit-elle. La voix de Sam se faisait rauque.

— Nous ferions mieux de nous dire au revoir, Sam, dit-elle avec résolution.

— Attends ! Ne raccroche pas encore. Puis-je t'appeler quand je passerai à New York ? J'y vais de temps en temps. Nous pourrions déjeuner ensemble...

— Je ne crois pas, Sam.

— Voyons, Liz ! Ce ne serait pas un péché, entre nous. Tu prends toujours la pilule ?

— J'ai eu tort de t'appeler, Sam. Je vais raccrocher.

— Non, Liz ! Enfin, réfléchis ! Pourquoi pas, hein, pourquoi pas ?

— Parce que, déclara-t-elle juste avant de raccrocher, parce que je suis une femme mariée et heureuse en ménage.

— Être mère de famille, Liz, cela s'apprend sur le tas. C'est une formation dont vous n'avez pas bénéficié. On apprend énormément de choses rien qu'à les voir grandir, ces petits. On apprend surtout quand et comment leur donner une bonne fessée si le besoin s'en fait sentir.

Deux jours avant Noël, qui tombait un lundi cette année-là, Phyllis faisait profiter Liz de son expérience et de ses conseils. Paul et les enfants étaient sortis faire les courses de dernière minute et Phyllis était venue apporter à Liz ce dont elle aurait besoin pour la préparation du dîner.

— Vous battez vraiment les vôtres ? demanda Liz.

— Évidemment... Enfin, je l'ai fait deux ou trois fois quand ils étaient petits. Ce qu'il faudrait à Bobby, c'est une bonne taloche de temps en temps. Malheureusement, ce n'est pas votre rôle.

— Paul ne le fera jamais.

— C'est grand dommage.

— Quand je l'embrasse, il s'essuie la joue, Phyllis. Il ne se donne même pas la peine de me le cacher.

— Ce ne doit pas être drôle, je vous l'accorde, mais il ne faut pas désespérer. Bon, voyons où nous en sommes. La dinde fait vingt livres. Prévoyez un quart d'heure de cuisson par livre...

293

— Et plein de beurre, je me souviens.

— Vous apprenez vite ! Il paraît que Marion Gerber viendra aussi avec toute sa bande ?

— Oui, Paul les a invités. Je n'aurais pas été fâchée qu'il me demande mon avis auparavant, mais...

— Vous vous en sortirez. La table de la salle à manger est assez grande pour quatorze couverts. Je me charge des desserts.

— Je ferai le café, c'est la seule chose que je réussisse.

— Eh bien, vous voyez ? Je viendrai de bonne heure pour vous aider, ne vous inquiétez pas.

— Moi, m'inquiéter ? Je tremble comme une feuille, c'est tout ! Préparer à dîner pour quatorze personnes...

— Mais non, mais non ! Récapitulons : avez-vous tout ce qu'il vous faut ? Beurre, pain, légumes...

— Regardez, dit Liz en dépliant une grande feuille de papier. J'ai trouvé un menu et une liste détaillée de toutes les opérations. Je ne risque pas de me tromper.

Phyllis eut un haut-le-corps :

— Mais... C'est la liste de Jane ! dit-elle d'une voix mal assurée.

— Oui. Elle était dans un de ses livres de cuisine.

— Et vous comptez vous en servir ?

— Pourquoi pas ? Nous sommes bien chez elle, dans *sa* cuisine, n'est-ce pas ? Alors, pourquoi pas *sa* liste ?

Paul était déterminé à ce que Noël se déroulât dans la joie. La tristesse, l'amertume des fêtes de l'an dernier l'avaient trop marqué. Ils s'étaient retrouvés seuls, tous les trois, en proie à leur douleur dans un monde résonnant de chants de liesse qui ne faisaient qu'aggraver leur peine. Plus jamais il ne voulait revivre un tel cauchemar.

Il se lança dans des dépenses inconsidérées. S'il avait pu acheter le bonheur, il s'en serait fait livrer à pleins wagons. Heureusement, les affaires connaissaient une prospérité sans précédent : Bradie & Klein, Inc. réalisaient leur meilleure année. Les spots publicitaires apparaissaient sur les écrans de vingt régions, provoquaient un afflux de commandes. L'année prochaine serait encore plus spectaculaire.

294

Paul s'absenta du bureau pour aller acheter des cadeaux aux enfants. Noël avait toujours été la fête des enfants; Jane et lui ne s'étaient jamais fait de cadeaux à ce moment-là.

Dans un magasin de jouets de la Cinquième Avenue, il fit l'acquisition de wagons pour le train électrique — dont un chargé de troncs d'arbres —, de rails, d'aiguillages, d'un tunnel et d'une gare. Il n'avait pas oublié la promesse faite à Bobby et qu'il n'avait encore jamais honorée. Puisque Bobby reprenait goût à son train et passait de longues heures à jouer avec, il devenait essentiel de compléter et d'améliorer le circuit.

Il avait demandé à Barbara, en affectant la désinvolture, quels étaient ses groupes de rock préférés. Le lendemain, elle lui tendit une liste marquée de 1 à 20 par ordre de préférence. Il acheta en bloc les dix premiers ainsi qu'un livre sur les Beatles. Il laissa Liz se charger des vêtements, en lui rappelant cependant combien la jeune fille aimait les sweaters. Pas cette année, mon chéri, lui répondit Liz, mais ne t'inquiète pas, je connais les goûts de Barbara mieux que les miens. Liz en profita pour compléter la garde-robe de Bobby : des chemises chaudes pour aller à l'école, un pull-over rouge vif, des jeans à sa taille.

Paul approuva : il avait reconnu l'irremplaçable touche féminine — celle que Jane possédait en abondance.

Mais Liz en était-elle dotée au même point ? se demandait-il. Ses rapports avec les enfants ne cessaient de le préoccuper. Pourquoi restait-elle incapable de se rapprocher de Bobby ? Le petit garçon avait soif d'affection; aussitôt que Paul passait la porte, son fils se pendait à son cou. Avec Liz, rien. Il y avait là de quoi se faire du souci — tout comme il s'inquiétait de ses propres sentiments envers elle. Il avait compté sur Liz pour remplir d'amour la maison; elle l'avait fait — pour lui seul. Et même entre eux deux, à cause de l'invraisemblable assiduité qu'elle déployait pour son travail, de sourds désaccords commençaient à se manifester qui lui déplaisaient et le mettaient mal à l'aise. Elle ne s'adaptait pas. Il régnait dans toute la maison une tension, un malaise presque palpables par moments. « Liz peut se montrer très égoïste », lui avait dit son propre père. Fallait-il le croire ?

Le jour le plus long, le plus épuisant. Penchée au-dessus du plan de travail, Liz pétrissait la farce. Joyeux Noël, ma fille ! Elle avait les mains poisseuses, les joues en feu. Grand temps de faire la pause. Tout était prêt à mettre au four, ou presque. Elle le méritait bien, la ménagère modèle !...

Elle se versa une rasade de scotch dans le verre à moutarde dont Paul aimait inexplicablement se servir. La première lampée lui fit du bien. Comment en était-elle arrivée là ? se demanda-t-elle avec désarroi. Si elle n'avait pas rencontré Paul, elle eût été chez elle, dans son petit appartement douillet, sans doute encore en train de dormir. Seule, bien entendu — il ne fallait quand même pas l'oublier — seule, avec son chat pour toute compagnie.

Pour elle, la journée de Noël avait débuté à 6 h 30 précises. Bobby tambourinait à la porte :

— Qu'est-ce qui se passe ? demanda-t-elle, alarmée.

— Il est l'heure de descendre regarder les enfants ouvrir leurs cadeaux, lui dit Paul.

Abrutie de sommeil, les nerfs à vif à la pensée de ce qui l'attendait à la cuisine, elle le dévisagea avec incrédulité.

— Nous l'avons toujours fait jusqu'à présent, reprit-il.

Elle aurait dû s'en douter : encore une tradition des Klein ! Ces trois-là, dès qu'ils faisaient quelque chose ensemble plus de vingt minutes, cela devenait une tradition. Paul aurait au moins pu l'en prévenir la veille, lui dire n'importe quoi mais la mettre au courant ! Nouvelle preuve d'un manque de communication, parmi bien d'autres. Ils ne se parlaient plus comme avant. Parviendraient-ils jamais à rouvrir le dialogue ?

Liz arrosa la dinde avec le beurre fondu. Dans un quart d'heure il faudrait retourner la bête. Pour s'en assurer, elle consulta la liste de Jane. Oui, c'est bien ça. Merci, sainte Jane.

Comme on fait son lit, ma petite, on se couche... Rectification : c'est Jane qui a fait ton lit, qui l'a choisi elle-même chez un marchand de meubles il y a des siècles. A toi de te débrouiller pour t'y faire une place, ma fille...

Barbara fit son apparition à ce moment-là. Elle arborait un des cadeaux déballés le matin.

— Je ne vous dérange pas, Liz ? Je voulais simplement vous dire que j'adore le blouson que vous m'avez acheté !

Le baiser dont la jeune fille accompagna sa déclaration réchauffa le cœur de Liz.

— Je l'espérais bien, dit-elle en souriant. Tu es facile à contenter, tu sais. Quand je suis dans un magasin, je regarde autour de moi et dès que je vois quelque chose d'invraisemblable, je me dis : « Tiens, ça c'est pour Barbara ! » Généralement, je ne me trompe pas.

— Alors, c'est que vous me comprenez vraiment, répondit Barbara en riant.

— Je crois que j'y arrive.

— Avez-vous besoin d'un coup de main ? Puis-je faire quelque chose pour vous aider ?

— Non, Barbara, merci, je m'en sors. Où sont les hommes ?

— Ils installent les nouveaux rails. Vous voulez qu'ils redescendent ?

— Plus tard. J'aurai besoin d'aide pour mettre la table.

— Mais non, c'est mon travail. Bobby m'aide toujours. Au fait, vous n'avez pas oublié d'astiquer l'argenterie ?

— Non, Gemma a tout fait vendredi. D'ailleurs, dit-elle avec un geste du menton vers la liste punaisée à un panneau de liège, j'ai mon pense-bête.

Barbara suivit la direction de son regard et s'approcha pour mieux voir. Liz vit son dos s'arrondir. Quand Barbara se retourna vers elle, Liz remarqua sa figure crispée par le chagrin :

— C'est... c'est la liste de maman.

Appuyée contre l'évier, Liz ne bougea pas.

— Vous ne pouvez pas comprendre, reprit Barbara. Noël, pour elle... c'était un jour pas comme les autres.

— Écoute, Barbara...

Liz fit un pas, voulut prendre la jeune fille par le bras. Mais celle-ci se dégagea et partit en courant.

— Je suis désolée, Barbara ! lui cria Liz.

A peine l'avait-elle dit qu'elle se demandait pourquoi. Cinq minutes plus tard, elle entendit des pas lourds dans l'escalier. Paul apparut sur le seuil, furieux comme elle ne l'avait encore jamais vu.

— Comment as-tu osé ?... commença-t-il.

Il arracha la liste du tableau, la froissa en boule et la jeta dans la poubelle dont il claqua bruyamment le couvercle.

— Es-tu devenue folle ? Tu n'as donc pas pour deux sous de cervelle ?...

— Holà ! Pas de grands mots, je te prie ! Il ne s'agit que d'un bout de papier...

— Heureusement que Bobby n'a rien vu ! répliqua-t-il rageusement. Nous n'avons ni les uns ni les autres besoin qu'on nous le rappelle. Ne t'avise plus d'exhumer ses affaires.

— Vraiment ? répondit-elle sur le même ton. Et l'affaire des tartes, hein ? C'était bien *ses* affaires qu'ils ont été *exhumer,* et c'est bien toi qui les y as encouragés, oui ou non ?

— Tu n'as donc rien compris ! Ce n'était pas du tout pareil. Cela leur faisait plaisir, tu ne l'as pas remarqué ?

— Non ! cria-t-elle sans plus contenir sa voix. Je ne comprends plus rien dans cette maison ! Vous arrogez-vous seuls le droit de parler d'*elle,* vous autres ? Suis-je censée faire comme si elle n'avait jamais existé ? Dis-le-moi, Klein, instruis-moi pour que je sache une bonne fois ! Quelles sont les règles en vigueur, dans cette maison ? Énumère-les une fois pour toutes, veux-tu ? Je suis censée faire la cuisine aussi bien qu'elle mais surtout pas lui ressembler, n'est-ce pas ? J'ai le devoir d'être moi-même mais de faire tout comme elle ? Que faut-il que je fasse, que faut-il que je sois, vas-tu me le dire ?

— Arrête de crier.

— Ah oui ! Bien sûr. « Baisse le ton », hein ? Jane était bien élevée, elle ! Désolée, Klein, mais quand je me fâche, je crie, moi ! Elle n'a jamais haussé la voix, elle, bien entendu ?

— Ne me jette pas la mémoire de Jane à la figure pour me faire mal, Liz. C'est encore plus bête que méchant.

— Et voilà, encore une règle ! Tu les inventes au fur et à mesure ! Quoi que je fasse, quoi que je dise, je ne peux jamais gagner, j'aurai toujours tort ! T'en rends-tu compte, au moins ? Comprends-tu, toi qui me demandes de la compréhension, que je deviens folle à essayer de survivre dans ce mausolée ?

L'expression de Paul changea, refléta la lassitude résignée au lieu de la colère qui l'animait auparavant. Il se détourna, se dirigea vers la porte :

— Nous en reparlerons plus tard. Tu n'as pas ta tête à toi, en ce moment.

Liz se lança à sa poursuite, le rattrapa dans la salle à manger :

— Ne t'en va pas comme cela, Paul ! N'élude pas les problèmes !

— Ne crie pas, je t'en supplie ! Tiens-tu vraiment à ce que les enfants nous entendent ?

Elle le regarda s'éloigner dans l'escalier. La tentation la prit de décrocher son manteau et de fuir, de quitter cette maison pour n'y plus revenir. Des larmes lui embuèrent les yeux, qu'elle essuya rageusement avec le torchon qu'elle tenait encore. Tout s'écroulait autour d'elle, tout tournait au désastre. Son amour pour Paul était le seul lien assez fort pour l'attacher encore ici. Et ce lien, elle le voyait se défaire, se dissoudre.

L'odeur de la dinde la rappela en hâte vers la cuisine.

Le dîner fut un triomphe auquel elle ne participa pas. La dinde était rôtie à la perfection, sa farce eut droit à des compliments unanimes. Liz les entendit à peine. Au haut bout de la table, Paul semblait à l'aise dans son rôle de patriarche et découpait gravement le volatile. En face de lui, Liz pignochait dans son assiette sans même goûter à ce qu'elle mangeait.

Quelques heures plus tard, dans la cuisine où elle s'efforçait de remettre de l'ordre, elle sentit une main se poser sur son épaule. Elle se retourna pour voir Phyllis Berg :

— Votre dîner était une réussite. On fera de vous un cordon-bleu, croyez-moi !

— Merci, dit Liz sans conviction.

— Qu'est-ce qui ne va pas, Liz ? Vous n'avez pas été dans votre assiette de toute la soirée.

— Rien, rien.

299

Phyllis saisit un torchon et entreprit d'essuyer une casserole avec énergie.

— Allons, soyez franche. J'ai remarqué votre mine sinistre dès que nous sommes arrivés.

— Je croyais, Phyllis, que nous ne faisions pas la vaisselle l'une chez l'autre...

— Au diable les principes... Vous vous êtes disputée avec un des enfants ?

— Non. Le patron en personne.

— Votre première scène de ménage ? Bravo ! Il y en aura bien d'autres, croyez-moi.

— Je ne crois pas, Phyllis. Pas comme celle-ci, du moins... Je ne sais pas ce qu'ils veulent de moi. Je ne sais pas davantage comment faire mieux. Tous les jours, je perds du terrain, pied à pied. Maintenant, j'en suis arrivée à croire qu'ils ont raison.

— A quel sujet ?

— Ma place n'est pas ici. Pas dans cette maison.

21

Le mois de janvier est le plus impitoyable de l'année, se disait Paul. Il est le seul à aligner trente et un jours de gel sans même un jour férié pour en rompre le rythme et permettre l'évasion. Quant à la note de chauffage, elle tenait du supplice.

Il était plus encore préoccupé par Liz. Elle n'avait pas l'air bien, elle n'agissait pas normalement; en fait, elle était malade. Tout avait commencé par un rhume plutôt bénin. Depuis, elle gardait obstinément le nez rouge, sa voix s'enrouait par moments et elle était secouée par des accès d'une toux qui ne semblait pas vouloir disparaître. Elle le réveillait parfois la nuit lorsqu'elle subissait une grosse quinte, il la trouvait la plupart du temps assise au bord du lit, prête à se lever :

— Ça ne va pas, ma chérie ?

— Chut ! Ce n'est rien, rendors-toi.

Elle se raclait la gorge, toussait de nouveau en enfilant sa robe de chambre.

— Je descends me faire un peu de thé chaud avec du miel, cela me fera du bien.

— Veux-tu que je t'accompagne ? demandait-il sans conviction.

— Mais non, mais non. Je vais aller mieux dans cinq minutes.

Mais elle ne guérissait pas. Le rhume s'éternisait et Paul se souciait de plus en plus de l'aspect que prenait Liz.

— Écoute-toi ! lui dit-il un soir en sortant de table. Tu pourrais jouer le dernier acte de *La dame aux camélias*.

— Ce n'est pas grave, parvint-elle à répondre entre deux accès.

— En plus, tu as une tête à faire peur.

— Merci quand même ! dit-elle en souriant.

— Il me vient une idée. Huit jours au soleil te feraient le plus grand bien. Je connais exactement l'endroit qu'il te faut, une île des Caraïbes, Saint-Thomas.

— C'est idiot, voyons ! Je n'ai pas une pneumonie. David Berg m'a auscultée l'autre jour, je n'ai rien, juste un peu d'irritation. De toute façon, c'est impossible que je m'en aille huit jours. Comment ferais-je ?

— Facile : tu prends un billet d'avion, tu réserves une chambre d'hôtel...

Devant son expression, Paul battit en retraite. Il avait appris à se montrer prudent dès qu'il était question du travail de Liz, des heures interminables qu'elle passait au bureau, de ses obligations envers clients et employés. C'était sa manière à elle — tout comme celle de Jane consistait à rentrer à la maison tous les jours après les classes.

Le lendemain matin, Paul appela George Chan et lui exprima ses inquiétudes.

— Vous n'êtes pas le seul, Paul. Elle a une mine épouvantable.

— Écoutez-moi sans m'interrompre, George, voulez-vous ? Je voudrais l'emmener pendant huit jours, quelque part où elle puisse être au chaud, au soleil, se débarrasser de ce rhume. Cela entraînerait-il irrémédiablement la faillite de votre agence ?

— Pas irrémédiablement, non.

— Alors, pourriez-vous essayer de votre côté, de la convaincre, George ? Je vous en serais vraiment très reconnaissant.

— Vous vous imaginez vraiment qu'elle m'écoute davantage que vous ? Enfin, je veux bien essayer...

Deux heures plus tard, Liz était au téléphone :

— Qu'est-ce que c'est que ce complot ridicule, Klein ? Tout d'un coup, tout le monde veut se débarrasser de moi en m'expédiant dans une île des Tropiques !

302

Paul voulut feindre l'ignorance. Elle interrompit ses protestations :

— George n'a pas de secrets pour moi. C'est une des raisons pour lesquelles je lui reste attachée.

— Dans ce cas, parlons-en, Liz. Une belle plage au sable chaud, un soleil tropical, des fruits paradisiaques — et moi ! des nuits romantiques et étoilées. Se lever tous les jours à midi...

Il l'entendit soupirer :

— Évidemment, c'est tentant.

— Je m'occupe immédiatement des billets.

— Non, je veux réfléchir. Nous en reparlerons ce soir.

Elle s'inquiétait surtout de laisser les enfants seuls une semaine. Le travail la préoccupait aussi, mais elle se consolait en se promettant de mettre les bouchées doubles à son retour.

— Comment feront-ils, tout seuls ?

— Ils se débrouilleront très bien, répondit Paul. Barbara est une grande fille et Phyllis les surveillera. Ne t'inquiète donc pas.

— Je ne peux pas m'en empêcher, dit-elle en se mouchant. Et puis, ils vont nous en vouloir de les laisser seuls dans le froid pendant que nous prenons huit jours de vacances au soleil !

— En quoi cela te concernerait-il ? C'est absurde !

— Pas tant que cela, figure-toi. J'ai déjà assez mauvaise réputation auprès d'eux, pourquoi envenimer encore les choses ?

Il réfléchit à la question et eut soudain une idée :

— J'ai trouvé la solution ! s'écria-t-il. Sylvia, leur grand-mère. Je parie qu'elle serait ravie de venir passer huit jours seule avec eux, surtout si je lui offre son billet.

— Elle saura s'en tirer ? Je ne l'ai jamais rencontrée.

— Je t'ai quand même épargné cela, dit Paul avec un sourire. Rassure-toi, elle est capable de faire face à n'importe quoi, moi y compris. Suis-je bête de n'y avoir pas pensé plus tôt ! Mais oui, c'est Sylvia qu'il nous faut.

— Dans ces conditions, d'accord. J'aurai moins mauvaise conscience de m'en aller si les enfants restent avec leur grand-mère. Crois-tu qu'elle acceptera de venir ?

303

— Je m'en charge. Sylvia débarque, nous filons. D'accord ?

— Marché conclu, Klein !

Le sourire de Liz réchauffa le cœur de Paul.

Une pleine cargaison d'individus des deux sexes, bronzés et vêtus de couleurs à hurler, défila sous les yeux de Paul. Il vit enfin Sylvia, chargée d'un énorme sac à ouvrage d'où dépassaient des aiguilles à tricoter d'allure menaçante. Quand il voulut l'embrasser, elle détourna la tête :

— Avant, vous ameniez au moins les enfants pour me souhaiter la bienvenue, déclara-t-elle aigrement sans même dire bonjour. Et me voilà exposée à attraper une pneumonie dans cette maison qui est une glacière, juste pour avoir le droit d'embrasser ces pauvres chérubins. Enfin...

Paul n'insista pas. Il récupéra deux gigantesque valises au tourniquet des bagages et réussit à les faire tenir dans le coffre de la Buick. Sylvia avait apparemment transporté sa garde-robe avec elle, de quoi séjourner au moins trois mois en tout cas. Aussitôt, Paul eut des pressentiments de tempêtes de neige et d'aéroports fermés à tout trafic, de Sylvia bloquée chez lui jusqu'en mars ou avril... Bien entendu, elle était furieuse contre lui — Sylvia ne se gênait jamais pour exprimer ses sentiments. Elle appelait régulièrement les enfants tous les week-ends mais Paul ne lui avait pratiquement plus adressé la parole depuis le jour où il lui avait téléphoné du bureau pour lui apprendre son mariage avec Liz. « Si tôt ? avait-elle jeté avec mépris. Vous, au moins, vous n'aurez pas attendu longtemps ! » Elle disputait à Bobby son rôle de farouche défenseur de la mémoire de Jane.

Sur le chemin de la maison, la conversation languissait :

— Oui, les enfants vont bien, répondit Paul à une question.

— Vous m'avez l'air bien renseigné ! répliqua-t-elle sans daigner préciser l'allusion. Parlez-moi un peu de votre grande blonde.

304

— Elle s'appelle Elizabeth. Liz.

Pour quelque raison mystérieuse, Sylvia avait l'air enchantée.

— Pff ! Je sais. Elle passe son temps au bureau, elle est incapable de faire bouillir de l'eau et ne s'entend pas avec ces malheureux enfants, déclara-t-elle comme en récitant un bulletin de victoire.

— Ce n'est pas vrai, Sylvia.

— Qu'en savez-vous ? Vous oubliez peut-être que je leur parle toutes les semaines, à ces pauvres petits. Je sais des choses que vous seriez bien aise d'apprendre, mon petit Paul. Du moins, si cela vous intéressait...

Paul fit de son mieux pour ne pas exploser et feignit de se concentrer sur la cigarette qu'il allumait à l'aide du briquet du tableau de bord.

— Liz s'adapte très bien, dit-il enfin. Mais, vous savez, une maison où elle n'a pas ses habitudes, les enfants... Tout ça ne lui a pas simplifié la vie.

— Et pour qui la vie est-elle facile, je vous le demande ? Avez-vous jamais rencontré une personne au monde comme ma Jane, hein ? Si bonne, si douce, et quelle mère de famille elle était ! Croyez-vous vraiment que ces pauvres enfants vont l'oublier de sitôt ?

Paul ne put retenir un grondement de colère :

— Sylvia, ça suffit ! Vous n'avez jamais encore parlé à Liz, vous ne savez rien d'elle. Elle est extraordinaire.

— Pff ! On aura tout vu...

— Assez, Sylvia ! Encore un mot et je fais demi-tour pour vous remettre dans l'avion. Est-ce clair ?

— Moi ? Qu'ai-je donc dit de mal, hein ?

Là-dessus, la mère de Jane se croisa les mains sur son sac à ouvrage et arbora la mine de l'innocence outragée.

Ils n'échangèrent plus une parole jusqu'à la fin du trajet. Paul porta les valises à l'intérieur, eut le temps d'apercevoir le regard de détresse que lui lançait Gemma et s'enfuit lâchement pour retourner au bureau.

Plus tard, lorsqu'il revint, le pot-au-feu de Jane mijotait à feu doux. La table était revêtue d'une nappe, on avait sorti la belle porcelaine qui n'avait pas servi depuis Noël. La saucière en argent de Jane étincelait. Dieu merci, Liz avait prévenu qu'elle rentrerait tard. Moins elle serait en contact avec Sylvia, mieux cela vaudrait.

Les enfants s'empiffrèrent goulûment, encouragés par leur grand-mère qui remplissait leurs assiettes. Quand ils eurent monté l'escalier en chancelant, Paul se versa une deuxième tasse de café pendant que Sylvia débarrassait la table.

— Vous vous êtes dépensée sans compter, lui dit Paul pour se montrer aimable.

— Ah ! cette maison ! répondit-elle en levant les yeux au ciel. Pour le ménage, votre Liz a l'air de s'en moquer comme de l'an quarante. Quant à Gemma... Je préfère ne rien dire.

— Nous n'y attachons pas tellement d'importance, vous savez.

— C'est assez évident ! Mais tout sera astiqué quand vous reviendrez, rassurez-vous. Votre Gemma va enfin apprendre à quoi sert une brosse à reluire, je vous en réponds.

— Allez-y doucement avec Gemma, je vous en prie. Elle fait de son mieux.

— La moquette de Bobby est une infection, déclara Sylvia d'un ton sans réplique. Il va falloir faire venir un homme pour la nettoyer. Si vous refusez, je le paierai moi-même, un point c'est tout. Quand on élève un enfant dans la crasse, il y passera le restant de sa vie — ma Jane le savait, elle au moins.

Un bruit de pas sur le perron et l'ouverture de la porte d'entrée empêchèrent Paul de répondre. Il se précipita au-devant de Liz dans le vestibule, pendant que Sylvia emportait sa tasse vide à la cuisine.

— Me voilà en vacances ! dit Liz gaiement. Regarde, pas de porte-documents, ce soir. George m'a recommandé de ne plus penser à rien et, pour une fois, c'est exactement ce que je compte faire.

Paul la serra contre lui avant qu'elle ait ôté son manteau :

— Le Dragon de Floride est arrivé, lui murmura-t-il à l'oreille. Fais attention.

Liz regarda Paul avec étonnement.

— Sans t'avoir vue, elle ne peut pas te souffrir, ajouta-t-il avec embarras.

306

Ils allèrent tous deux à la cuisine. Sylvia fit aussitôt son sourire le plus épanoui :

— Eh bien, la voilà donc celle que mon gendre a épousée ! dit-elle en serrant cordialement la main que Liz lui tendait. Et grande avec ça ! poursuivit-elle en se dressant sur la pointe des pieds pour l'embrasser sur la joue. Et belle ! Pourquoi ne m'avez-vous pas dit qu'elle était aussi ravissante, Paul ? Une star !

Liz déclina poliment l'offre de réchauffer le pot-au-feu et se prépara rapidement du thé et des toasts.

— Et maintenant, ne vous souciez plus de rien, lui dit Sylvia. Allez et amusez-vous bien. Cette semaine au moins, mes chers petits seront en bonnes mains.

Liz ne releva pas la perfidie de Sylvia; mais quand elle fut seule avec Paul dans leur chambre, elle lui dit :

— J'ai l'impression que Sylvia va s'introduire ici cette nuit pour me verser du poison dans l'oreille.

— Elle en est parfaitement capable.

— Quel phénomène ! Et c'est ça la mère de Jane ? A notre retour, les enfants vont définitivement me haïr. Tu t'en rends compte, j'espère ?

— N'y pense pas, ma chérie. Demain, à cette heure-ci, nous serons mollement étendus sous le chaud soleil des Caraïbes. Sept grands jours avec la mer, le sable et toi...

— Et moi en train de cracher mes poumons sur le sable ! Tu as raison, Paul. Ne pensons plus à Sylvia.

Rien n'est jamais comme dans les souvenirs, se disait Paul. Etendu à côté de Liz à l'ombre d'un palmier, il regardait autour de lui pendant qu'elle somnolait. Pourquoi avoir choisi cette villégiature, alors qu'il y était venu jadis avec Jane ? Lorsque l'agent de voyages avait levé les bras au ciel, invoqué le manque de préavis, les hôtels bondés à cette époque de l'année et suggéré que l'un des rares endroits où il pourrait éventuellement trouver de la place n'était autre que la baie des Cocotiers, Paul avait immédiatement accepté. Il aurait pourtant pu choisir un autre lieu. Voulait-il faire de ce pèlerinage une sorte de test pour Liz, pour lui-même ? Absurde ! On ne revient pas sur le passé.

L'endroit avait mal vieilli. Les meubles de leur chambre se déglinguaient, les murs étaient souillés de rouille et de moisi et l'ensemble, en dépit de vestiges d'élégance, paraissait décrépit. Quand y était-il venu avec Jane ? Depuis trop longtemps pour mériter d'y réfléchir. Sam et Sylvia, grands-parents modèles, étaient ravis de garder les enfants, encore tout petits, à la moindre occasion. Personne n'envisageait alors de mourir, de souffrir, l'avenir s'annonçait aussi éblouissant que le soleil tropical. Méthodique comme à son habitude, Jane se levait très tôt pour profiter des heures fraîches. Elle jouait au tennis, faisait de la plongée sous-marine, prenait un bain de soleil, résolue à tirer le maximum de chaque instant de la journée. En cela, comme pour le reste, Liz était bien différente.

Elle n'était venue ici que pour dormir et se reposer, et elle remplissait son programme point par point. Elle relisait distraitement de vieux auteurs, se levait tard, faisait la sieste l'après-midi. Ses activités s'en tenaient là. Elle n'avait tâté de l'eau turquoise et tiède qu'une ou deux fois, bien que son rhume parût guéri. Elle avait encore les traits tirés, la mine lasse sous son hâle, surtout après avoir couru sur la plage en fin d'après-midi. « Je n'ai plus la forme, disait-elle avec dépit en regagnant leur chambre. Pas même un kilomètre et je suis à bout de souffle. » Elle se nourrissait mal, aussi, s'inquiétait des quelques kilos qu'elle prétendait avoir pris. Leur réalité demeurait un mystère aux yeux de Paul, pour qui la silhouette de Liz restait inchangée. Elle se contentait d'un demi-ananas et de café noir le matin, d'une salade au déjeuner. Sa crainte de grossir devenait maladive. « Je te trouve parfaite telle que tu es, ma chérie », lui disait-il. Elle ne faisait qu'en rire.

Rendu impatient par son oisiveté forcée, Paul abandonna Liz à son assoupissement et se promena sur la plage, pataugea dans le clapotis argenté où l'eau et le sable se mêlaient. Non, se disait-il, rien n'est jamais comme avant. Ainsi, la bouteille de champagne dont il avait fait à Liz la surprise le lendemain de leur arrivée. Pourquoi avoir voulu recréer ce moment de parfaite tendresse vécu jadis avec

Jane ? C'était idiot de sa part. Liz l'avait pris comme une plaisanterie : « Du champagne ? Ma parole, monsieur Klein, j'ai l'impression que vous entretenez des intentions coupables à mon égard, en ce bel après-midi ! » Provocante, ironique au lieu de se montrer tendrement aimante, telle était toujours Liz...

Pourquoi pensait-il tant à Jane ? Pourquoi Liz n'était-elle pas parvenue à chasser Jane de sa mémoire, comme le ressac à ses pieds emportait les algues folles vers le large ?

Tout à coup, Liz se dressa devant lui :

— Mon chéri, tout va bien ?

— Mais oui, mais oui.

— Tu as un drôle d'air, comme si tu étais triste.

— Parce qu'il fait un temps idéal pour la pêche sous-marine et que je n'ai pas mon équipement. Tout va bien, dit-il en souriant. Si nous allions finir notre sieste dans la chambre ? Cela ne nous fera pas de mal.

Il la prit par la taille et l'entraîna vers leur bungalow.

Paul sombra presque aussitôt dans un sommeil agité, parcouru de fragments de souvenirs indistincts. La silhouette de cette mince jeune femme dont le sourire l'enchantait. Cet après-midi dans le lagon où il avait cru la perdre. Jane... Son petit ventre tendu à se rompre par Barbara sur le point de naître... Il se réveilla en sursaut sous le regard de Liz qui l'observait :

— Que se passe-t-il, mon chéri ? Tu parlais en dormant.

Il se redressa, alluma une cigarette, alla se poster devant la fenêtre pour regarder au-dehors. Une lourde barre d'acier lui pesait sur les épaules. Avant de pouvoir parler, il fut obligé de s'éclaircir la voix :

— Le monde est si beau, Liz, que l'on croit qu'il durera éternellement. Et puis, le temps passe, on vieillit et l'on s'aperçoit qu'il peut disparaître, que tout a une fin...

Il sentait le regard de Liz posé sur lui mais ne voulait pas se retourner pour la voir.

Admettre de perdre ce à quoi l'on tient... reprit-il. Je me rappelle la première fois où j'ai sérieusement envisagé la possibilité que Jane pouvait mourir — que je pouvais mourir moi aussi, que l'univers entier pouvait disparaître... Je me suis senti comme un de ces personnages de dessin animé, tu sais, qui courent dans le vide en se croyant toujours au sommet de la falaise, sans raison d'avoir peur. Tout d'un coup, il se retourne, voit où il est et c'est à ce moment-là qu'il tombe. Il lui faut *voir*, comprendre l'impossibilité de sa position pour tomber. C'est un instant terrible que celui où l'on mesure la situation, où l'on est forcé d'admettre la réalité d'une éventualité jusqu'alors imprécise... Comprends-tu ce que je veux dire ?

Il tira une longue bouffée de sa cigarette.

— Oui, dit Liz. Tu la regrettes toujours.

— C'est vrai, Liz, que Dieu me pardonne.

Son dos soudain voûté, la douleur exprimée par ses traits émurent Liz profondément. Elle le rejoignit devant la fenêtre et l'entoura de ses bras.

— Le plus bel endroit au monde et me voilà tout triste, dit-il en essayant vainement de sourire.

— Je t'aime, tu sais.

— Oh oui, je le sais ! Je sais aussi combien j'ai eu de la chance de t'avoir trouvée. Peut-être est-ce trop de chance pour une seule personne, une seule vie...

— Chut ! lui fit-elle à l'oreille. Il ne faut pas effaroucher la chance, sinon elle s'enfuit.

— Je croyais vraiment l'avoir oubliée. Depuis le jour où je t'ai rencontrée, je croyais que tu l'avais définitivement chassée de ma mémoire... Pardonne-moi, Liz.

— Nous surmonterons cela, mon chéri. Si nous nous aimons très fort et ne pensons qu'à être heureux.

— Bien sûr que nous y arriverons, dit-il en la prenant dans ses bras. Bien sûr, nous y arriverons.

Ils dînèrent sous les étoiles pendant qu'un petit orchestre jouait doucement une musique des îles. Comme au signal d'un metteur en scène, un croissant de lune était apparu et traçait un sillage argenté sur la mer. Pendant le repas, Liz avait fait presque tous les frais de la conversation. Paul semblait replié sur lui-même, sur des secrets indicibles qu'il noyait en buvant trop. Liz contempla son visage sérieux, qu'une légère brise caressait en soulevant des mèches folles. S'il voulait bien s'ouvrir à moi, partager ses peines, se dit-elle; peut-être pourrais-je l'aider à dissiper ces souvenirs qui le hantent... Elle lui prit la main par-dessus la table :

— A quoi penses-tu ?

— Pas grand-chose d'intéressant, dit-il en avalant une nouvelle gorgée de bourbon.

— Veux-tu danser ?

Paul la regarda, se souvint combien Jane paraissait fragile entre ses bras, revit sa tête blottie contre sa poitrine, sous le menton, l'impression de force protectrice qu'il ressentait. Il secoua la tête en signe de dénégation.

Sur l'estrade, l'orchestre attaquait une danse tropicale au rythme apparemment immuable. Derrière eux, le ressac bruissait doucement sur le sable.

— Laisse-moi au moins t'aider, mon chéri.

Les yeux de Paul lancèrent un éclair froid :

— Comment cela ? Je ne sais même pas où j'en suis...

— Boire n'arrange rien.

— Au moins, c'est bon quand on s'arrête... Une vieille histoire, dit-il en voyant que Liz ne souriait pas. Une plaisanterie.

— Je ne la connais pas.

— Manifestement.

L'ironie méchante mise dans ce seul mot la fit frissonner.

— Tu as froid ? lui demanda-t-il.

— Non. J'ai simplement senti comme une lame de couteau se glisser entre mes côtes... Et puis, ça suffit, Paul ! dit-elle en retirant sa main qu'il tenait encore. Arrête de te complaire dans le morbide. Secoue-toi, fais n'importe quoi, hurle à la lune, casse ton verre, gifle-moi, mais cesse de t'apitoyer sur ton propre sort.

Pour toute réponse, il but une longue rasade avec un geste de défi. Liz ferma les yeux. Quand elle les rouvrit, elle le vit qui lui souriait.

— Qu'est donc devenu mon beau chevalier servant ? dit-elle. Cet amoureux transi qui me poursuivait de ses assiduités et ne voulait plus me lâcher ?

311

— Il s'est marié, tu ne savais pas ?

— C'est ainsi qu'il a disparu ? Ton histoire ne me plaît pas.

— Elle est pourtant vraie. Crois-en ma vieille expérience d'homme marié, l'amour et le mariage sont deux choses bien différentes...

Il vida son verre d'un trait, leva la main pour faire signe au serveur qui l'observait du bar.

— Non, Paul ! Arrête de boire.

— Il le faut bien. Le chevalier a son armure toute rouillée. Et toi, mon fidèle compagnon d'armes, tu ne voudrais pas me tenir compagnie, par hasard ?

Il parlait maintenant d'une voix pâteuse.

— Non, merci, dit Liz.

— C'est vrai, j'oubliais, on ne doit pas donner de l'eau de feu aux indigènes... Merci, *amigo,* dit-il en s'emparant du verre plein que lui apportait le serveur. A la tienne, princesse lointaine ! fit-il en levant son verre à l'intention de Liz.

— Le noble chevalier m'a l'air complètement soûl, dit-elle.

— A rouler sous la table, ma toute belle. Il s'appelle Klein, par le fait.

— Eh bien, allons au lit, Klein.

— Bonne idée, dit-il en pouffant de rire. Le sexe est une chose sérieuse et très importante, surtout pour les hommes.

— Pour les femmes aussi.

— Très juste, très juste... Écoute, poursuivit-il en dodelinant, je vais dire quelque chose de complètement idiot mais tu m'écoutes quand même, d'accord ? Par moments, vois-tu... Non, c'est vraiment trop idiot, mais je veux dire que... Un bébé, voilà ce qu'il nous faudrait en ce moment, à toi et à moi... A propos, tu veux que je te parle d'une femme enceinte que j'ai bien connue ? Elle s'appelait Jane. Avec son gros ventre, elle avait une allure folle, comme une fleur épanouie. Des joues rondes, toutes roses, une grosse poitrine pour changer... Jamais été aussi heureux, crois-moi... Je me penchais pour écouter ce qui se passait à l'intérieur de ce gros ventre, je le tâtais pour sentir les coups de pied. Je disais : « Salut, gamin, c'est ton papa qui te parle ! »

312

Il souriait bêtement, les yeux flous, le front barré par une mèche rabattue par la brise. Les dîneurs avaient quitté la terrasse pour aller danser à l'intérieur, près de l'orchestre. A quelques pas de leur table, un serveur restait seul à les observer, en fumant une cigarette tenue dans sa main repliée.

— C'était la meilleure femme dont un homme puisse rêver, reprit Paul. Elle dirigeait la maison, élevait les enfants, faisait la cuisine, le ménage, gérait les comptes. La meilleure, je te dis. Je n'ai jamais eu à m'inquiéter de rien. Je pouvais partir en voyage, rester absent des semaines, elle était toujours là, à veiller au grain...

— Tu tiens vraiment à me faire mal, Paul ? C'est pour cela que tu m'as amenée ici ?

— Tout le monde se fait du mal, Liz. C'est une des réalités de la vie.

— Je ne suis pas comme elle, Paul, et je ne lui ressemblerai jamais. Je te l'ai dit depuis longtemps.

— Oh ! je le sais bien ! Personne ne sera jamais comme elle.

Il lui prit la main, Liz essaya de se dégager mais il la retint avec fermeté.

— Viens te coucher, lui dit-elle.

— Oui, tout à l'heure...

Il fredonnait à l'unisson de l'orchestre, regardait autour de lui le spectacle de la baie illuminée par le clair de lune.

— Le plus beau pays du monde...

— C'est vrai.

— Et nous n'avons plus qu'une journée à y passer. Dommage.

— Je voudrais bien rester une semaine de plus. Je crois que nous avons encore beaucoup de choses à nous dire, Paul.

— Et pourquoi pas ? Je vais tout de suite appeler Michael, lui dire qu'il se débrouille sans moi. Qu'en penses-tu ?

— J'en pense que ce n'est pas si facile.

— Mais si ! Tu dis à ton George que tu es retenue prisonnière par ton preux chevalier et que tu ne reviendras plus jamais.

313

— Non, Klein. Impossible.

— Moi qui te prenais pour une femme libérée !... Dis-moi pourquoi c'est impossible ?

— Tu le sais très bien.

— Et voilà ! Démonstration limpide. Après ça, il n'y a plus qu'à tirer l'échelle. Tu ne veux pas rester ici, tu ne veux pas non plus rester à la maison. C'est comme ça ? D'accord. A vos ordres, capitaine ! dit-il en la saluant militairement.

— Tu n'as pas besoin de t'enivrer pour me dire ce genre de choses.

— Mais c'est toi qui n'es pas drôle, c'est toi qui laisses un pauvre type boire tout seul ! Je n'ai pas besoin d'une fille comme toi, tu sais.

— Je crois que si.

— Toujours plongée dans son travail...

— Exact.

— ...autant mariée avec George qu'avec moi...

Liz fit signe au serveur d'apporter l'addition.

— Encore un verre ! dit Paul.

Liz affecta de ne pas l'entendre, signa l'addition et se leva.

— Viens, Paul.

Il lui fit un sourire béat, les yeux mi-clos. Il essaya de se tenir debout, trébucha. Elle parvint à le retenir par le bras et chancela sous son poids.

Ils regagnèrent leur bungalow dans un silence gêné. A ces demi-confidences blessantes sous la protection de l'ivresse, Liz aurait préféré vider l'abcès dans la franchise.

Victime d'une douloureuse gueule de bois, Paul passa la plus grande partie de leur dernière journée de vacances à somnoler à l'ombre. Lorsque Liz tentait d'aborder le sujet de la veille et de reprendre la conversation, Paul éludait : il était ivre, il s'était conduit comme un imbécile, ne savait plus ce qu'il avait dit et lui présentait ses excuses. Le pire, pour Liz, était de le voir si sérieux. Sans plaisanteries lancées à tout propos, sans jeux de mots, sans sourires, Paul devenait un inconnu.

Sur sa chaise longue, Liz reprit son livre pendant que Paul dormait et que Jane les surveillait tous deux de derrière un palmier. Son fantôme ne les laisserait jamais en repos et Liz s'en voulait d'avoir été assez crédule pour imaginer le contraire. Épouse irréprochable, Jane vivrait éternellement dans le cœur de Paul. Avec lui, Liz avait parcouru des milliers de kilomètres, traversé les mers pour retrouver son ombre, aussi présente ici qu'ailleurs.

Les caractères imprimés se brouillaient sous les yeux de Liz. Elle marqua sa page et regarda distraitement la mer en comprenant qu'elle éprouvait les mêmes angoisses sous le soleil que dans les sombres recoins de la vieille maison de New York. Le froid qu'elle y ressentait ne provenait pas de l'extérieur, il trouvait sa source en elle-même.

Mes belles vacances d'hiver, se dit Liz. Voilà comment je les ai passées, à regarder fondre au soleil mon ménage et mon bonheur.

Les enfants devaient faire le guet à la fenêtre. A peine le taxi arrêté, ils dévalèrent tous deux les marches du perron, sans manteaux et insoucieux du froid, et sautèrent au cou de Paul avant qu'il ait eu le temps de régler la course.

Debout sur le trottoir, Liz attendit vainement un mot de bienvenue, prit une petite valise et gravit seule le perron. Derrière la porte entrouverte, Sylvia observait la scène et souriait d'aise sous ses deux pull-overs.

— Regardez-les ! dit-elle à Liz en guise de salut. Voyez comme ils aiment leur père, ces deux chérubins !

— Oui, et leur père les aime beaucoup aussi.

Elle évita Sylvia toute la soirée — la vieille dame devait partir le lendemain de bonne heure, Dieu merci. Liz comprit tout de suite quel prix elle devait payer pour avoir laissé les enfants seuls pendant une semaine avec la mère de Jane. Leur attitude, leurs regards, la manière dont Bobby l'évitait le lui démontraient assez clairement.

A minuit, les nerfs tendus à se rompre, Liz descendit à la cuisine se faire du thé. Quelques instants plus tard, elle entendit des pas dans l'escalier. Il était trop tard pour fuir, se cacher. Engoncée dans une épaisse robe de chambre, les pieds dans des chaussettes, Sylvia fit son entrée.

— Je voulais vous dire au revoir, dit-elle en s'asseyant à la place de Paul. Je n'étais pas sûre de vous voir demain matin.

315

— J'espère que cela ne vous a pas trop dérangée de venir passer quelques jours ici, dit Liz en s'efforçant d'être aimable.

— Moi ? Pas du tout, au contraire ! J'étais ravie, les enfants aussi. Je leur ai fait manger toutes les bonnes choses dont ils étaient privés, les vieilles recettes de ma Jane. D'ailleurs, de qui les tenait-elle, à votre avis ? De moi, bien entendu. Elle n'est pas née avec la science infuse, ma Jane. Et vous, poursuivit-elle en pianotant sur la table, vous n'êtes pas très douée pour la cuisine, d'après ce que j'ai entendu dire ?

— Non.

— Vous devriez apprendre. Ce n'est pas si difficile, quand on veut s'en donner la peine. Je suis sûre que vous pourriez vous mettre à préparer des plats comme les faisait ma Jane.

— Les enfants ne meurent pas précisément de faim, Sylvia.

— Ce n'est pas ce que je voulais dire...

Elle cligna les yeux, fit un geste de la tête comme pour clore le chapitre.

— Toutes les recettes sont là, dans le classeur bleu sur l'étagère — si vous changez d'avis, bien entendu, reprit-elle. Je vous laisse la maison propre. Vous feriez bien de surveiller cette Gemma. Les stores sont lavés, les étagères époussetées. Je lui ai fait enlever tous les livres pour les passer à l'aspirateur. C'était honteux de voir l'état de cette maison !

— Merci de vous en être occupée, dit Liz en s'étranglant.

— Il ne faut pas vous laisser déborder. Jane avait un programme, voyez-vous : les vitres tel jour, le four une fois par semaine, les parquets tous les quinze jours... Saviez-vous que les matelas n'ont pas été retournés depuis un an ?

— Je m'y mettrai...

Liz s'en voulut aussitôt d'être sur la défensive. Qu'attendait-elle pour envoyer la vieille chipie sur les roses ?

— J'en suis sûre ! répondit Sylvia avec un ricanement sceptique. Une grande maison comme celle-ci, on n'a pas le temps de flâner, je vous le dis. Et puis, vous devriez penser à refaire les peintures. Jane allait s'en occuper, l'automne dernier. Le salon en premier. La moquette est râpée, il faudrait la changer, mais le parquet est en parfait état. Il a juste besoin d'être poli et reverni. Un beau tapis d'Orient vaudrait mieux que de la moquette, à mon avis — c'est d'ailleurs ce que Jane comptait faire. Quant aux fauteuils...

— Écoutez, Sylvia, je n'ai vraiment aucune envie de m'entendre dire ce que Jane avait l'intention de faire.

— Et pourquoi donc ?

— J'ai mes propres idées sur la question.

— Et alors ? Ça ne peut pas vous faire du mal d'apprendre celles des autres. Pour les fauteuils, comme je disais, il suffirait en attendant de leur mettre des housses...

— Je m'en moque, Sylvia !

Un sourire entendu apparut sur les lèvres de la vieille dame :

— Je m'en doutais déjà, figurez-vous. J'ai compris combien tout cela vous intéressait en voyant l'état repoussant où j'ai trouvé la maison. Une grande dame d'affaires comme vous ne s'abaisse pas à épousseter une table.

— Je n'ai pas l'intention de garder cette maison comme un monument commémoratif. Un de ces jours, elle sera la mienne, pas celle de Jane.

— Vraiment ? Vous n'en prenez guère le chemin ! Vous devriez entendre ce que les enfants m'ont dit sur votre compte.

Liz se leva, déposa sa tasse dans l'évier :

— Je crois que nous n'avons plus rien à nous dire.

— Ils n'oublieront pas ma Jane de sitôt ! lui jeta Sylvia.

— Non, surtout pas en votre compagnie.

— Encore moins dans la vôtre !

Liz s'étrangla de colère. Elle aurait voulu se ruer sur la vieille femme, lui arracher ses cheveux gris. Pour ne pas lui donner le plaisir de la voir céder à ses provocations, elle préféra s'enfuir. Mais pas assez vite pour que la dernière imprécation de Sylvia ne l'atteigne et lui brûle les oreilles comme un fer rouge :

— Six mois ! Dans six mois, vous aurez débarrassé le plancher, ma petite, vous verrez ce que je vous dis. Je ne vous donne pas plus de six mois !

22

Ce n'était pas l'hiver qui lui glaçait le cœur.

Chaque jour, Liz se sentait plus seule dans la grande maison. Parfois, une querelle éclatait avec Paul, tempête aussi vite calmée qu'elle avait surgi. Un soir, obligée de rester tard au bureau, elle avait oublié de téléphoner pour le prévenir. Un samedi, elle avait omis d'acheter au supermarché deux ou trois épices sur lesquelles Paul comptait pour préparer un plat chinois. Détails insignifiants, certes, mais prétextes à des propos acerbes dont l'écho persistait et empoisonnait l'atmosphère.

Liz maudissait Jane d'avoir autant gâté Paul. Ce n'était pas difficile, bien entendu, quand on rentre tous les jours de bonne heure, quand on ne doit pas faire face à des dizaines de clients exigeants qui, tous ensemble, voulaient leur travail exécuté sur-le-champ.

Certains soirs, elle descendait de son bureau improvisé dans la chambre d'amis pour les trouver tous trois blottis l'un contre l'autre sur le canapé à regarder la télévision. Elle avait sa place dans le grand fauteuil, tout contre; l'espace qui les séparait d'elle prenait chaque fois un peu plus l'aspect d'un gouffre.

Un jour, au dîner, Barbara prononça une phrase : « Un dollar la douzaine », au sujet d'une chaîne stéréo que Paul envisageait d'acheter pour remplacer l'ancienne. Il s'ensuivit une discussion animée à laquelle Liz assista avec effarement, sans comprendre pourquoi Paul paraissait ulcéré de cette remarque apparemment innocente. Plus tard, il raconta l'anedocte de son père et des chaussettes sans bout. Malgré tout, Liz se sentit une fois de plus tenue à l'écart.

Vers le milieu de février, Bobby s'éveilla un matin avec la gorge irritée. Liz lui fit prendre sa température; il avait moins de 38°, mais cela justifiait de le garder au lit pour éviter les complications inutiles. Elle lui donna une aspirine et lui dit de se rendormir. Quelques instants plus tard, prête à partir travailler, elle réveilla Paul et l'informa de l'indisposition de Bobby. Encore endormi, Paul entrouvrit les yeux :

— Et tu pars quand même pour le bureau ?

— Bien entendu.

— Tu n'envisages même pas de rester à la maison, naturellement ?

Son ton agressif la surprit :

— Gemma arrivera à dix heures et j'ai demandé à Barbara de rentrer directement du lycée. Bobby ne restera pas seul, répondit-elle en se morigénant intérieurement de s'excuser ainsi.

— Bon, eh bien, vas-y ! dit Paul en se levant.

Puis, avant de claquer la porte de la salle de bain, il ajouta avec hargne :

— Passe une bonne journée, si tu en es capable.

Liz descendit lentement l'escalier mais, au lieu de partir, alla s'asseoir à la cuisine. Qu'aurait fait Jane dans une situation comparable ? Elle serait restée, évidemment, et c'est ce que Paul attendait d'elle. Et voilà, déconsidérée une fois de plus... Alors même qu'elle croyait s'améliorer, l'ombre de Jane revenait sur le devant de la scène pour la remettre à sa place — la dernière.

Eh bien, soit ! Elle resterait.

George était déjà au bureau lorsqu'elle l'appela pour le prévenir de son retard. Il la rassura : il se débrouillerait sans elle.

Paul manifesta son étonnement en la voyant dans la cuisine, redoubla de stupeur lorsqu'elle posa devant lui des œufs sur le plat, des toasts et un bol de café.

— Tu restes ? demanda-t-il.

— Oui.

— Tant mieux. C'est ce qu'il fallait faire, ma chérie.

Ce que Jane décrétait qu'il fallait faire, pensa-t-elle. Pas moi.

Elle regarda en silence Paul avaler son déjeuner et lire son journal. Comme ce serait facile de répéter cette scène tous les matins et de ne plus travailler, se dit-elle. Après le petit déjeuner, elle n'aurait qu'à ranger la cuisine, faire un peu de ménage, la lessive, le repassage. Elle aurait largement le temps d'essayer de nouvelles recettes. Elle n'était pas plus stupide qu'une autre, elle saurait mitonner un pot-au-feu dont ils se régaleraient en chantant ses louanges...

Oui. Mais il ne faudrait guère longtemps pour qu'elle devienne folle à lier. Au bout de six mois, elle serait prête à s'ouvrir les poignets — dans la baignoire, c'est plus facile à rincer après.

Après le départ de Paul, elle resta assise dans la cuisine jusqu'à ce qu'elle entende le bruit de la chasse d'eau et les pas de Bobby au-dessus de sa tête. Elle lui prépara une tasse de thé sucré au miel, des toasts couverts d'une épaisse couche de sa confiture préférée, posa le tout sur un plateau et monta le lui porter.

— Vous m'avez fait peur, lui dit-il. J'ai entendu des pas, je ne savais pas qui c'était.

— Tu vois, ce n'est que moi. Je n'allais quand même pas laisser tout seul un pauvre petit garçon malade. Comment te sens-tu ?

— J'ai mal quand j'avale.

Sa température avait baissé — l'aspirine faisait son effet — et Bobby fut capable de manger un toast et but tout son thé.

— Je me sens mieux, dit-il quand il eut terminé.

— C'est bien. Veux-tu autre chose ?

— Je veux bien un peu de jus de pomme. J'aime cela quand je suis malade.

— Avec un glaçon, n'est-ce pas ?

— Oui, merci, répondit-il en souriant. Peut-être aussi les pages des sports du journal.

— Tout de suite, monsieur. Le client a toujours raison.

Elle était à la porte lorsque Bobby l'appela :

— Vous savez, Liz, ce n'était pas la peine de rester. Je ne suis pas si malade que ça...

320

Elle lui fit un sourire, revint quelques instants après avec le verre de jus de pomme et les pages sportives. Bobby se plongea aussitôt dans leur lecture, pendant que Liz allait et venait de sa chambre à la sienne. Elle le vit enfin replier soigneusement le journal.

— Que veux-tu faire, maintenant ? lui demanda-t-elle. Nous pourrions jouer à quelque chose. Aux cartes, par exemple.

— Non, merci.

Il y eut un long silence. Ils se dévisagèrent. Liz s'agitait sur sa chaise, mal à l'aise. Elle se décida enfin à poser la question :

— Que faisait ta mère quand tu restais au lit, Bob ?

Je t'en supplie, ajouta-t-elle en son for intérieur, ne me réponds pas que je ne suis pas ta mère. Je ne le sais que trop bien.

— Eh bien, elle m'installait dans son lit pour que je puisse regarder la télé.

— Bonne idée. C'est ce que nous allons faire.

— Vous... ça ne vous ennuie pas ? demanda-t-il avec surprise.

— Pas du tout. Pourquoi ?

Un bref sourire, trop bref, apparut sur les lèvres de Bobby.

Elle l'installa dans le grand lit, l'adossa contre les oreillers, alla allumer le poste.

— Je préfère les jeux télévisés, lui dit-il. Ils sont si bêtes qu'ils sont drôles.

Liz se carra dans le fauteuil. Perdu au milieu d'un océan de draps blancs, le petit garçon avait l'air d'une coquille de noix ballottée sur la vaste mer. A la fin d'un jeu particulièrement inepte, on entendit claquer la porte d'entrée et Gemma, encore en manteau, apparut sur le pas de la porte :

— Alors, nous avons un malade dans la maison ? dit-elle.

— Je ne vais pas mal, répondit Bobby.

— Pourquoi es-tu encore au lit, dans ces conditions ?

— Il a mal à la gorge et un petit mouvement de fièvre, répondit Liz.

— Vous pouvez partir, maintenant, lui dit Bobby.

321

Gemma s'occupera de moi. C'est vrai, Liz, ce n'est pas la peine de perdre votre matinée à cause de moi.

Liz se pencha vers lui, l'embrassa sur le front qu'elle tâta ensuite de la main.

— Tu n'as pas l'air trop mal en point, dit-elle.

— Une aspirine toutes les quatre heures et boire beaucoup de jus, cela fait tomber la fièvre. Vous savez, ce n'est pas la première fois que je suis malade.

A la porte, Liz se retourna pour le regarder une dernière fois. Il souriait à Gemma. Elle prit la fuite pour se réfugier à son bureau.

Vers midi, Paul lui téléphona :

— Tu ne pouvais pas passer une seule journée à la maison, n'est-ce pas ?

— Il va bien, Paul. Gemma est arrivée à dix heures comme prévu. Il était inutile que je reste.

— Bien sûr, bien sûr, répondit-il sans conviction.

— D'ailleurs, Bobby lui-même m'a demandé de partir. Pourquoi cette perpétuelle impression d'être mise en jugement ?

— D'accord. A ce soir. Et préviens-moi si tu dois être en retard, ajouta-t-il avant de raccrocher.

Encore une fois, elle avait tort ! se dit-elle amèrement. Elle avait tort de partir, tort de rester. Jamais moyen d'avoir raison ! A se demander si, tout compte fait, les Klein ne seraient pas plus heureux sans elle. En quoi avait-elle amélioré la qualité de leur vie ? Elle n'oubliait pas combien Paul s'était enorgueilli de la manière dont ils s'étaient soutenus les uns les autres après la mort de Jane, pour surmonter leur désarroi. Et elle, alors, qui s'offrait pour la soutenir dans son épreuve ? Qui ?

Un jour, à quelque temps de là, George l'invita à déjeuner.

— Un vrai déjeuner, précisa-t-il. Pas un casse-croûte sur le pouce. Et dans un vrai restaurant. Nous le méritons, non ?

Lorsqu'ils furent installés dans le petit restaurant français du quartier et que George eut goûté à son apéritif préféré, il entra dans le vif du sujet :

— Tu as une mine de déterrée, Liz. Qu'est-ce qui te ronge ? Ai-je fait quelque chose qui te déplaît et dont tu n'oses pas me parler ?

Elle rit sans conviction.

— Regarde-toi, reprit George. Ton bronzage n'arrive pas à cacher les cernes que tu as sous les yeux, tu perds du poids, bientôt tu n'auras plus que la peau sur les os. Es-tu inquiète pour nos affaires ? Elles marchent à merveille, comme tu le sais. Alors, Liz, sois franche, dis-moi ce qui ne va pas.

— Tu n'y es pour rien, George. J'aimerais que tout le monde soit comme toi. Ce qui ne va pas, c'est... à la maison, dit-elle avec répugnance.

— Paul te roue de coups ?

— Je le voudrais bien ! J'en profiterais pour lui rendre la pareille. Non, vois-tu, c'est pire. Je me bats contre des ombres. Des regards malveillants derrière mon dos, le sentiment de faire de mon mieux sans que ce soit jamais assez bon. Ils se tiennent, tous les trois, comme les membres d'une société secrète dont je serais exclue... Et puis, une minute plus tard, je me dis que j'imagine n'importe quoi, que je deviens paranoïaque. Si tu savais, George, le soulagement que j'éprouve en venant au bureau — et ma répugnance à rentrer à la maison...

— Alors, Liz, comment comptes-tu régler le pro-blème ? Tu ne peux pas continuer à te rendre malade comme tu le fais. Notre profession est déjà sujette aux ulcères. Si tu ne réagis pas, tu vas craquer pour de bon.

— Je sais, George. Je n'ai jamais été aussi mal dans ma peau.

— Justement, fais quelque chose ! Réagis, prends l'initia-tive. Si tout va mal à ce point, la situation ne s'aggravera pas davantage en poussant un coup de gueule. Essaie, qu'est-ce que tu risques ?

— Je ne peux pas leur faire mal. Ils ont déjà tous assez souffert.

— Dois-je en croire mes oreilles ? C'est toi, Liz, qui t'exprimes de la sorte ? Qu'est donc devenue l'implacable lutteuse que j'ai connue naguère ? Celle qui ne reculait jamais devant la bagarre, quand elle ne la provoquait pas elle-même ?

— Elle se demande si elle n'a pas commis la plus grosse erreur de sa vie, répondit-elle. Et elle ne sait pas comment se sortir du guêpier où elle s'est fourrée.

Au même moment, à quelques kilomètres de là, Michael Bradie préparait la chute de sa dernière bonne histoire. Ses éclats de rire, cependant, restèrent cette fois sans écho.

— Elle ne t'a pas plu ? demanda-t-il à Paul. Je la trouve pourtant irrésistible.

— Ces histoires de nanas sont toujours les mêmes. On ne pense qu'à coucher avec, comme s'il n'y avait que ça au monde...

Les sourcils de Michael se lancèrent dans une gigue irlandaise :

— De la philosophie avant les hors-d'œuvre ? Je ne te reconnais plus. Qu'est-ce qui t'arrive ?

— Rien. Je ne suis sans doute pas de bon poil aujourd'hui, c'est tout.

Ils burent en silence une gorgée de leurs cocktails.

— Dis donc, on ne vous a pas beaucoup vus, Liz et toi, depuis quelque temps, dit Michael. Tout va bien, chez vous ?

Sois franc, se dit Paul, déballe ce que tu as sur le cœur... A la dernière minute, un scrupule le retint. Que pouvait-il raconter à Michael, comment l'exprimer ? Que l'atmosphère était de plus en plus tendue, que rien ne semblait tourner rond ? Qu'il ne savait jamais ce que Liz allait dire, comment elle allait réagir ? Ils étaient, tous les quatre, comme quatre planètes sur des orbites flottantes, aberrantes, parfois sur le point d'entrer en collision, parfois éloignées par des années-lumière. Aucun d'entre eux ne semblait capable de rétablir un semblant d'ordre dans ce chaos.

— Tout va bien, dit-il enfin. Du moins, je le pense...

Michael attendit la suite puis, constatant que Paul refusait de poursuivre, l'encouragea :

— Tu n'as pas besoin de m'en parler, tu sais.

La réaction de Paul le déçut :

— C'est vrai, je n'en ai pas envie. Comment va Kathleen ?

— Plus enquiquineuse que jamais, répondit Michael avec son sourire malicieux. Les filles et elle me rendent la vie impossible. Elle aura son diplôme dans quelques mois et réalisera ses ambitions d'être la plus vieille videuse de pots de chambre de l'hôpital. Je plains ses futurs patients !...

— Elle est sûrement ravie de te l'entendre dire.

— Tu parles ! Enfin, tu la connais. Tant qu'il me restera trois cheveux à arracher...

— Toute plaisanterie à part, Michael, Kathleen et toi avez passé votre vie à vous disputer, n'est-ce pas ?

— Une journée sans bagarre est une journée sans soleil, chez nous. Mais c'est si bon quand on se raccommode...

Michael vida son verre et en redemanda un autre d'un signe de la main.

— Jane et moi ne nous sommes jamais querellés, tu le sais. J'en ai pris de mauvaises habitudes, sans doute. Avec Liz...

Il fit la grimace en guise de conclusion.

— Et c'est cela qui t'inquiète ?

— Entre autres choses, oui.

— Vous réconciliez-vous à chaque fois, au moins ?

— Non, pas toujours. Liz a aussi des problèmes avec les enfants. L'atmosphère n'est pas fameuse à la maison, pour le moment.

Micheal pianota pensivement sur la table.

— C'est une sacrée bonne femme ta Liz, tu sais. Une personnalité peu commune.

— Un peu trop exceptionnelle, peut-être.

— Ouais, et surtout après Jane... Écoute, Paul, dit-il avec un geste fataliste, il n'est pas nécessairement mauvais de se disputer. Ce qui compte, c'est la manière de se raccommoder. Kathleen et moi, nous en sommes presque arrivés à jouer nos rôles par cœur, si tu vois ce que je veux dire. Je lance une réflexion phallo-macho, elle me rétorque un slogan MLF et c'est parti. Tu veux que je te dise la vérité ? Nous y prenons plaisir.

— Pas moi, en tout cas, ni Liz non plus.

— Parce que vous manquez de pratique. Oserai-je te demander quel est le sujet de vos empoignades ?

— Les prétextes classiques, dit Paul avec un soupir. Les enfants, son travail, le fait que nous ne passons pas assez de temps ensemble, son impression de ne pas arriver à s'adapter, ou que nous nous liguons contre elle, que Bobby la déteste, qu'elle ne peut rien faire comme il faut — je veux dire, comme nous en avions pris l'habitude, avant...

— Es-tu sûr de ne rien oublier ?

— Ça ne fait pas très sérieux, n'est-ce pas ? Tiens, veux-tu que je te donne le dernier exemple, un détail insignifiant, bien entendu. Liz a laissé une robe de côté pour le teinturier. Comme c'est moi qui me sers de la voiture, c'est généralement moi qui m'en charge. Or, elle l'avait mise sur le tabouret au pied du lit, là où Jane posait habituellement la lessive à faire faire par Gemma.

— Ne me dis pas que Gemma a lavé la robe !

— Elle l'a complètement abîmée, bien entendu.

— Cette bonne Gemma, toujours aussi habile !

— Je ne peux même pas le lui reprocher, tu comprends ? Liz m'avait demandé d'emporter sa robe à la teinturerie et je l'ai oubliée. C'est donc de ma faute. Mais Jane mettait habituellement les affaires à nettoyer dans le coin, près de ma commode, à un endroit où je ne pouvais pas ne pas les voir. Quand j'ai expliqué cela à Liz, elle a explosé.

— Pourquoi lui as-tu servi un pain de plastic au dîner, aussi ? C'est de ta faute !

— Je n'ai toujours pas envie de rire, Michael, et je te trouve toujours aussi peu drôle aujourd'hui.

L'incident suivant eut de tout autres conséquences.

Ce soir-là, dans la chambre d'amis, Liz s'évertuait à chercher l'inspiration qui ne venait pas. Elle voulut se changer un instant les idées en allant laver ses mains tachées d'encre. Paul était enfermé dans la salle de bain. Sans réfléchir ni remarquer la lumière qui filtrait sous la porte, elle se dirigea vers celle des enfants. En ouvrant, elle eut la surprise de voir Bobby qui sortait de la douche et la regardait, tout nu, furieux..

Gênée de sa bévue, Liz battit aussitôt en retraite et bredouilla des excuses derrière la porte. Mais Bobby, ulcéré dans sa pudeur, voulut venger son honneur blessé. Ses cris de protestation attirèrent l'attention de Barbara qui passa la tête par la porte de sa chambre et s'enquit des causes du vacarme :

— Elle a osé entrer pendant que je prenais ma douche ! cria Bobby.

— Il a raison, vous auriez pu frapper à la porte, ricana Barbara.

— Mais enfin je me suis excusée...

Alerté à son tour, Paul demanda à travers la cloison pourquoi tout le monde s'excitait ainsi. Liz s'apprêtait à quitter les lieux lorsque la voix de Bobby retentit derrière la porte :

— Fichez le camp, vous entendez ? Fichez le camp d'ici !

Liz sentit un ressort se briser en elle. Le fardeau qui l'accablait depuis des semaines se fit soudain trop lourd. Elle descendit l'escalier, se lava les mains dans le cabinet de toilette du vestibule. Ses pensées tournoyaient à lui donner le vertige. Pourquoi ressentir aussi douloureusement un incident d'une telle insignifiance ? Parce que ce sale gamin s'enhardissait jusqu'à lui crier des injures auxquelles elle ne pouvait pas répondre ? Parce qu'elle marchait sur des œufs, n'osait plus rien faire sans avoir peur de se tromper ? Parce qu'elle avait tort, quoi qu'elle fît ?

Un coup d'œil dans le miroir, au-dessus du lavabo, lui montra ses traits altérés par la peine et la colère. Cette fois, c'en était trop. Ne plus oser attraper un gamin mal embouché qui le méritait cent fois, ne plus pouvoir être soi-même, autant abdiquer. Autant fuir avant de s'anéantir. Elle avait besoin d'air, de lumière, d'espace. Sans réfléchir, Liz prit sa veste fourrée et ses gants dans la penderie, le bonnet de laine de Barbara. Un dernier scrupule la poussa au bas de l'escalier :

— Je sors, annonça-t-elle. Je vais me promener.

Aucune réponse.

Elle sortit en courant presque, claqua la porte derrière elle et ne ralentit son allure qu'en arrivant au coin de la rue. Il fallait fuir; ils la rattraperaient si elle ne s'éloignait pas assez vite, ils la ramèneraient ici de gré ou de force. Ce ne fut que plusieurs rues plus loin qu'elle prit conscience du froid. De petits flocons de neige commençaient à zébrer la nuit. Liz tira le bonnet de laine sur ses oreilles et poursuivit sa marche; le tumulte de ses voix intérieures la rendait sourde à tout le reste.

Un échec irrattrapable. Elle avait tout raté. Ils se souciaient d'elle comme d'une guigne. En la regardant, ils ne voyaient que Jane et, parce qu'elle n'était pas Jane, ils en étaient venus à la haïr.

Le père et les deux enfants. Un bloc. Ils s'accrochaient les uns aux autres comme si leur survie en dépendait. Un bloc sans faille, une sphère parfaitement lisse où elle n'avait pas le droit de s'introduire. Un cercle fermé, hostile dès le premier jour.

Toute lutte était inutile. Ils n'avaient nul besoin d'elle, Bobby ne s'était pas gêné pour le lui jeter à la figure. Mieux valait les laisser retourner à leur univers clos. Au diable les bons sentiments, l'altruisme et tout et tout.

Elle avait commis trop d'erreurs. Pourtant, tout aurait pu s'arranger — s'ils lui avaient donné une chance, une seule chance.

Avec Barbara, elle avait presque réussi. Il s'en était fallu d'un rien. Mais Barbare préférait se dissocier de l'équipe, prendre le large. Barbara m'a regardée me noyer, sans même intervenir. Et je ne serai jamais une mère pour Bobby. Jamais je n'aurai l'occasion de le serrer contre moi, d'embrasser ce visage angélique. Car même après l'hostilité, la grossièreté dont il avait fait montre à son égard, elle en rêvait encore. C'était là sa blessure la plus douloureuse.

Aveuglée par les larmes, elle poursuivait sa marche errante. Sur ses joues, la neige se mêlait aux pleurs. Elle ne savait où elle allait, ne s'en souciait même pas tant que sa marche l'éloignait de la source de ses maux. La neige commençait à tenir sur l'herbe, sur la carrosserie des voitures en stationnement. Elle parvint à une rue commerçante, la traversa, s'engagea dans une rue bordée d'immeubles de mauvaise apparence.

Ce sale gosse ! Dès le premier jour, il m'a menée par le bout du nez et je me suis laissé faire ! Elle avait senti son cœur fondre de tendresse lorsqu'il lui avait montré comment préparer la salade, lui avait appris l'emplacement des ustensiles dans la cuisine. A ce moment-là, il la suivait pas à pas, comme un toutou fidèle. Que s'était-il produit pour les séparer à ce point ? Ce pauvre enfant avait l'air si doux, si pitoyable dans son besoin d'affection. Et celle qu'il déployait envers Marmaduke ? Un petit garçon qui aime autant un chat ne peut vraiment pas être si mauvais que ça...

« *Vous n'êtes pas ma mère* »... Non, c'est vrai. Mais nous aurions au moins pu être amis. Au prix d'un minuscule effort, si tu m'avais laissé une toute petite chance, nous aurions pu nous rapprocher. Maintenant, il est trop tard.

Paul n'avait rien fait pour arranger les choses. Strictement rien. Il n'a pas arrêté de couver ses enfants comme si leur vie à tous les trois en dépendait. Dès le premier jour, il était clair que les enfants étaient à lui et à personne d'autre. Bas les pattes, Liz, c'est moi qui m'en charge. Barbara elle-même le lui avait reproché : « Tu me couves, papa. » Comment les enfants auraient-ils eu la moindre occasion, la moindre envie de se tourner vers elle, de lui accorder leur confiance ? Papa fait tout, papa sait tout. Ce que la marâtre dit et fait compte pour du beurre. Autant voir la vérité en face : Paul remplissait tous les rôles à la fois et Liz n'était que sa nouvelle femme, une intruse. Une incapable, par-dessus le marché. Incapable de comprendre comment ils avaient, eux, l'habitude de vivre. Incapable de suivre la voie tracée par un fantôme, par sainte Jane, bien sûr ! La mère modèle, l'épouse idéale, celle qui ne faisait jamais un faux pas, ne proférait jamais un gros mot, n'élevait jamais la voix même quand elle avait cent bonnes raisons de le faire. Et c'est ce fantôme qui hantait encore la maison qui, finalement, avait eu raison de l'intruse. Car c'était, aujourd'hui, demain et à jamais, la maison de Jane, le domaine inaliénable où Jane ne pouvait que régner sans partage. Où, du haut de sa sainteté posthume, Jane regardait se débattre l'usurpatrice, la critiquait, la jugeait et la condamnait sans appel. Le domaine de la sainte Famille inspirée par l'Esprit d'en haut. Comment lutter, comment espérer vaincre lorsqu'on a contre soi le Père, la Fille, le Fils et le Saint-Esprit ?

Alors, file, ma fille. Disparais, dissous-toi dans l'atmosphère. Quitte-les sans esprit de retour. Mais pour aller où et comment ? Quel était le slogan que George avait trouvé pour ces organisateurs de voyages, il y a six semaines ? Ah, oui : « Faites votre balluchon. » Voilà la solution. Fourre quelques vêtements dans un sac et bats en retraite. Les hôtels ne manquent pas aux alentours du bureau. Récupère le reste de tes affaires plus tard, quand la tempête sera calmée. Tu auras le temps ensuite de chercher un appartement mais, d'ici là, va-t'en. Prends la fuite avant de devenir folle.

Se retrouver seule, une fois de plus ? Oui, une fois de plus. Tu en as l'habitude. Tu l'as déjà fait et tu n'en es pas morte. En ce moment, pour changer, la solitude ne pourra que te faire du bien. La paix, la tranquillité, le temps de travailler à ta guise. Peur de tourner à la vieille fille ? C'est pour cela que tu t'es raccrochée à Paul ? Non... En fait, avoue-le, tu en étais tombée amoureuse, tu en avais perdu la tête et tu t'es lancée dans l'aventure sans réfléchir. L'aimes-tu encore ? Allons, réponds. Sois franche.

Liz s'arrêta, étreignit un réverbère et sanglota. La neige tombait plus fort, les flocons tourbillonnaient dans la lumière.

Dans sa précipitation à fuir, elle avait gardé ses chaussures de toile et sentit ses pieds s'engourdir sous l'effet du froid. La rue où elle se trouvait lui était inconnue et elle se remit en marche. Personne pour la renseigner. Au carrefour suivant, elle consulta les plaques indicatrices et ne reconnut pas les noms des rues. Comment rentrer à la maison ? Où était-elle ? Dans la nuit, sous la neige, elle était perdue. Au loin, elle vit des lumières, poursuivit sa marche, atteignit une rue où quelques boutiques étaient encore éclairées. Elle entra dans une confiserie, avisa un taxiphone. Il suffisait d'appeler un taxi. Mais lorsqu'elle fouilla dans ses poches, elle ne trouva rien. Pas de portefeuille, pas un sou.

Un vieil homme lisait son journal derrière le comptoir. Elle s'approcha, le héla :

— Monsieur ! J'ai fait une chose idiote, je suis sortie me promener et j'ai oublié mon argent à la maison, dit-elle en s'efforçant de sourire.

330

L'autre leva les yeux, la regarda comme s'il avait affaire à une folle :

— Vous promener, par ce temps ?

— Je voulais appeler mon mari pour qu'il vienne me chercher. Pouvez-vous me prêter une pièce de monnaie ou un jeton ? Il vous le rendra...

Sans mot dire, l'homme ouvrit son tiroir-caisse et posa une pièce sur le comptoir avant de se replonger dans sa lecture. Liz le remercia, alla composer le numéro.

Paul décrocha avant la fin de la première sonnerie :

— Liz, c'est toi ?

— Oui.

— Où es-tu ? Où as-tu été ?

Sa voix faisait vibrer l'écouteur. Elle lui répondit en indiquant le nom de la rue, l'emplacement de la boutique.

— Ne te fâche pas, je t'en prie, dit-elle en conclusion.

— Je suis fou d'inquiétude, t'en es-tu au moins rendu compte ? Qu'est-ce qui t'a pris de disparaître comme cela, sans prévenir personne ?

— Excuse-moi, répondit-elle avec accablement. J'avais besoin de marcher, de prendre l'air...

— J'arrive dans cinq minutes, dit Paul avant de raccrocher.

Épuisée, elle s'appuya contre le mur, reposa sa tête contre le boîtier du taxiphone. Alors, inconsciente de son geste, elle se cogna le front à plusieurs reprises contre le métal.

— Eh, madame ! Vous êtes malade ?

Elle se retourna. Le vieil homme s'était levé derrière son comptoir et la regardait avec inquiétude.

— Mon mari va venir me chercher.

— Il ne va pas vous faire du mal, au moins ?

— Hein ?

— Il est fâché contre vous ? Vous vous êtes disputés ?

Elle tenta de réprimer un fou rire nerveux :

— Non, nous ne nous sommes pas disputés, rassurez-vous. Il vous rendra votre argent.

— Ce n'est pas ça qui m'inquiète. Ce que je ne voudrais pas, c'est qu'il arrive ici et commence à vous taper dessus.

— Mais non. Il n'est pas violent...

— Ouais ! A notre époque, les gens sont tous fous. Un

mot de travers et on se retrouve avec un couteau dans le ventre. Vous regardez les nouvelles de temps en temps ?

— Oui, pourquoi ?

— Alors, vous devriez comprendre ce que je veux dire. Moi, par exemple, je reste ouvert jusqu'à 22 heures, à cause des journaux du soir. Je ne sais jamais ce qui va m'arriver... Dites donc, vous n'avez vraiment pas l'air bien. Voulez-vous un verre d'eau ?

— Non, merci, je vais très bien, je vous assure.

— Cela fait longtemps que vous êtes mariée ?

— Quatre mois.

— C'est tout ? J'aurais cru depuis plus longtemps. Et vous êtes partie de chez vous, comme ça ? Dans la neige ?

Liz ne répondit pas.

— Au début, c'est toujours le plus difficile, reprit-il. Mais on finit par s'y faire. Moi qui vous parle, je suis marié depuis trente-deux ans, alors je sais de quoi il retourne. Le malheur, de nos jours, c'est que tout le monde veut avoir le dernier mot. Vous savez ce que c'est, le dernier mot ? Un juron, la plupart du temps.

Paul fit irruption à ce moment-là, en manteau sur son pyjama.

— Liz ? Comment es-tu venue si loin ? Qu'est-il arrivé ?

Elle lui demanda de rembourser l'inconnu et se laissa docilement emmener par le bras. Le trottoir était couvert d'une mince couche de neige. Sur la chaussée, les roues des voitures traçaient des sillons noirs. Paul démarra lentement en réglant le chauffage au maximum.

— Nous t'avons cherchée partout dans la maison, jusqu'à la cave. Qu'est-ce qui t'a pris de sortir par un temps pareil ?

Elle ne parvenait pas à trouver les mots pour lui dire la vérité. La gorge serrée, elle regardait droit devant elle les flocons qui tourbillonnaient avant de s'écraser sur le pare-brise.

— Que s'est-il passé, Liz ? reprit Paul en la regardant de côté. Tu as eu une dispute avec Bobby, n'est-ce pas ? J'en ai entendu quelques bribes. Il te rend encore la vie impossible, je parie. Je le materai, ce sale gamin, je te le jure !

— Non, Paul, ce n'est pas de la faute de Bobby. C'est moi. Tout va de mal en pis.

Paul stoppa lentement à un feu rouge. La chaussée était glissante.

— Calme-toi, ma chérie. Tu es énervée, bouleversée. Nous allons rentrer à la maison, tu vas prendre du thé bien chaud…

— Vous n'avez pas besoin de moi ! laissa-t-elle échapper. Voilà ce qui me rend malade, si tu veux savoir.

— Que dis-tu ? Bien sûr que si, nous avons besoin de toi. J'ai besoin de toi, comme nous tous ! Que s'est-il **vraiment** passé ce soir, entre Bobby et toi ? Est-ce à cause de **cela** que tu t'es lancée dans cette aventure idiote ?

— Je vais m'en aller, Paul…

— Ne dis pas de bêtises !

— Si. Cette nuit, je vais coucher dans la chambre d'amis. Demain matin, je vais faire mes valises et m'installer à l'hôtel.

— Je t'en prie, ma chérie, redescends sur terre ! Tout cela te paraîtra tellement insignifiant, demain matin…

— Je regrette amèrement que tu m'aies fait vendre la moitié de mes meubles.

— Tu dis n'importe quoi ! s'écria-t-il en lui posant la main sur le genou. Je t'aime, Liz, l'aurais-tu oublié ? Tout cela est absurde, voyons !

La Buick franchit le bateau, stoppa devant le garage.

— Ce qui est absurde, répondit-elle, c'est d'avoir cru que je pourrais vivre dans *sa* maison, avec *sa* famille.

La neige tombait moins fort mais le vent soufflait en soulevant des tourbillons de flocons. Paul coupa le contact, éteignit les phares mais resta au volant.

— Tu ne peux pas nous quitter, dit-il. Je ne te laisserai pas partir. Quel que soit le problème qui te tracasse, nous en trouverons la solution. Ce qui te fait du mal, nous le guérirons. Ensemble. Je t'adore, Liz, tu dois le savoir. Tu es ma femme…

Elle ouvrit la portière et s'éloigna sans répondre. Elle traversa la pelouse en courant, gravit les marches du perron en fouillant dans sa poche pour y prendre sa clef et entrer sans l'attendre. Elle avait aussi oublié son trousseau… Le dos tourné, elle attendit que Paul a rejoigne.

Il ouvrit la porte sans mot dire, s'effaça pour la laisser

passer et la suivit jusqu'à la penderie où il accrocha son manteau à son tour.

— Viens, il faut que nous parlions, lui dit-il.

Il la prit par le bras et l'entraîna vers la cuisine. Elle se sentait trop lasse, vidée de ses dernières ressources d'énergie pour résister. Elle se laissa tomber sur une chaise, accoudée à la table, et se cacha la figure dans ses mains. Paul ouvrait un placard, faisait couler de l'eau dans la bouilloire, allumait le gaz. Il n'osait pas prononcer les mots qui lui venaient aux lèvres de peur que sa voix ne le trahisse. La vision de ses cheveux blonds, sur lesquels la lampe projetait des reflets d'or, lui nouait la gorge.

Liz avait relevé la tête. Le regard fixe, elle voyait les flocons qui se raréfiaient, le réverbère dont les rayons se réfléchissaient sur la porte du garage, une feuille morte qui virevoltait lentement avant de toucher terre.

— Je n'ai jamais été heureuse ici, dit-elle enfin d'une voix lasse.

— Cela ira mieux, répondit Paul. Un peu de patience…

— Non. Je n'étais pas faite pour vivre dans cette maison. Je n'y suis pas chez moi.

Ils entendirent tous deux des pas dans l'escalier. Barbara apparut sur le seuil, suivie de Bobby.

— Liz ! Où étiez-vous ? Nous étions si inquiets…

— Elle a pris un peu d'exercice, dit Paul avant qu'elle réponde. Tout va bien.

— Mais il neigeait ! dit Bobby.

— Oui, mais la neige s'est presque arrêtée…

Liz s'interrompit. A leur expression, elle comprit que les enfants se doutaient de quelque chose, d'un désaccord profond entre Paul et elle. Mieux valait prendre les devants :

— Il faut que je vous parle…

— Non, Liz ! Vous deux, remontez vous coucher. Vous allez en classe demain.

Il fit un pas vers eux, comme pour les chasser. Liz passa outre :

— Je vous quitte, dit-elle. Demain matin, je serai partie définitivement.

— Non ! s'écria aussitôt Barbara. Non, Liz, ne partez pas !

334

Bobby jeta des regards inquiets à son père et à Liz.

— Rien n'est encore décidé, dit Paul. Nous allons en parler. Maintenant, allez vous coucher.

— Dis-leur plutôt la vérité, dit Liz en se levant. La décision est prise et je vous fais mes adieux.

Elle se tourna vers Bobby qui la dévisageait, les yeux écarquillés par la surprise et une sorte de colère :

— Tu vois, tout se termine exactement comme tu le voulais. Toi, ta sœur et ton père. Plus d'intruse entre vous. Vous resterez tous les trois avec ta chère maman, comme avant mon arrivée...

— Assez, Liz ! cria Paul.

— N'as-tu rien compris, à la fin ? lui cria-t-elle sur le même ton. J'en ai assez de vivre dans une maison hantée ! Jane est toujours ici... dans ce livre de cuisine ! dit-elle en jetant par terre le classeur bleu. Ou là ! poursuivit-elle en faisant basculer une cocotte qui tomba bruyamment de son étagère. Elle est partout ! Jane, Jane, toujours Jane ! Et ses plantes !...

D'un revers de main, elle balaya deux ou trois pots qui s'écrasèrent sur le sol.

— Vous n'avez jamais eu besoin de moi, jamais, entendez-vous ? Parce que vous avez toujours eu votre sainte Jane adorée et que vous ne voulez pas la perdre ! Vous avez fait bloc contre moi pour m'empêcher de troubler votre chère intimité ! Eh bien, d'accord, vous avez gagné, vous êtes contents ? Toi, Bobby, inscris donc le score à ton tableau noir, veux-tu ? Jane, dix. Liz, zéro ! Je ne peux pas me battre contre un fantôme...

Elle ponctuait sa tirade de gestes désordonnés, d'allées et venues à travers la pièce. Paul parvint à la rattraper au moment où elle allait passer sa fureur sur les bocaux de verre alignés sur le plan de travail.

— Lâche-moi ! cria-t-elle en se débattant.

— Calme-toi, Liz.

— Non, je ne veux pas me calmer ! Je ne suis pas douce et polie comme *elle,* moi ! Quand je souffre, je me fâche, je crie, je pleure, je jure ! Lâche-moi, Klein, lâche-moi...

Elle finit par se dégager et s'enfuit en courant. Ils l'entendirent grimper l'escalier. Un instant plus tard, la porte de la chambre d'amis claqua bruyamment dans la nuit.

Paul se laissa tomber sur une chaise, se cacha la figure dans les mains. Sans s'être concertés, les deux enfants vinrent le consoler.

Seule dans le noir sur le lit étroit, Liz n'avait plus de larmes à verser. Des bruits de chaises remuées montaient de la cuisine, où ils nettoyaient probablement les dégâts. Bobby monta le premier; elle l'entendit marquer l'arrêt devant sa porte fermée avant de poursuivre vers sa chambre. Même maintenant, malgré tout ce qu'il lui avait infligé, elle aurait encore voulu le prendre dans ses bras, l'embrasser, le border dans son lit, mais elle ne put faire un geste. Barbara arriva peu après, frappa discrètement à sa porte :

— Non, n'entre pas ! lui cria Liz.

Il était insupportable de les revoir. Elle avait honte de ce qu'elle avait fait, de s'être donnée en spectacle. Pour n'y plus penser, elle se força à récapituler la liste de ce qu'elle emporterait le lendemain, à déterminer quelle valise il valait mieux prendre.

D'en bas, elle entendit le double déclic du verrou de l'entrée. Paul monta à son tour l'escalier et entra sans frapper dans sa chambre. Sa silhouette se découpait dans la lumière diffuse provenant du couloir.

— Je t'aime, Liz, lui dit-il.

— Je sais.

Il ferma la porte derrière lui et s'approcha du lit dans le noir, resta à quelques pas :

— Demain, je n'irai pas au bureau et je n'enverrai pas les enfants en classe. Nous parlerons de tout, tous ensemble...

— Non.

— Je t'en supplie, ma chérie. Il le faut.

— Trop tard. Je ne peux plus rester ici.

— Alors, prenons une semaine de vacances, partons tous les deux seuls, toi et moi...

— Encore ?

Elle l'entendit soupirer dans l'obscurité.

— Je t'aime et je t'aimerai toujours, je crois, dit-elle. Je les aimerai eux aussi, malgré tous leurs efforts pour m'en empêcher.

— Alors, reste. Je ferai tout ce que je pourrai pour te rendre la vie plus facile, je t'aiderai, je me lèverai le matin pour le départ de Bobby, je ferai la cuisine...

— Plus tu en feras, plus ils m'en voudront.

Elle sentit la main de Paul se poser sur son bras.

— Que nous est-il arrivé ? demanda-t-il.

— Jane, cette maison, vos souvenirs...

Elle lui prit la main et y posa les lèvres en imaginant son sourire, son air soudain heureux malgré l'obscurité.

— Pas de chance, reprit-elle. Nous avons tout simplement manqué d'un tout petit peu de chance, c'est tout.

— Tu comptes dormir ici ? C'est idiot, quand tu disposes d'un grand lit confortable. Viens, ma chérie.

— Trop tard pour ça aussi, Klein, répondit-elle avec un rire amer. Va, Paul, laisse-moi. Je t'en prie.

Elle l'entendit se relever, traverser la pièce, tourner la poignée de la porte.

— Tu ne partiras pas d'ici, dit-il, sans que je fasse tout pour te retenir, comptes-y. A demain matin, Liz. Nous discuterons.

— Oui, Paul, dit-elle avec lassitude. Nous discuterons.

Les bruits nocturnes...

Sa dernière nuit dans cette maison n'en épargna aucun à Liz. Une bouffée d'air chaud vint gémir à ses oreilles. Les conduites craquèrent et cliquetèrent, une lame de parquet grinça. Au-dehors, une voiture passa en faisant crisser la neige gelée. Elle entendit l'horloge du rez-de-chaussée sonner deux heures, puis trois. Le vent sifflait entre les branches dénudées du grand érable de Norvège, sur la pelouse.

Elle se rappelait sa chambre d'enfant, les années passées dans un lit exactement comme celui-ci. Diane avait, bien entendu, la plus grande chambre mais Liz bénéficiait d'une pièce d'angle, avec deux fenêtres. Elle n'avait pas oublié comment la lumière se glissait dans la pièce, les ombres sur

337

le mur, l'aspect fantomatique que prenaient les rideaux avant qu'elle s'endorme. Encore petite fille, elle s'était souvent demandé avec qui elle vivrait le reste de sa vie. Parce qu'elle se marierait, elle n'en avait jamais douté — elle le désirait, d'ailleurs. Mais le mystère restait toujours aussi épais : à quoi ressemblerait-il, serait-il beau ou laid, riche ou pauvre ? Porterait-il la moustache, comme son père ? Elle connaissait maintenant les réponses à toutes ces questions, sauf qu'elle ne passerait en fin de compte pas le reste de sa vie avec cet homme-là.

Lorsqu'elle ouvrit les yeux, le soleil illuminait le ciel sans parvenir à éclairer la terre. On entendait des bruits de pas assourdis sur le trottoir enneigé. Paul avait-il pensé à remonter le réveil avant de se coucher ? Un coup d'œil à sa montre lui apprit qu'il n'était que 6 h 15. Elle se leva, s'engagea à pas de loup dans le couloir, traversa la chambre. Paul était couché en chien de fusil sous l'édredon, de son côté du lit. Elle s'arrêta un instant pour contempler son visage endormi, ses épais sourcils, l'arête de son nez, l'avancée volontaire de son menton. Dors, mon chéri, lui dit-elle silencieusement.

Elle entra dans la salle de bain, s'aspergea le visage, se lava les dents en faisant le moins de bruit possible pour ne pas réveiller Paul. Elle s'occuperait du départ de Bobby puis de Barbara, leur ferait à chacun des adieux courtois. Peu importait qu'ils gardent d'elle un mauvais souvenir, elle saurait ne se rappeler que leurs côtés attachants.

Sanglé sous son édredon, le visage angélique de Bobby lui fit fondre le cœur. Elle sortit de sa commode une chemise, des sous-vêtements, les grosses chaussettes de laine blanche qu'il préférait, un pantalon de velours : aujourd'hui, il allait faire froid. Elle ajouta à cette tenue le pull-over rouge qu'elle lui avait acheté pour Noël.

Elle le secoua doucement par l'épaule pour le réveiller puis, le voyant toujours immobile, se pencha pour poser un baiser sur son front. En voilà au moins un qu'il n'essuiera pas aussitôt, se dit-elle — au moment précis où Bobby fit inconsciemment le geste.

— Il est l'heure de se lever, lui dit-elle à mi-voix.

Il ouvrit les yeux, la dévisagea avec surprise.

338

— Oui, c'est encore moi, dit-elle en souriant. Je t'attends en bas.

Lorsque Bobby descendit, il trouva son jus d'orange et sa pilule vitaminée à sa place, à côté des pages sportives et du verre de lait glacé. Son déjeuner était prêt, posé sur le coin du plan de travail où il vidait ses poches tous les soirs et les remplissait tous les matins.

— Vous allez vraiment partir ? demanda-t-il en s'asseyant.

— Oui.

Elle attendit qu'il en dise davantage. Puis, le voyant s'absorber dans la lecture du journal, elle posa devant lui un bol de céréales. Il ne leva pas la tête.

— Tu me manqueras, tu sais, lui dit-elle enfin.

— Vous aussi, répondit-il sans la regarder.

— Eh bien, c'est toujours ça...

Le silence retomba, se prolongea.

— Je ne vous déteste pas, vous savez.

— C'est possible.

— Je ne vous ai jamais dit que vous n'étiez pas gentille.

— C'est vrai....

Une fois de plus, le jeune garçon semblait ne rien avoir à ajouter. Liz reprit la parole :

— J'aurais simplement voulu que tu m'aimes moitié autant que mon chat...

Elle remarqua un léger tremblement des lèvres de Bobby.

— Au fait, où est Marmaduke, ce matin ? Je ne l'ai pas vu sur ton lit, tout à l'heure. Où est-il, Bobby ?

Bobby pâlit :

— Ne vous fâchez pas, Liz... Je ne voulais pas que vous l'emmeniez en partant...

Stupéfaite, incrédule, Liz resta muette.

— C'est votre chat, reprit Bobby, et je croyais que...

— Pour qui me prenais-tu, Bobby, pour un monstre ? s'écria-t-elle enfin. Jamais je ne t'aurais repris le chat, jamais ! Comment as-tu pu imaginer une chose pareille ? Il est devenu ton chat.

Bobby étouffa un sanglot et s'essuya les yeux du revers de la main.

— Je vous demande pardon, bredouilla-t-il.

339

Les jambes flageolantes, Liz s'appuya à la table.

— Où est-il ? Qu'en as-tu fait ?

Bobby continua de pleurer sans répondre.

— Réponds, Bobby. Je ne me fâcherai pas. Où est Marmaduke ?

— Je ne voulais pas que vous l'emmeniez... Oh ! Liz, pardonnez-moi... Je l'ai caché dehors. Je voulais le reprendre plus tard, après... après votre départ.

— Dehors ? dit-elle en tremblant.

— Sous le perron. J'ai cru que...

Liz se précipitait déjà vers l'entrée. Marmaduke, perdu dehors dans le froid et la neige, un pauvre minet d'appartement incapable de se défendre contre les intempéries...

Quand elle ouvrit la porte, elle vit que Bobby l'avait suivie. Ensemble, ils cherchèrent sous le perron, sous la véranda qui longeait la façade. Bobby appelait, se penchait, se glissait sous les planches. Pas de réponse.

— Il a eu peur, il s'est enfui je ne sais où, dit Liz. Où allons-nous le retrouver ?

Bobby poursuivait ses recherches sous les haies, les buissons tout en continuant d'appeler. Rien.

Dans la rue, à trois maisons de là, on entendit un bruit de démarreur. Un moteur froid commença à tousser; pour ne pas caler, le conducteur le laissa tourner en accélérant. Comme si ce bruit l'attirait, Liz se dirigea dans cette direction, sans prendre garde à l'eau glacée qui lui trempait les pieds dans ses mules d'intérieur. Bobby courait toujours sur la pelouse, d'un massif à l'autre, appelait Marmaduke avec un désespoir croissant. Son moteur réchauffé, la voiture démarra enfin et s'écarta du trottoir.

Liz et Bobby le virent au même moment. Marmaduke gisait sur la chaussée, à l'endroit que venait de quitter la voiture. Le cri de douleur que poussa le petit garçon fut déchirant.

Il traversa la rue en courant, se laissa tomber à genoux dans la mare de sang gelé qui entourait le cadavre. Penché sur le petit corps brisé, il sanglota sans retenue jusqu'à ce que Liz l'eût rejoint. Agenouillée à côté de lui, elle voulut le détourner de l'horrible spectacle de la fourrure tachée de

340

sang, du crâne éclaté, l'arracher au spectacle de la mort.

Mais, pour la première fois, Bobby voyait la mort en face. L'horreur de cette vision le pénétrait de sa réalité, une réalité qu'il avait jusqu'alors refusé d'admettre. Ce cauchemar l'éveillait d'un autre, en un processus douloureux, insoutenable.

Un choc se produisit en lui. Il se laissa aller dans les bras de Liz, secoué par les sanglots. Ensemble, ils pleurèrent quelques instants qui durèrent une éternité; ils pleurèrent de douleur, ils pleurèrent sur la perte d'une affection, d'une présence trop tôt disparue. Et Liz sentit les bras frêles du petit garçon qui l'entouraient, la serraient très fort tandis que, d'une voix brisée, il lui répétait entre ses sanglots :

— Ne nous quittez pas, Liz, je vous aime...

23

Il commença sa tournée d'inspection par le haut. Le soleil de juin transformait les mansardes en fournaises; Paul faillit ouvrir les fenêtres et s'en abstint, de peur d'oublier de les refermer. Un vieux sac de voyage déchiré traînait dans un coin de placard. Laissons cela pour les nouveaux occupants, se dit-il. Tout le reste avait été dégagé. Dans la grande pièce de devant, il trouva une collection de vieux cintres en fil de fer dans une penderie, un balai cassé. C'est là qu'étaient empilées les boîtes contenant les vieux jouets de Bobby, bien rangées et étiquetées de la main de Jane.

L'Armée du Salut avait dû passer une journée entière à débarrasser la maison, en emportant le chargement d'un gros camion. Il se trouverait peut-être d'autres enfants ravis de jouer avec les vestiges d'une enfance, d'autres familles ravies de profiter des meubles et du bric-à-brac accumulés en treize ans de vie. Tant mieux pour eux. Laissons le passé ici, à sa place.

Paul referma les portes, descendit les marches jusqu'au premier étage. Le déménagement de Barbara avait posé des problèmes d'apparence insurmontable jusqu'à ce qu'ils eussent décidé de faire deux moitiés de sa collection de disques. En septembre, Barbara en emporterait une partie avec elle à Yale; l'autre accroîtrait la discothèque familiale, déjà en place dans le nouvel appartement.

Il ne restait que quelques cintres dans sa penderie, des fils électriques installés pour sa stéréo le long des murs et que

342

l'on abandonnait généreusement aux nouveaux propriétaires. Vide de ses meubles, la pièce paraissait immense, la moquette bleue comme un océan s'étendant à perte de vue. Paul se remémorait le jour de leur emménagement dans cette même maison vide. Barbara n'avait alors que cinq ans. A la vue de la chambre qui lui était destinée, elle avait couru d'un mur à l'autre en poussant des cris de joie devant tout cet espace où elle pourrait jouer à son aise. Elle avait même demandé qu'on dispose tous les meubles dans un coin pour faire des acrobaties sans entraves sur la moquette.

La chambre de Bobby était propre, à l'exception de la grosse tache de jus de raisin à l'emplacement de sa table de travail. C'est là qu'avait d'abord été mis son berceau... Ressaisis-toi, vieux frère. Ce n'est vraiment pas le moment de se laisser aller au sentiment. Ce que tu vois n'est jamais qu'une pièce vide dans une maison vide. Rien de plus.

Dans sa propre penderie, il trouva une pièce de monnaie par terre et se pencha pour la ramasser. Il n'aurait pas une aussi vaste garde-robe dans le nouvel appartement de Manhattan. Il n'y avait pas non plus de débarras ni de grenier où ranger alternativement vêtements d'hiver et vêtements d'été. Mais on saurait s'en contenter. La vaste terrasse dominait le fleuve et Bobby se passionnait déjà pour le spectacle des bateaux et des péniches, le flot ininterrompu de la circulation sur l'avenue, loin au-dessous. Paul lui avait promis une longue-vue. Ce qui comptait davantage, c'est que le jeune garçon pourrait désormais aller à l'école à pied, se lever plus tard et rentrer plus tôt. Peut-être se ferait-il enfin des amis dans le voisinage.

Adieu, chambre à coucher. Paul tira la porte derrière lui et descendit au rez-de-chaussée. Adieu vitraux, cheminée, hauts plafonds... Il restait cette malheureuse fissure que Paul s'était depuis longtemps promis de replâtrer sans jamais en avoir eu le temps. Tant pis, les nouveaux propriétaires pouvaient s'en occuper, avec le reste.

Il resta plus longuement dans la cuisine. Le cœur de la maison, le quartier général de Jane dans la maison de Jane... Il avait le sentiment d'y avoir passé toute une vie avec elle. Ils étaient encore jeunes, pleins de confiance dans l'avenir. Ils savaient que le monde leur appartiendrait. Paul se dirigea

343

vers l'emplacement de la table et regarda le jardin par la fenêtre. Plongé dans sa contemplation, il sentit alors un souffle glacé lui caresser la nuque, lui picoter les cheveux. Jane était toujours là, présente dans tout ce qu'il voyait, dans tout ce qu'il palpait. Adieu, Jane, dit-il à mi-voix. Adieu ou, peut-être, au revoir…

Liz avait vu juste. Pourquoi ne s'en était-il pas rendu compte avant qu'il fût presque trop tard ? Ils avaient en effet besoin d'un cadre neuf pour une vie nouvelle, d'un nouveau foyer pour une famille renouvelée. Un lieu sur lequel ne pèserait plus la lourde hypothèque des ombres encore présentes et des souvenirs douloureux.

Adieu, Jane, répéta-t-il à haute voix, le regard embué par les larmes. Je te laisse ici, dans cette maison qui était la tienne et que je n'oublierai jamais. Nous trois, nous partons ailleurs nous créer de nouveaux souvenirs où tu n'auras pas place et que tu ne partageras pas. Mais ce que nous emportons en nous suffira à perpétuer ta mémoire dans l'esprit de chacun de nous trois, à qui tu as tant donné.

Paul traversa le vestibule pour la dernière fois, vérifia la penderie par acquit de conscience. Il tira derrière lui la lourde porte de verre et de fer forgé, marqua l'arrêt sur le perron. La Buick était devant le garage, tout le monde l'y attendait. Il prit place au volant, mit le contact, fit un clin d'œil complice à Barbare assise à côté de lui.

— Tout est en ordre ? lui demanda-t-elle.

— Impeccable !

— Quand les autres vont-ils s'installer ? demanda Bobby de la banquette arrière.

— Dans une quinzaine de jours. Ils auront le temps de repeindre et de tout arranger avant d'emménager.

Il exécuta une marche arrière, manœuvra dans la rue, roula lentement jusqu'au feu rouge. Il vit Liz lui sourire dans le rétroviseur et lui rendit son sourire. Bobby était blotti contre elle, sous son bras protecteur, et tenait sur ses genoux le nouveau chaton roux qu'il avait baptisé Abricot.

— Où allons-nous déjeuner ? demanda Barbara.

Paul attendit la réaction obligée de Bobby :

— *McDonald's !* Et je prendrai une double portion de frites, Barbara me chipe toujours les miennes.

344

Liz poussa une exclamation indignée que démentait son sourire :

— Quelle famille ! Vous ne pensez qu'à manger, vous autres.

— Absolument, approuva Paul. A rien d'autre.

Lorsque le feu passa au vert, il tourna le coin de la rue en direction de la voie express vers Manhattan. Il leva les yeux dans le rétroviseur, vit la tourelle qui se dressait au-dessus du toit et ne la lâcha plus du regard jusqu'à ce qu'elle eût disparu.

Mais personne d'autre que lui n'avait tourné la tête pour regarder une dernière fois la maison de Jane.

Cet ouvrage a été composé par EUROCOMposition S.A. Paris
et imprimé par la S.E.P.C. à Saint-Amand-Montrond (Cher)
pour le compte des éditions Belfond

Achevé d'imprimer le 7 octobre 1982

Dépôt légal : octobre 1982.
N° d'Édition : 534. N° d'Impression : 1487.
Imprimé en France